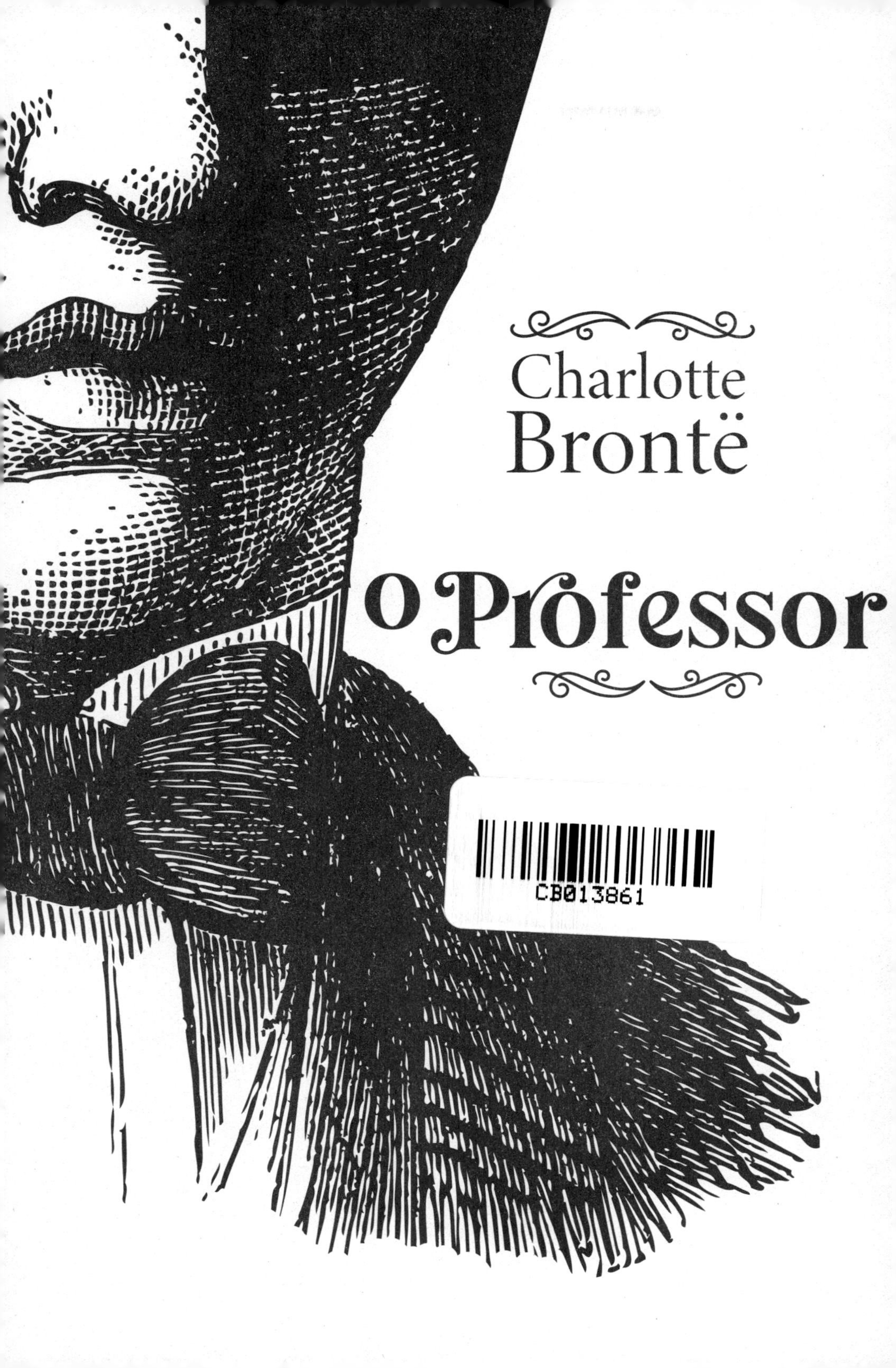
Charlotte
Brontë
O Professor
CB013861

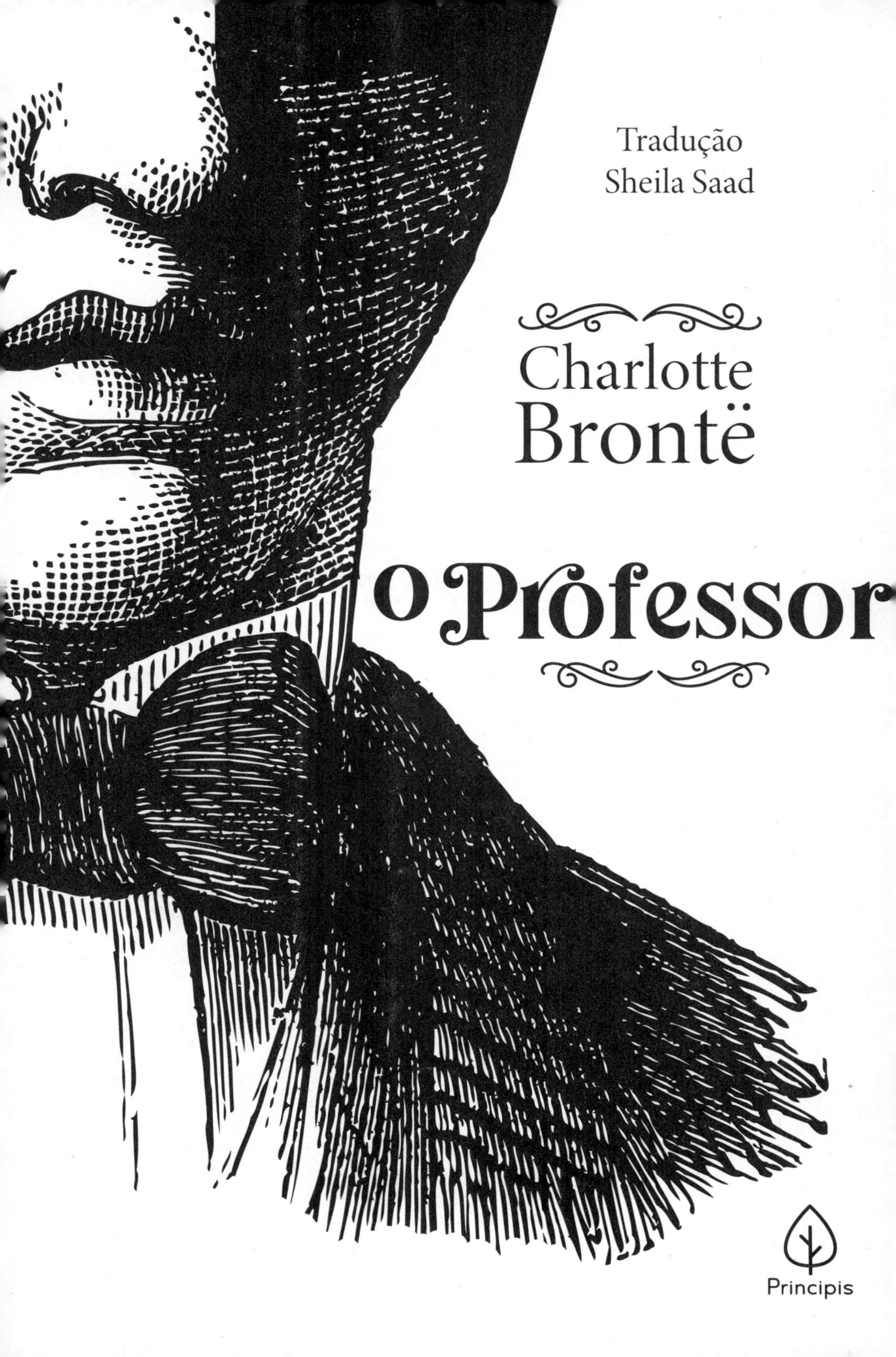

Tradução
Sheila Saad

Charlotte
Brontë

O Professor

Principis

Esta é uma publicação Principis, selo exclusivo da Ciranda Cultural

Traduzido do original em inglês
The professor

Texto
Charlotte Brontë

Tradução
Sheila Saad

Preparação
Jéthero Cardoso

Revisão
Cleusa S. Quadros

Produção editorial
Ciranda Cultural

Diagramação
Linea Editora

Design de capa
Ciranda Cultural

Imagens
Apostrophe/Shutterstock.com;
Flower design sketch gallery/Shutterstock.com;
Apostrophe/Shutterstock.com;
Yurchenko Yulia/Shutterstock.com;
Pavlo S/Shutterstock.com

Dados Internacionais de Catalogação na Publicação (CIP) de acordo com ISBD

B869p Brontë, Charlotte

O professor / Charlotte Brontë ; traduzido por Sheila Saad. - Jandira : Principis, 2021.
288 p. ; 15,5cm x 22,6cm. - (Clássicos da literatura mundial)

Tradução de: The professor
ISBN: 978-65-5552-308-9

1. Literatura inglesa. 2. Romance. I. Saad, Sheila. II. Título. III. Série.

CDD 823
2021-1418 CDU 821.111-31

Elaborado por Odilio Hilario Moreira Junior - CRB-8/9949

Índice para catálogo sistemático:
1. Literatura inglesa: Romance 823
2. Literatura inglesa: Romance 821.111-31

1ª edição em 2021
www.cirandacultural.com.br

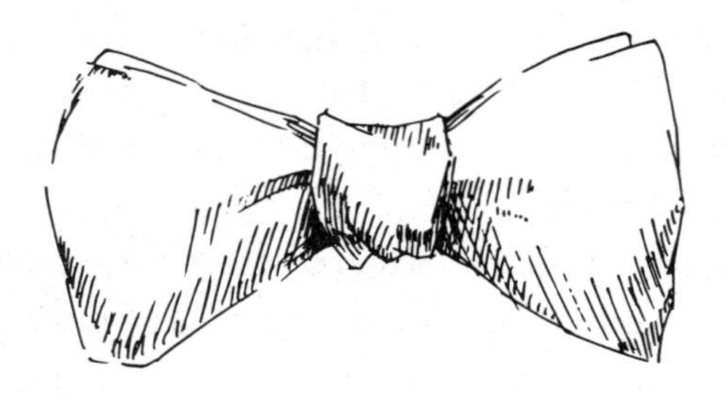

Prefácio

Este pequeno livro foi escrito antes de *Jane Eyre* e *Shirley*[1], mas isso não significa que se possa pedir alguma indulgência sob o pretexto de esta ser uma primeira tentativa. Uma primeira tentativa ele certamente não foi, pois a caneta que o escreveu já estava bastante gasta por causa dos vários anos de prática. É verdade que não cheguei a publicar nada antes de começar *O professor*; entretanto, em mais de uma tentativa tosca, destruída praticamente ao ser terminada, tinha perdido todo o gosto que um dia possa ter havido por narrativas rebuscadas e redundantes, passando a preferir aquelas de uma agradável simplicidade. Ao mesmo tempo, adotei uma série de princípios sobre a questão dos acontecimentos e de outros temas que, em teoria, receberiam a aprovação geral, mas cujos resultados, ao serem colocados em prática, costumam causar ao autor mais surpresas do que prazer.

Disse a mim mesmo que meu herói deveria abrir seu caminho pela vida tal qual eu vira homens reais fazê-lo, que nunca deveria receber um xelim que não tivesse merecido; que nenhuma reviravolta o levaria de súbito à riqueza e à ascensão social; que qualquer propriedade que adquirisse, por

---

[1] Primeiro romance escrito por Charlotte Brontë e rejeitado por diversas editoras, *O professor* foi publicado postumamente, em 1857. As obras *Jane Eyre*, *Shirley* e *Villette*, mencionadas neste prefácio, foram publicadas, respectivamente, em 1847, 1849 e 1853. (N.T.)

menor que fosse, deveria resultar do próprio suor; que, antes de encontrar um caramanchão sequer para descansar, ele deveria ter ascendido pelo menos até a metade da Colina das Dificuldades; que ele nunca deveria se casar com uma jovem bela ou uma dama de alta classe. Como um filho de Adão, deveria compartilhar do mesmo destino, sorvendo doses moderadas de prazer ao longo da vida.

Na sequência, porém, descobri que editores em geral não eram grandes entusiastas desse sistema e que tinham preferência por algo mais imaginativo e poético, algo mais consoante com uma fantasia altamente elaborada, com o gosto pela piedade, com sentimentos mais ternos, elevados, ingênuos. De fato, até que um escritor tente vender um manuscrito com essas características, ele não tem como saber o teor de romantismo e sensibilidade que jaz escondidos no peito de quem jamais suspeitaria abrigar tais tesouros. É comum acreditar que homens de negócios têm uma inclinação pela realidade, mas essa ideia cai por terra quando colocada à prova: é uma preferência passional pelo exacerbado, maravilhoso e emocionante, pelo estranho, surpreendente e angustiante que agita profundamente a alma daqueles de superfície serena e sóbria.

Dadas as circunstâncias, o leitor compreenderá que, para tê-la alcançado sob a forma de um livro impresso, esta breve narrativa enfrentou alguns desafios, o que de fato ocorreu. E, depois de tudo, sua mais dura batalha e provação ainda estão por vir, mas seu autor se tranquiliza, controla seus medos, apoia-se no cajado de uma esperança moderada e murmura para si enquanto levanta seus olhos e encontra os do público:

"Quem está embaixo não teme a queda"[2].

CURRER BELL[3]

---

[2] Excerto da obra *The Pilgrim's Progress* [*A peregrina* (traduzida por Eduardo Pereira e Ferreira; São Paulo: Mundo Cristão, 2013)], publicada originalmente em 1678 e escrita pelo pastor reformado John Bunyan (1628-1688). A expressão "Colina das Dificuldades", mencionada anteriormente, também tem origem no livro de Bunyan, bem como diversas outras referências feitas ao longo de *O professor*. (N.T.)

[3] Nos primeiros anos como escritora, Charlotte Brontë e suas irmãs, Emily e Anne, optaram por utilizar pseudônimos que não revelassem seu gênero, acreditando que, dessa forma, seus livros seriam mais bem recebidos pelos editores e pelo público. Escolheram, assim, nomes com as mesmas iniciais dos seus: Currer, Ellis e Acton Bell. O sobrenome foi emprestado de um amigo da família, Arthur Bell Nicholls, que veio a se tornar marido de Charlotte. (N.T.)

Este prefácio foi escrito por minha esposa para a possível publicação de *O professor*, pouco depois do lançamento de *Shirley*. No entanto, ao ser dissuadida de sua intenção, a escritora utilizou parte do material na composição de seu trabalho seguinte, *Villette*. Apesar disso, as duas narrativas são distintas em muitos aspectos e, por tal razão, solicitaram-me que não privasse o público da leitura de *O professor*. Assim, consenti com sua publicação.

B. NICHOLLS
Haworth Parsonage, 22 de setembro de 1856

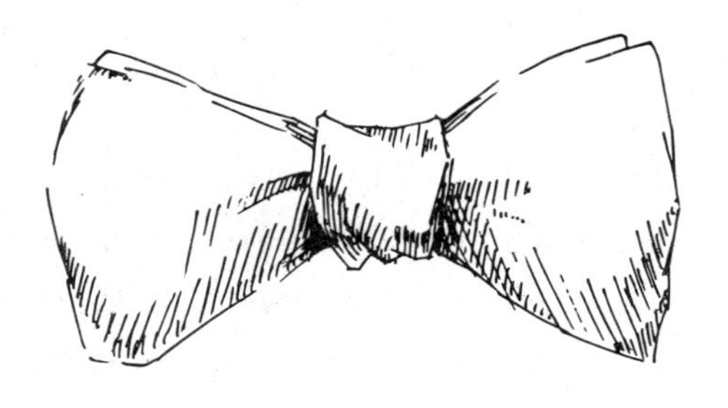

Capítulo 1

Introdução

Outro dia, folheando meus papéis, encontrei em minha escrivaninha uma cópia da carta abaixo, enviada por mim havia um ano para um antigo conhecido dos anos de colégio.

Querido Charles,

Creio que, no período que estivemos juntos em Eton, nenhum dos dois era aquilo que se podia chamar de popular: você era uma criatura sarcástica, observadora, perspicaz e fria; e, quanto a mim, não vou nem tentar traçar meu próprio retrato, mas não tenho nenhuma lembrança de que tenha sido minimamente atrativo – e você? Desconheço o magnetismo animal que nos uniu; certamente nunca nutri por você sentimento algum que se parecesse com o de Pílades e Orestes, e tenho motivos para acreditar que você também não sentia nenhuma inclinação romântica por mim. Ainda assim, fora do colégio, estávamos sempre juntos, conversando e passeando; entendíamos um ao outro quando o assunto eram nossos colegas ou mestres, e, quando eu recorria a alguma expressão de afeto, a um vago apreço por algo excepcional ou belo, de natureza animada ou inanimada, sua frieza sardônica não me demovia. Sentia-me superior a ela tanto naquele momento como agora.

Faz bastante tempo desde a última vez que lhe escrevi, e ainda mais tempo desde que o vi. Passando os olhos em um jornal de seu condado, casualmente me deparei com o seu nome. Comecei a me lembrar dos velhos tempos, a repassar os acontecimentos que ocorreram desde que nos separamos, e então me sentei para escrever esta carta. Não sei o que tem feito, mas você poderá escutar, se optar por fazê-lo, como o mundo tem me tratado.

Primeiro, depois de deixar Eton, tive uma audiência com meus tios maternos, Lorde Tynedale e o honorável John Seacombe. Eles perguntaram se eu gostaria de me juntar à Igreja e, em caso afirmativo, meu tio nobre me ofereceria o benefício de Seacombe, que pertence a ele. Então meu outro tio, o senhor Seacombe, insinuou que, quando me tornasse vigário de Seacombe-cum-Scaife, talvez me fosse autorizado tomar, como senhora da minha casa e chefe da minha paróquia, uma das minhas seis primas, suas filhas, as quais me desagradavam profundamente.

Recusei tanto a Igreja como o casamento. Um bom clérigo é algo notável, mas eu teria sido péssimo. Quanto à esposa, só a ideia de me comprometer por toda a vida com uma das minhas primas já é um pesadelo. Sem dúvida todas elas são belas e possuem grandes qualidades, mas nenhuma que faça vibrar sequer uma fibra em meu peito. A ideia de passar as noites de inverno à luz da lareira, na antessala da paróquia de Seacombe, sozinho com uma delas, por exemplo a estátua grande e bem modelada que é Sarah… Não! Em tais circunstâncias eu seria ruim tanto como marido quanto como clérigo.

Quando recusei ambas as ofertas, meus tios perguntaram o que eu pretendia fazer. Respondi que precisava pensar. Eles me lembraram de que eu não tinha fortuna própria nem esperança de obtê-la e, depois de uma pausa considerável, Lorde Tynedale inquiriu-me sobre minha pretensão de seguir os passos do meu pai e de comprometer-me com a indústria. Bem, eu não tinha pensado naquilo. Não acho que eu tenha o perfil de um bom industrial; meus gostos e minhas ambições não seguem por esse caminho; mas era tal o desprezo no semblante de Lorde Tynedale ao pronunciar a palavra INDÚSTRIA, era tal o sarcasmo em sua voz, que me decidi imediatamente. Meu pai não passava de um nome para mim, mas ainda assim não gostei de ouvi-lo com tamanho desdém na própria cara. Respondi então, na afobação do momento, que não podia pensar em nada melhor do que seguir os passos do meu pai e que seria, sim, um industrial. Meus tios não protestaram, e nos despedimos com um desagrado mútuo. Revendo essa discussão, vejo que estava certo em me livrar do fardo do benefício de Tynedale, mas que também foi uma estupidez oferecer minhas costas tão prontamente para carregar outro fardo – um que poderia ser ainda mais intolerável e que, até então, não havia sequer sido considerado.

Rapidamente, escrevi para Edward – você o conhece: meu único irmão, dez anos mais velho, casado com a filha de um milionário, dono de uma fábrica e em cujas mãos estavam também a fábrica e o negócio que eram de meu pai antes que decretasse falência. Você deve se lembrar de que meu pai, outrora considerado um Creso da riqueza, foi à falência um pouco antes de falecer, e que minha mãe viveu como indigente nos seis meses que sucederam à morte dele, sem receber nenhum auxílio de seus irmãos aristocratas, aos quais havia ofendido mortalmente ao se casar com Crimsworth, o industrial do condado. Terminados os seis meses, ela me trouxe ao mundo que logo abandonou, sem muita pena, creio, já que ele não parecia trazer-lhe nenhuma esperança ou consolo.

Os parentes de meu pai se encarregaram tanto de Edward como de mim até que eu completasse 9 anos de idade. Naquela época ficou vaga a representação de um importante município em nosso condado, e o senhor Seacombe apresentou sua candidatura. Meu tio Crimsworth, um astuto homem de negócios, aproveitou a oportunidade para escrever uma carta virulenta para o candidato, afirmando que, se ele e Lorde Tynedale não consentissem em contribuir para o sustento dos filhos órfãos de sua irmã, ele tornaria pública a conduta cruel e maligna que tiveram em relação à irmã e faria todo o possível para dificultar a eleição do senhor Seacombe. Esse cavalheiro e Lorde T. conheciam bem a natureza inescrupulosa e determinada dos Crimsworths, e sabiam também de sua influência no município X; e assim, fazendo da necessidade uma virtude, consentiram em custear a minha educação. Enviaram-me a Eton, onde estive por dez anos, durante os quais não vi meu irmão. Quando meu irmão cresceu, dedicou-se aos negócios, perseguindo sua vocação com tal diligência, habilidade e sucesso que agora, aos 30 anos, estava fazendo fortuna. Eu tomava conhecimento de tudo isso por meio das cartas breves e eventuais, três ou quatro ao ano, que recebia dele, as quais nunca terminavam sem que manifestasse sua hostilidade pela casa dos Seacombes, e me reprovasse por viver, em suas palavras, da prodigalidade de tal casa. A princípio, quando ainda era menino, não conseguia entender por quê, como órfão, não podia me sentir em dívida com meus tios Tynedale e Seacombe por patrocinarem minha educação; porém, à medida que fui crescendo e conhecendo a persistente hostilidade, o ódio que mostraram a meu pai até o dia de sua morte e os sofrimentos de minha mãe – em suma, todos os erros daquela casa –, passei a me envergonhar da dependência em que vivia e resolvi não aceitar mais nenhum sustento das mãos que se recusaram a atender às necessidades da minha mãe moribunda. Foram esses sentimentos que me levaram a recusar a paróquia de Seacombe e à união com qualquer uma de minhas primas.

Dada a rachadura irreparável que se abriu no meu relacionamento com os meus tios, escrevi a Edward contando-lhe o que havia ocorrido e informando-lhe de minhas intenções de seguir seus passos e me tornar um industrial. Perguntei, também, se ele poderia me dar um emprego. Sua resposta não manifestou qualquer aprovação da minha conduta, mas disse que eu poderia ir até o condado, se quisesse, e que ele veria então o que poderia ser feito para me conseguir algum emprego. Reprimi qualquer comentário que pudesse me ocorrer, inclusive mentalmente, sobre sua resposta; enfiei minhas coisas no baú e na bolsa e rumei para o norte.

Após dois dias de viagem (ainda não existiam estradas), eu cheguei, em uma tarde chuvosa de outubro, à cidade de X. Sempre acreditei que Edward morasse naquela cidade, mas lá chegando descobri que apenas a fábrica e o armazém do senhor Crimsworth estavam localizados naquela atmosfera enfumaçada de Bigben Close; sua RESIDÊNCIA *ficava a quatro milhas de distância, no campo.*

Já era tarde da noite quando apeei no portão da casa que me havia sido apontada como a de meu irmão. Conforme avançava pela avenida, pude ver, através das sombras do crepúsculo e da neblina úmida e lúgubre que as adensavam, que a casa era grande, e os jardins em seu entorno, suficientemente espaçosos. Detive-me por um momento em frente à casa e, recostando-me em uma grande árvore que despontava no meio do jardim, contemplei o exterior de Crimsworth Hall com interesse.

"Edward é rico", pensei. Sabia que ele estava se saindo bem, mas não podia imaginar que era o senhor de uma mansão como aquela. Interrompendo todo o meu assombramento, todas as minhas especulações e conjecturas, aproximei-me da porta e toquei a campainha. Um criado abriu a porta e, tão logo me apresentei, ele tomou minha capa e minha bolsa molhadas, conduziu-me a um aposento que parecia ser uma biblioteca, com o fogo crepitando alto na lareira e velas acesas sobre a mesa, e me informou que seu senhor ainda não havia chegado do mercado de X, mas que certamente estaria em casa na próxima meia hora.

Assim que fiquei sozinho no aposento, acomodei-me na confortável poltrona de couro caprino vermelho que estava ao lado da lareira e, enquanto meus olhos assistiam às chamas dardejando do carvão em brasa e às cinzas caindo de quando em quando, minha cabeça se dedicava a fazer conjecturas sobre o encontro que estava prestes a acontecer. Apesar de muitas incertezas, uma coisa era certa: eu não corria perigo de sofrer uma grande decepção – minha modesta expectativa se certificaria disso. Não esperava nenhuma demonstração efusiva de carinho fraternal; as cartas de Edward sempre me impediram de alimentar quaisquer ilusões dessa natureza. Ainda assim, enquanto estava ali sentado, aguardando sua chegada, sentia uma inquietude, uma grande ansiedade, não sei por quê; minha mão, tão estranha ao contato carinhoso da mão de um parente, cerrava-se na tentativa de conter o tremor que a impaciência, de bom grado, faria sacudir.

Pensei nos meus tios e, enquanto me perguntava se a indiferença de Edward seria igual ao frio desdém que sempre recebi deles, ouvi os portões da avenida se abrir e rodas se aproximar da casa: o senhor Crimsworth tinha chegado. Após alguns minutos e uma breve troca de palavras com o criado no vestíbulo, seus passos vieram até a biblioteca; passos que, por si sós, anunciavam a chegada do mestre da casa.

Tenho ainda uma confusa lembrança do Edward de dez anos atrás: um jovem alto, esguio, inexperiente. Agora, ao me levantar da poltrona e me virar para a porta, pude ver um homem charmoso e poderoso, de feições claras, bem apessoado e de porte atlético. Percebi um ar decidido e uma grande astúcia, que se revelavam tanto em seus movimentos como em seu porte, nos seus olhos e na expressão de seu rosto. Cumprimentou-me rapidamente, olhando-me de cima a baixo ao me estender a mão; sentou-se em sua poltrona de couro vermelha e indicou, com um aceno, que me sentasse em outro lugar.

– Esperava que fosse ao escritório de contabilidade, em Close – disse em um tom áspero, que seguramente lhe era habitual. Tinha também um sotaque gutural do norte, áspero aos meus ouvidos acostumados à sonora pronúncia do sul.

– O dono da pousada na qual a diligência parou me deu o seu endereço. A princípio, duvidei da informação, porque não sabia que vivia no campo.

– Não importa. Apenas que cheguei meia hora atrasado porque estava esperando por você, nada mais. Achei que chegaria na diligência das oito horas.

Disse que lamentava muito por tê-lo feito esperar, ao que não respondeu. Atiçou o fogo, como que para dissimular sua impaciência, e voltou a me analisar.

Senti certa satisfação interior por não ter demonstrado, nos primeiros instantes do nosso encontro, nenhuma afeição ou entusiasmo; por ter cumprimentado aquele homem com calma e firmeza.

– Já rompeu definitivamente com Tynedale e Seacombe? – perguntou ele, naquele tom áspero.

– Não acredito que voltarei a ter qualquer contato com eles. Creio que minha recusa às propostas deles funcionará como uma barreira para qualquer interação futura.

– Porque – continuou – é melhor que se tenha em mente desde já que "ninguém pode servir a dois senhores"[4]*. Uma relação com Lorde Tynedale seria incompatível com a minha ajuda – disse, enquanto seus olhos me lançavam uma espécie de ameaça gratuita.*

Não me sentindo inclinado a responder, limitei-me a especular mentalmente sobre as diferenças que existem na constituição dos pensamentos humanos. Não sei como Crimsworth entendeu o meu silêncio, se o tomou como um sintoma de insubordinação ou como prova de que sua atitude autoritária me havia intimidado. Depois de me observar por um bom tempo, levantou-se de sua poltrona.

– Amanhã – disse – conversaremos sobre alguns outros pontos, mas agora já é hora do jantar, e a senhora Crimsworth deve estar aguardando. Você vem?

Ele saiu do aposento, e eu o segui. Ao atravessar o vestíbulo, perguntei-me como seria a senhora Crimsworth. "Será ela, pensei, tão

---

[4] Mateus 6:24 (trad. Bíblia do Rei James). Os diversos trechos bíblicos que aparecem ao longo da obra foram extraídos da Bíblia do Rei James, ou Versão Autorizada do Rei James, uma tradução inglesa feita em benefício da Igreja Anglicana, realizada no século XVII sob ordens do rei James I. As citações em português foram extraídas da versão em língua portuguesa da mesma Bíblia. (N.T.)

indiferente aos meus gostos como Tynedale, Seacombe, as senhoritas Seacombe e o afetuoso parente caminhando à minha frente? Ou será melhor do que todos eles? Será que sentirei confiança suficiente para revelar minha verdadeira natureza ao conversar com ela ou…" – meus pensamentos cessaram ao entrarmos na sala de jantar.

A lâmpada que ardia sob cúpula de um cristal opaco iluminava a bela sala, revestida de carvalho, e o jantar à mesa. Junto da lareira, como quem aguardava nossa chegada, estava uma dama em pé. Uma primeira olhada me revelou que ela era jovem, alta e bem torneada, e que seu vestido era bonito e elegante. O senhor Crimsworth e ela trocaram uma alegre saudação; ela ralhou com ele, em um tom que era ao mesmo tempo jocoso e manhoso, por seu atraso; sua voz (sempre levo a voz em consideração ao julgar o caráter de alguém) era vivaz, indicando, a meu ver, um temperamento alegre. O senhor Crimsworth logo colocou um fim a suas reprovações juvenis com um beijo, um beijo próprio de recém-casados (estavam casados não fazia nem um ano), e ela então se sentou à mesa de muito bom humor. Notando a minha presença, desculpou-se por não ter-me visto antes e estendeu a mão para me cumprimentar, como fazem as damas quando, motivadas por um alegre estado de espírito, se sentem inclinadas a ser simpáticas com todos, inclusive com aqueles que lhes são indiferentes. Pude então reparar que ela tinha belas feições, com traços suficientemente marcados, mas agradáveis; tinha os cabelos ruivos, bem vermelhos. Ela e Edward conversavam bastante, sempre discutindo em tom de brincadeira; ela estava irritada, ou fingia estar, porque ele havia arreado um cavalo feroz na charrete, e ele deu pouca importância a seus medos. Às vezes ela se dirigia a mim.

– Senhor William, diga-me se não é um absurdo que Edward fale assim. Ele diz que arreará Jack, e nenhum outro cavalo, e o bruto já o derrubou duas vezes.

Ela falava com uma espécie de ceceio, o que não soava desagradável, mas infantil. Logo notei em seus traços, que não eram delicados, uma expressão que, mais do que juvenil, era pueril. Sua expressão e ceceio eram claramente encantadores para Edward, da mesma forma que deveriam ser para a maioria dos homens, exceto para mim. Procurei os olhos dela, buscando conseguir ler neles a inteligência que não via em seu rosto e que não ouvia em sua conversa; eram alegres, deveras pequenos, e revelavam sua sagacidade, vaidade e coquetismo; mas foi em vão que esperei vislumbrar sua alma. Não sou como os orientais: pescoço alvo, lábios e bochechas carmesim, madeixas de cachos lustrosos não me bastam, não se não houver aquela centelha prometeica que seguirá viva depois que as rosas e os lírios secarem e que o cabelo brilhoso ficar grisalho. À luz do sol e com bons ventos, as flores desabrocham; mas, nos dias chuvosos da vida, nos novembros gelados e úmidos, a chaminé e a casa de um homem seriam realmente geladas sem o claro e animado calor do intelecto.

Depois de ter examinado a bela página que era o rosto da senhora Crimsworth, um suspiro profundo e involuntário anunciou minha decepção; ela o recebeu como uma homenagem a sua beleza, e Edward, claramente orgulhoso de sua jovem e bela esposa, lançou-me um olhar que oscilava entre o ridículo e a ira.

Deixei de olhar para eles e, passando casualmente os olhos pelo aposento, vi dois quadros no armário de carvalho, um de cada lado da moldura da lareira. Parei de participar da conversa entre o senhor e a senhora Crimsworth e concentrei minha atenção nos quadros. Eram retratos, uma dama e um cavalheiro, ambos vestidos com roupas de vinte anos atrás. O cavalheiro estava na sombra, e eu não conseguia vê-lo direito; já a dama era iluminada pelo suave feixe de luz lançado pelo abajur. Eu a reconheci imediatamente. Tinha visto aquela fotografia na minha infância, era da minha mãe. Aqueles dois retratos eram as únicas relíquias da família que haviam sido poupadas quando todas as propriedades do meu pai foram vendidas.

Lembrei-me do rosto que me aprazia quando eu era menino, mas que ainda não compreendia. Agora sabia quão raro era aquele tipo de rosto no mundo e apreciava sua expressão pensativa, porém gentil. Seus olhos sérios e cinza exerciam um grande encanto sobre mim, assim como certas linhas em suas feições, capazes de revelar os sentimentos mais sinceros e delicados. Lamentei que fosse apenas um retrato.

Não demorei a deixar o casal Crimsworh a sós, e um criado me conduziu aos meus aposentos. Ao fechar a porta, tranquei todos os intrusos do lado de fora; entre eles, Charles, estava você.

Adeus por ora.

William Crimsworth.

Nunca recebi uma resposta para essa carta. Antes de recebê-la, meu velho amigo tinha aceitado uma indicação do governo para um posto em uma das colônias e já estava a caminho do lugar onde desempenharia seus deveres oficiais. O que aconteceu com ele desde então eu não sei.

O tempo livre de que disponho, e que intencionava usar para seu desfrute pessoal, será agora dedicado ao proveito do público em geral. Minha narrativa não é emocionante e tampouco extraordinária, mas pode acabar interessando algumas pessoas que, tendo se dedicado à mesma vocação, encontrarão na minha experiência um reflexo das suas. A carta reproduzida anteriormente servirá como introdução. Agora, prossigo.

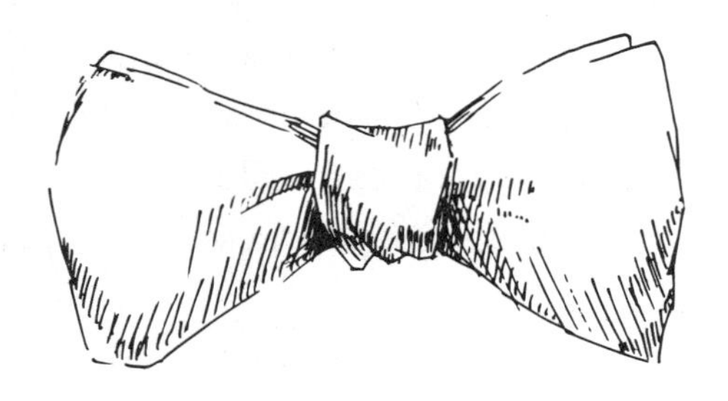

Capítulo 2

Uma bela manhã de outubro sucedeu àquela noite enevoada que testemunhou minha chegada a Crimsworth Hall. Levantei-me cedo e fui andar pelo caminho largo e ajardinado que ladeava a casa. O sol outonal despontava sobre as colinas do condado, revelando um lugar agradável; o bosque marrom e tranquilo dividia a paisagem com os campos recém-colhidos; o rio cortava o bosque, refletindo em sua superfície o brilho frio do sol e o azul do céu de outono; as chaminés altas e cilíndricas apareciam de quando em quando ao longo de sua margem, esguias como torres, e denunciavam as fábricas parcialmente escondidas pelas árvores; as mansões que, como Crimswoth Hall, ocupavam lugares privilegiados na encosta; todos os elementos que, juntos, davam à paisagem um tom alegre, ativo e fértil. Fazia tempo que o romantismo e a reclusão do campo haviam sido substituídos pelo vapor, por fábricas e maquinários. A cinco milhas dali, no fundo do vale que se abria entre duas pequenas colinas, estava a grande cidade de X, e em algum ponto dela, cobertos por um vapor denso e permanente, estavam os negócios de Edward.

Forcei a vista para observar aquela possibilidade e forcei a mente para me concentrar por um momento; e, quando percebi que não me transmitia nenhuma emoção agradável, que não alimentava em mim nenhuma das esperanças que um homem deveria ter ao ver diante de si o cenário de sua carreira, disse a mim mesmo: "William, você é um rebelde sem causa, um idiota por não saber o que quer. Escolheu a indústria, então será um industrial. Olhe", continuei mentalmente, "olhe a fumaça negra naquele vale e aceite que lá é o seu lugar. Lá não poderá sonhar, especular ou teorizar; lá irá apenas trabalhar".

Depois dessa constatação, retornei a casa. Meu irmão estava de pé na saleta de desjejum, de costas para a lareira. Cumprimentei-o com certa compostura – não poderia fazê-lo com alegria – e a quantidade de coisas que pude ler em seus olhos quando nossos olhares se cruzaram, quando me aproximei para lhe dar bom dia, quantas coisas contrárias à minha natureza... Disse-me bom dia com aspereza e assentiu com a cabeça; então agarrou um jornal da mesa e se pôs a lê-lo com ares de patrão que busca um pretexto para escapar da amolação de uma conversa com um subalterno. Felizmente eu havia tomado a decisão de tolerar o que quer que fosse por um tempo; caso contrário, seus modos teriam trazido à tona a indignação que me esforçava para conter. Olhei para ele, examinei sua figura robusta e forte; vi meu reflexo no espelho sobre a moldura da lareira e me diverti comparando as duas imagens. Meu rosto lembrava o dele, apesar de eu não ser tão bonito. Eu tinha traços menos harmoniosos, olhos mais escuros e uma fronte mais larga; fisicamente eu era bem mais inferior: mais magro, mais fraco, não tão alto. Como um animal, Edward se sobressaía em tudo. Se seu intelecto se comprovasse tão superior ao meu quanto sua aparência, eu me tornaria seu escravo, pois certamente não poderia esperar dele a generosidade de um leão para com outro mais fraco: seus olhos frios e avarentos, seus modos duros e ameaçadores diziam que ele não me pouparia. Se eu tinha força de vontade para lidar com ele? Não sabia, nunca tinha sido posto à prova.

A entrada da senhora Crimsworth distraiu-me de meus pensamentos por um momento. Estava bonita, toda de branco, irradiando a frescura matinal de uma recém-casada. Dirigi-me a ela com o pouco do grau de formalidade que seu tom descontraído da véspera parecia exigir, mas me respondeu com frieza e compostura: seu marido a tinha orientado a não dar muita abertura para o seu empregado.

Findado o desjejum, o senhor Crimsworth me comunicou que a charrete nos aguardava em frente à porta principal e que esperava me encontrar pronto em cinco minutos para acompanhá-lo a X. Não o fiz esperar, e logo estávamos viajando com rapidez pela estrada. O cavalo que nos levava era o mesmo animal feroz sobre o qual a senhora Crimsworth tinha expressado seus temores na noite anterior. Em um ou dois momentos, Jack pareceu disposto a ficar inquieto, mas o uso enérgico e vigoroso do chicote nas mãos de seu implacável senhor rapidamente surtiu efeito, subjugando o animal e dilatando as narinas de Edward, que expressavam seu triunfo na competição. Ele mal falou comigo durante o percurso, só abrindo a boca para maldizer o animal.

A cidade de X estava em polvorosa quando chegamos. Deixamos para trás as ruas limpas dos comércios e residências, das igrejas e dos prédios públicos, e rumamos para uma região de fábricas e armazéns. Atravessamos dois portões imensos e entramos em um pátio grande e movimentado: estávamos em Bigben Close, com a fábrica à nossa frente, vomitando fuligem por suas grandes chaminés e tremendo através dos grossos muros de tijolos por causa da agitação em seus intestinos de ferro. Trabalhadores iam e vinham; uma carroça estava sendo carregada com peças. O senhor Crimsworth olhou ao redor e pareceu entender tudo que acontecia; então se apeou e, deixando o cavalo e a charrete aos cuidados de um homem que se apressou em receber as rédeas de suas mãos, pediu-me que o seguisse até o escritório de contabilidade. Entramos, então, em um lugar que não tinha nada em comum com Crimsworth Hall: um lugar para os negócios, com piso de madeira, um cofre, duas escrivaninhas altas com banquinhos e algumas cadeiras. Uma pessoa sentada em uma das escrivaninhas tirou seu chapéu quando Edward entrou e, em instantes, já estava novamente absorta em sua tarefa, não sei se de escrita ou cálculo.

Depois de tirar sua capa de chuva, o senhor Crimsworth se sentou junto ao fogo, e eu fiquei de pé perto da lareira. Em seguida, disse:

– Steighton, pode sair. Tenho assuntos a tratar com este cavalheiro. Volte quando ouvir a campainha.

O indivíduo se levantou da escrivaninha e saiu, fechando a porta atrás de si. O senhor Crismworth atiçou o fogo; então cruzou os braços e ficou pensativo por alguns instantes, seus lábios apertados e a testa franzida. Eu não tinha nada a fazer além de observar sua beleza e seus traços bem definidos. De onde vinha, então, aquele ar tenso, aquelas linhas duras e estreitas em sua testa e em todo o seu rosto?

Virando-se para mim, disse de súbito:

– Você veio ao condado para aprender a ser um industrial?

– Sim.

– Você está decidido a isso? Preciso que me diga agora.

– Sim.

– Bem, não tenho nenhuma obrigação de ajudá-lo, mas tenho aqui um posto vago, caso você tenha qualificações para ele. Você terá que passar por um período de experiência. O que você sabe fazer? Sabe alguma coisa além daquela porcaria de grego e latim que aprendeu no colégio?

– Também estudei matemática.

– Duvido que tenha aprendido.

– Sei ler e escrever em francês e alemão.

– Hum – refletiu por alguns instantes. Então abriu uma gaveta na escrivaninha perto de si, pegou uma carta e, entregando-a a mim, perguntou: – Você consegue ler isso?

Era uma carta comercial em alemão. Eu a traduzi; não sei se a contento ou não, pois a expressão no rosto dele era impenetrável.

– É bom saber que você tenha aprendido algo útil – disse depois de uma pausa –, algo que lhe permita ganhar seu sustento e alojamento. Como você fala francês e alemão, vou empregá-lo como segundo escrevente para que cuide da correspondência internacional da fábrica. Vou lhe pagar um bom ordenado, noventa libras ao ano. E agora – disse, subindo o tom de voz – ouça de uma vez por todas tudo que tenho a dizer sobre a nossa relação e essa bobagem toda. Não vou tolerar nenhuma tolice a esse respeito, isso não combina comigo. Eu não farei nenhuma concessão a você sob o pretexto de ser meu irmão; se eu descobrir que é estúpido, negligente, devasso, preguiçoso ou qualquer outra coisa que possa colocar em jogo os interesses da fábrica, vou dispensá-lo como faria com qualquer outro empregado. Noventa libras ao ano é um bom ordenado, e espero que você faça jus a cada centavo. Lembre-se também de que aqui as coisas são feitas de forma prática; gosto de hábitos, emoções e ideias de negócios. Fui claro?

– Em parte. Suponho que o senhor queira dizer que eu terei de trabalhar pelo meu ordenado, que não deverei esperar nenhum favor da sua parte nem contar com sua ajuda para nada além daquilo pelo que serei pago. Isso é precisamente o que me convém e, nesses termos, concordo em ser seu escrevente.

Dei meia-volta e andei até a janela. Dessa vez eu não consultei seu rosto para saber sua opinião: não sabia e tampouco me importava. Após uns minutos em silêncio, ele voltou a falar:

– Talvez você esteja esperando se alojar em Crimsworth Hall, indo e vindo comigo de charrete. Porém quero que saiba que isso seria muito inconveniente para mim. Gosto de ter um assento livre para qualquer cavalheiro que, por motivo de negócios, deseje levar a Crimsworth Hall para passar a noite ou o que seja. Você buscará alojamento em X.

Saí de perto da janela e voltei a me aproximar da lareira.

– É óbvio que vou procurar um alojamento em X. A mim também não é conveniente ficar em Crimsworth Hall.

Meu tom de voz era baixo, como sempre foi. Ainda assim, os olhos azuis do senhor Crimsworth flamejavam, e ele decidiu se vingar de um modo bastante estranho. Virando-se para mim, disse asperamente:

– Eu suponho que você seja pobre. Como espera viver até receber seu primeiro pagamento?

– Encontrarei uma solução.

– Como você vai viver? – repetiu em um tom ainda mais alto.

– Como for possível, senhor Crimsworth.

– Se você se endividar, estará por sua conta e risco. Isso é tudo – respondeu. – Até onde eu sei, você poderia ter extravagantes costumes aristocráticos; se for assim, melhor esquecê-los. Não tolero nada desse tipo aqui e nunca lhe darei nem um xelim a mais, independentemente das dívidas que você possa contrair. Lembre-se disso.

– Sim, senhor Crimsworth. O senhor perceberá que tenho boa memória.

Não disse mais nada. Não me parecia o momento mais adequado para discutir. Minha intuição me dizia que seria insensato de minha parte deixar que um homem como Edward me tirasse constantemente do sério. Disse a mim mesmo: "Colocarei um cálice debaixo desse gotejamento contínuo e o deixarei ali, parado e firme. Quando estiver cheio, irá transbordar por si só. Até lá, paciência. Duas coisas são certas: sou capaz de fazer o trabalho que o senhor Crimsworth me deu, posso ganhar meu ordenado com diligência, e ele bastará para o meu sustento; e, se meu irmão escolhe agir comigo como um amo cruel e esnobe, a culpa é dele, não minha. Sua injustiça e seus maus sentimentos não conseguirão me demover do caminho que escolhi seguir. Ao menos, antes de me desviar desse caminho, avançarei o suficiente para ver até onde vai a minha carreira. Neste momento eu estou apenas empurrando a porta de entrada, que é bastante estreita, mas que deverá levar a um bom final". Enquanto seguia em meus pensamentos, o senhor Crimsworth tocou a campainha para que o primeiro escrevente, aquele que foi dispensado da sala para que conversássemos, retornasse.

– Senhor Steighton – pediu ele –, mostre ao senhor William as cartas da Voss Brothers e dê a ele cópias das respostas em inglês para que as traduza.

O senhor Steighton, um homem em seus 35 anos e com um rosto que era ao mesmo tempo astuto e grave, apressou-se a executar a ordem. Deixou as cartas na escrivaninha, onde logo me sentei para passar as respostas do inglês para o alemão. Um sentimento de intenso prazer me acompanhou desde o primeiro esforço para ganhar a vida, um sentimento que não foi envenenado nem enfraquecido pela presença do implacável tirano, que ficou um tempo em pé, observando-me enquanto eu escrevia. Pensei que estivesse tentando ler meu caráter, mas me sentia imune ao seu escrutínio, como se tivesse um elmo com a viseira abaixada; minha fisionomia revelava a confiança de quem mostra uma carta escrita em grego a um analfabeto: poderia ver as linhas e reconhecer as letras, mas não conseguiria interpretá-las. Minha natureza era diferente da dele, e meus sinais eram para ele como palavras de um idioma desconhecido. Não demorou muito para que se afastasse abruptamente, como se estivesse perplexo, e saísse do escritório de contabilidade, para onde não voltou mais do que duas vezes ao longo do dia; em ambas as ocasiões, fez e engoliu uma mistura de conhaque com água, cujos ingredientes foram retirados de um armário ao lado da lareira, olhou para as minhas traduções – sabia ler em alemão e francês – e se retirou em silêncio.

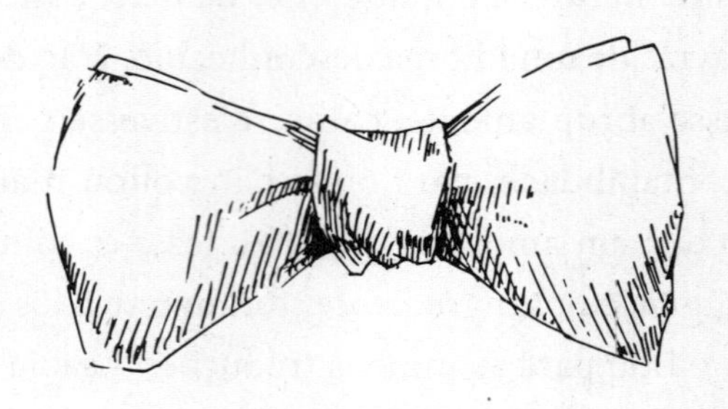

Capítulo 3

Foi com lealdade, pontualidade e diligência que servi a Edward como segundo escrevente. Tinha capacidade e determinação para fazer bem tudo aquilo que me era designado. O senhor Crimsworth me vigiava atentamente, procurando encontrar meus erros; mas não encontrou nenhum. Mandou também que Timothy Steighton, seu favorito e braço-direito, me vigiasse. Tim estava desconcertado, já que eu era tão bom quanto e mais rápido do que ele. O senhor Crimsworth me questionou sobre como vivia e se tinha me endividado: não, minhas contas com a senhoria estavam sempre em dia. Tinha alugado um pequeno alojamento e conseguia pagá-lo com minhas parcas economias, constituídas do dinheiro que tinha guardado da minha mesada em Eton. O certo é que, como sempre detestei pedir ajuda financeira, adquiri desde cedo o hábito de uma economia sacrificada, administrando minha mesada mensal com um inquieto esmero, a fim de não correr o risco de precisar pedir ajuda adicional em algum momento de necessidade futura. Recordo que muitos me chamaram de sovina à época, mas eu preferia ser mal interpretado naquele momento a ser rejeitado depois. Agora tinha minha recompensa. Na verdade, já tinha sido recompensado antes, quando um de meus irritados tios me jogou uma nota de cinco libras ao final de nosso último encontro e eu pude ignorá--la, afirmando que tinha dinheiro para arcar com os gastos da viagem. O senhor Crimsworth mandou que Tim descobrisse se minha senhoria tinha qualquer queixa sobre minha conduta moral; ela disse que acreditava que eu era um homem muito religioso, e perguntou a ele se eu tinha alguma intenção de entrar para a Igreja, porque, segundo ela, mesmo os jovens vigários que já tinham se alojado em sua casa não comungavam da minha seriedade e formalidade. O próprio Tim era um "homem religioso"; de fato, havia se convertido metodista, o que não o impedia, que fique claro, de ser um vigarista perfeito, mostrando-se aturdido ao saber da minha devoção. Tomando conhecimento dessa informação, o senhor Crimsworth, que não frequentava nenhum culto e que reconhecia Mamon[5] como seu único deus, transformou-a em uma arma contra a equanimidade do meu temperamento. Começou a fazer uma série de comentários jocosos cujo significado eu só consegui entender depois que minha senhoria me contou casualmente sobre sua conversa com o senhor Steighton. Sabendo disso, comecei a ir para o escritório preparado e consegui escutar as infâmias do dono da fábrica com uma indiferença inabalável. Em pouco tempo ele se cansou de gastar sua munição com uma estátua, mas não se desfez de suas flechas, apenas guardou-as em sua aljava.

Em uma ocasião, enquanto trabalhava para ele como escrevente, fui convidado a Crimsworth Hall por ocasião da grande festa de aniversário do dono da casa. Ele sempre teve o costume de convidar seus escreventes para celebrações semelhantes e dificilmente poderia ter-me deixado de fora; entretanto, manteve-me sempre fora de seu caminho. A senhora Crimsworth, elegantemente vestida de cetim e renda e esbanjando juventude e saúde, reconheceu minha presença apenas com um gesto distante; Crimsworth, obviamente, nem se dirigiu a mim; não fui apresentado a nenhuma das jovens senhoritas que, envolvidas por nuvens de gaze e musselina, se

---

[5] Retirado da Bíblia, o termo Mamon é usado para descrever riqueza material ou cobiça, podendo ou não ser uma divindade. A palavra em si significa "dinheiro" em hebraico. (N.T.)

sentavam de frente para mim, enfileiradas do outro lado do grande salão. De fato, estava praticamente isolado e sem nada a fazer além de contemplar aquelas jovens resplandecentes a distância – ou o desenho do tapete, quando me cansava delas. De pé, apoiado no mármore da lareira, o senhor Crimsworth conversava alegremente com um grupo de belas jovens. Dali, procurou-me e me encontrou cansado, solitário e resignado, como uma governanta ou um tutor desolado; e se deu por satisfeito.

O baile começou. Adoraria ter sido apresentado a alguma jovem inteligente e agradável, ter tido a liberdade e a oportunidade de mostrar que podia sentir e transmitir o prazer do intercâmbio social, que não era, afinal, parte da mobília, e sim um homem sensível que agia e pensava. Muitos rostos sorridentes e figuras graciosas deslizaram perto de mim, mas os sorrisos enchiam outros olhos, e as figuras se apoiavam em outras mãos que não as minhas. Atormentado, desviei o olhar, afastei-me dos bailarinos e entrei na sala de jantar revestida de carvalho. Nenhuma fibra de simpatia me unia a qualquer ser vivo daquela casa. Encontrei o retrato da minha mãe. Peguei uma vela do castiçal e a levantei; olhei fixamente para a imagem por um bom tempo, acostumando-me a ela. Notei que tinha herdado boa parte das feições e expressões de minha mãe: sua testa, seus olhos, sua pele. Não há beleza que satisfaça mais o egoísmo do ser humano do que a semelhança refinada e suavizada com ele mesmo; por isso, os homens observam com prazer as feições de suas filhas, onde encontram, com frequência, a própria aparência lisonjeiramente associada à suavidade do matiz e à delicadeza do contorno. Eu me perguntava o que um observador imparcial diria sobre aquele retrato, tão interessante para mim, quando uma voz disse:

– Hum, há um sentido nesse rosto.

Virei-me e vi ao meu lado um homem alto e jovem, apesar de ser seguramente uns cinco ou seis anos mais velho do eu, e cujas demais características eram o oposto do trivial – como não estou disposto a traçar seu retrato detalhado por ora, o leitor terá de se contentar com o esboço que acabo de oferecer, já que era tudo que eu tinha conseguido distinguir naquele momento. Não investiguei a cor de suas sobrancelhas nem de seus olhos, mas vi sua estatura e o perfil de sua figura, e também seu empertigado nariz arrebitado; bastaram-me essas observações, apesar de poucas e genéricas, exceto pelo nariz, para reconhecer quem era.

– Boa noite, senhor Hunsden – murmurei, fazendo uma mesura e me afastando com timidez. E por quê? Simplesmente porque ele era um industrial, dono de fábricas, e eu era apenas um escrevente, e meu instinto fazia com que me afastasse de meus superiores. Já o havia visto várias vezes em Bigben Close, quando vinha quase que semanalmente para tratar de negócios com o senhor Crimsworth, mas jamais tinha lhe dirigido a palavra, nem ele a mim. Também sentia algum ressentimento involuntário por ele, pois em mais de uma ocasião havia testemunhado estrategicamente os insultos que Edward proferira contra mim. Estava certo de que ele me considerava um servo covarde, por isso passei a esquivar-me de sua companhia e evitar sua conversa.

– Aonde está indo? – perguntou, ao perceber que me afastava.

Eu já tinha percebido que o senhor Hunsden se permitia falar com brusquidão, e então disse a mim mesmo perniciosamente: "Ele acha que pode falar como quiser com um pobre escrevente; mas talvez meu estado de espírito não seja tão flexível como ele acredita, e sua confiança grosseira não me agrada nem um pouco". Respondi qualquer coisa, com mais indiferença do que cortesia, e continuei me afastando. Ele se interpôs com frieza.

– Fique aqui mais um pouco – disse. – Está muito quente no salão de baile. Além disso, você não dança, não teve nem um par nesta noite.

Ele estava certo e, quando falou, nem sua expressão, nem seu tom e tampouco sua atitude foram desagradáveis; apenas satisfizeram meu AMOR-PRÓPRIO. Não era por condescendência que falava comigo, e sim porque, tendo ido à sala de jantar para se refrescar, queria conversar com alguém para se entreter por alguns instantes. Detesto que sejam condescendentes comigo, mas gosto de ser condescendente com os outros; então, fiquei.

– É uma bela fotografia – disse, retomando a conversa sobre o retrato.

– O senhor considera esse um rosto bonito?

– Bonito? Não. Como pode ser bonito com esses olhos tristes e essas bochechas fundas? É peculiar, parece estar pensando. Seria possível conversar com essa mulher, se estivesse viva, sobre assuntos que não fossem vestidos, visitas e elogios.

Concordei com ele, mas me mantive em silêncio. Ele continuou.

– Não que eu admire uma cabeça como essa; faltam-lhe caráter e força; tem muita sen-si-bi-li-da-de – disse, articulando cada sílaba enquanto curvava os lábios em sua boca. Além disso, tem rosto e corpo de aristocrata, e eu detesto aristocratas.

– O senhor crê, então, que é possível descobrir uma ascendência nobre por meio de determinadas formas e feições?

– Para o inferno com a ascendência nobre! Quem duvida que esses lordes de meia-pataca possam ter "determinadas formas e feições" da mesma maneira que nós, industriais do condado, temos as nossas? Mas quais são melhores? Não as deles, claro. Quanto às suas mulheres, é um pouco diferente: elas cultivam a beleza desde a infância, e podem alcançar um grau de excelência nesse ponto graças à prática e aos cuidados, tal qual as odaliscas orientais. Ainda assim, até essa superioridade é questionável. Compare a figura no retrato com a senhora de Edward Crimsworth e diga: qual é mais bonita?

– Compare a si mesmo com o senhor Edward Crimsworth, senhor Hunsden – respondi calmamente.

– Oh, Crimsworth é mais bem-apessoado do que eu, eu sei. Além disso, tem o nariz reto, as sobrancelhas arqueadas e tudo mais; mas essas vantagens, se é que são vantagens, não foram herdadas da mãe dele, a patrícia, mas de seu pai, o velho Crimsworth, que, segundo o meu pai, apesar de ter sido um tintureiro mediano, era o homem mais bonito dos três Ridings[6]. O aristocrata da família é você, William, e você não é nem de longe tão atraente como o seu irmão plebeu.

---

[6] Na época, o condado de Yorkshire se dividia em três jurisdições administrativas chamadas Ridings. Isso acaba por situar a obra, apesar de as cidades não serem nomeadas. (N.T.)

Por algum motivo, a forma direta com que o senhor Hunsden falava me agradava e me deixava confortável. Continuei a conversa com algum interesse.

– Como o senhor sabe que sou irmão do senhor Crimsworth? Supunha que todos achassem que eu não passava de um pobre escrevente.

– Bom, todos achamos. E o que mais você é além disso? Você trabalha para ele e ele lhe paga um salário, que é bem miserável, diga-se de passagem.

Fiquei quieto. A linguagem de Hunsden já beirava a impertinência, mas ainda assim o seu jeito de falar não me ofendeu nem um pouco; ao contrário, despertou minha curiosidade. Queria que ele continuasse falando, o que ele fez dali a pouco.

– Este mundo é absurdo.

– Por que diz isso, senhor Hunsden?

– Acho estranho logo você perguntar isso, já que é a prova viva do absurdo a que me refiro.

Estava certo de que ele explicaria sua colocação de bom grado, sem que eu precisasse pressioná-lo. Por isso, permaneci em silêncio.

– Você tem a intenção de se tornar um industrial? – questionou em seguida.

– Estava firme em minha intenção há três meses.

– Hum... Mais tonto, então. Tem jeito de industrial, afinal. Tem até a cara de homem de negócios!

– Esta cara é a que Deus fez, senhor Hunsden.

– O Senhor não fez nem sua cara nem a sua cabeça para X. De que servem aqui seus arroubos idealistas e analíticos, seu amor-próprio e sua sensibilidade? Mas, se você gosta de Bigben Close, fique aqui. Isso é problema seu, não meu.

– Talvez eu não tenha escolha.

– Bom, não tenho nada a ver com isso. O que você faz ou para onde vai é indiferente para mim. Mas agora estou com frio; quero voltar a dançar e vejo uma bela jovem ali no canto do sofá, sentada ao lado de sua mãe. Você vai ver como a tiro para dançar em um estalar de dedos! Ali está Waddy, Sam Waddy, aproximando-se dela, mas vou tirá-lo da jogada.

E assim, com passos firmes, ele se afastou. Eu o observei pelas portas dobráveis que estavam abertas. Tomou a dianteira de Waddy, tirou a jovem para dançar e guiou-a triunfante pelo salão de baile. Ela era jovem e bela, e seu vestido deslumbrante, no mesmo estilo do da senhora Crimsworth, valorizava suas medidas proporcionais e bem formadas. Hunsden a fez rodopiar no ritmo da valsa e permaneceu ao seu lado durante o resto da noite; e pude ver no semblante animado e satisfeito da jovem que a companhia dele tinha sido muito agradável. A mãe dela (uma mulher corpulenta com turbante que atendia pelo nome de senhora Lupton) também parecia satisfeita, provavelmente fantasiando com o futuro brilhante que as aguardava. A família Hunsden era antiga e, apesar do desdém com que Yorke (era esse o nome do meu interlocutor) falava das vantagens do berço, no fundo do seu coração ele conhecia enormemente toda a distinção que sua antiga (e alta) linhagem lhe proporcionava nesta cidade em expansão, cujos habitantes diziam que nem um em um milhão sabia quem era seu avô. Além disso, os Hunsden, outrora ricos, seguiam sendo independentes, e dizia-se que Yorke se empenhava, por meio do sucesso de seus empreendimentos, em recuperar a antiga prosperidade da fortuna em decadência de sua família.

Considerando essas circunstâncias, não era de se estranhar que o grande rosto da senhora Lupton ostentasse um largo sorriso de satisfação ao ver sua querida filha, Sarah-Martha, ser cortejada com tamanha diligência pelo herdeiro de Hunsden Wood. Eu, porém, como observador imparcial, notei que os alicerces da felicidade materna eram realmente frágeis: o cavalheiro parecia estar mais desejoso de causar do que suscetível a receber uma boa impressão. Enquanto observava o senhor Hunsden (não tinha nada melhor a fazer), vez ou outra percebia algo, não sei bem o quê, que lembrava um estrangeiro. Sua figura e feições podiam ser consideradas inglesas, ainda que tivessem uma pitada de gaélico, mas ele não tinha nada da timidez inglesa: tinha aprendido em algum lugar, de alguma maneira, a arte de uma perfeita desenvoltura e a não permitir que essa timidez insular se tornasse uma barreira entre ele e a sua conveniência, ou o seu prazer. Não tinha um refinamento afetado, mas também não era vulgar; não era estranho, nem excêntrico, e não se parecia com ninguém que eu já tivesse visto; a forma como se portava, em geral, irradiava uma satisfação completa e soberana, ainda que, em algumas ocasiões, uma sombra indescritível cruzasse seu semblante como um eclipse, como se sinalizasse uma dúvida interior súbita e violenta sobre si mesmo, suas palavras, suas ações; um descontentamento intenso com sua vida e sua posição social, suas perspectivas futuras ou suas conquistas mentais, não sei. No fim das contas, talvez fosse apenas um capricho bilioso.

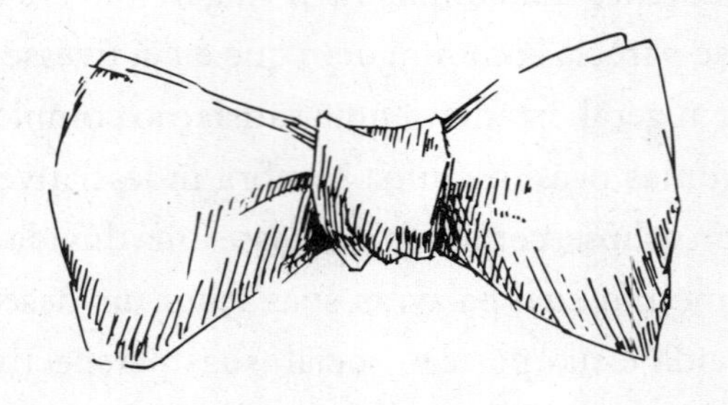

Capítulo 4

Nenhum homem gosta de reconhecer que cometeu um erro na escolha de sua profissão, e todo homem que se preze, antes de se dar por vencido e se deixar arrastar de volta à terra, remará contra a maré. Desde a minha primeira semana em X, vi minha profissão como um aborrecimento. O trabalho em si – copiar e traduzir cartas de negócios – era uma tarefa árida e tediosa, mas se isso fosse tudo eu teria aguentado aquela maçada por mais tempo. Não sou uma pessoa impaciente e, movido pelo duplo desejo de me sustentar e de justificar para mim mesmo e para os outros a minha decisão de me tornar um industrial, teria sofrido em silêncio o atrofiamento das minhas melhores faculdades mentais; não teria sussurrado, nem mentalmente, que ansiava pela liberdade; teria reprimido os suspiros que meu coração ousava dar para exprimir a angústia que lhe causavam a falta de espaço, a fumaça, a monotonia e a agitação desanimada de Bigben Close, assim como seus anseios por lugares mais livres e menos sufocantes; teria colocado a imagem do Dever e o fetiche da Perseverança em meu pequeno quarto na pensão da senhora King, para que fossem os deuses do meu lar, de onde nunca partiria o meu bem mais precioso, a minha amada secreta, terna e poderosa: a Imaginação. Mas isso não era tudo; a antipatia que brotou entre mim e meu chefe fincava cada vez mais suas raízes e estendia uma sombra tão densa que me impedia sequer de vislumbrar o sol da vida; e comecei a me sentir como uma planta que crescia na umidade escura das paredes viscosas de um poço.

Antipatia é a única palavra capaz de expressar o sentimento que Edward Crimsworth nutria por mim – um sentimento em boa parte involuntário e alimentado por meus movimentos, olhares ou palavras, por mais insignificantes que fossem. Meu sotaque do sul o incomodava; os anos de estudo denunciados por meu jeito de falar o irritavam; minha pontualidade, diligência e eficiência solidificaram seu desagrado, infundindo nele o alívio intenso e doloroso da inveja: temia que um dia eu também me tornasse um industrial de sucesso. Se eu fosse de alguma maneira inferior a ele, não teria me odiado tanto, mas eu sabia tudo o que ele sabia e, para piorar as coisas, ele suspeitava de que eu escondia uma riqueza intelectual à qual ele não tinha acesso. Um pouco do seu ódio teria sido aplacado se ele tivesse me dado um trabalho ridículo ou humilhante, mas eu era protegido por três faculdades: Cautela, Tato e Observação; e mesmo a insistente e indiscreta perversidade de Edward não conseguiu enganar os olhos de lince das minhas fiéis sentinelas. Dia após dia, sua maldade vigiava o meu tato, esperando que este baixasse a guarda para dar o bote como uma cobra; mas, quando genuíno, o tato está sempre alerta.

Tinha recebido meu primeiro salário e voltava ao meu alojamento, embalado pela agradável sensação de saber que ao chefe doía pagar cada centavo daquela suada ninharia (há tempos não considerava o senhor Crimsworth como meu irmão; era um chefe duro e implacável que queria ser um tirano inexorável, nada mais). Os pensamentos intensos de sempre passavam pela minha cabeça; duas vozes conversavam dentro de mim, dizendo constantemente as mesmas frases monótonas: "William, sua vida é insuportável" e "O que você pode fazer para mudar isso?". Andava depressa por causa do frio de janeiro e, conforme me aproximava do alojamento, passei de uma revisão geral da minha situação à especulação concreta de que o fogo da minha lareira tinha se apagado, pois não vi seu brilho avermelhado quando olhei para a janela do meu apartamento.

"Aquela porca daquela criada se esqueceu de novo, como sempre!", pensei. "Não verei nada além de velhas cinzas se eu entrar. Está uma bela noite estrelada, vou caminhar um pouco mais."

A noite estava realmente bonita, e as ruas estavam secas – e até limpas para os padrões de X. Dava para ver a curva da lua crescente perto da torre da paróquia da igreja e o céu iluminado por centenas de estrelas.

Inconscientemente, dirigi meus passos rápidos até o campo. Tinha chegado à Rua Grove e começava a sentir o prazer de ver algumas poucas árvores a distância quando me chamaram. A voz vinha de um pequeno jardim em frente a uma das casas suburbanas da rua.

– Por que diabos essa pressa? Foi assim que Ló saiu de Sodoma quando soube que a cidade seria punida com chuvas de fogo e enxofre.

Parei de imediato e olhei para quem havia falado. Senti o aroma e vi a brasa vermelha do charuto; vi também o perfil escuro de um homem debruçado sobre uma cancela.

– Como pode ver, estou meditando no campo sob o manto escuro e brilhante da noite – prosseguiu a sombra. – Deus sabe que é uma tarefa árdua, especialmente porque, em vez de enviar Rebeca nas corcovas de um camelo, com pulseiras nos braços e uma argola no nariz, o destino me manda apenas um escrevente com um sobretudo cinza de *tweed*.

A voz me era familiar, e sua segunda frase me ajudou a reconhecer a identidade de meu interlocutor.

– Senhor Hunsden! Boa noite!

– Uma ótima noite, de fato, mas você teria passado reto sem dizer nada se eu não tivesse sido suficientemente educado para falar primeiro.

– Eu não o reconheci.

– Essa desculpa é famosa. Você deveria ter me reconhecido; eu o reconheci, apesar de você estar andando como uma locomotiva a vapor. Está fugindo da polícia?

– Não valeria a pena. Não sou suficientemente importante para atrair a atenção da polícia.

– Ai do pobre pastor! Pobre coitado! Quanta aflição e abatimento se podem perceber em sua voz. Mas, se não é da polícia, está fugindo de quem? Do Diabo?

– Ao contrário, corro ao seu encontro.

– Isso é bom, e você está com sorte: hoje, como em toda terça-feira à noite, há dezenas de charretes e carros voltando para Dinnerford, e ele ou alguém dos seus deve ter um assento regular nos veículos. Então, se você quiser entrar e esperar por meia hora, pode ser que o veja passar sem muita dificuldade. De qualquer modo, acho que seria melhor deixá-lo tranquilo hoje, ele terá muitos clientes para atender: terça-feira é um dia movimentado em X e em Dinneford. Em todo caso, entre – disse, abrindo a cancela.

– O senhor realmente está me convidando para entrar?

– Como quiser. Estou só e seria agradável ter sua companhia por uma hora ou duas, mas, se você não quiser me honrar dessa forma, não irei insistir. Odeio aborrecer os outros.

Convinha-me aceitar o convite da mesma forma que convinha a Hunsden fazê-lo. Passei pela cancela e o segui até a porta de entrada; andamos por um corredor e entramos na sala. Depois de fechar a porta, ele indicou uma poltrona junto ao fogo; sentei-me e olhei ao meu redor.

O aposento era confortável, ao mesmo tempo bonito e acolhedor; na lareira ardia um fogo autêntico do condado, claro e generoso, bem diferente das brasas minguadas do sul da Inglaterra, com cinzas amontoadas no canto da lareira. Sobre a mesa, um abajur difundia uma luz tênue, agradável e uniforme; a mobília chegava a ser luxuosa para um jovem solteiro, com um sofá e duas poltronas; e estantes repletas de livros perfeitamente organizados preenchiam o espaço dos dois lados da lareira. O asseio do ambiente chamou a minha atenção (odeio hábitos irregulares e desleixados). Pelo que vi, pude deduzir que as ideias de Hunsden se pareciam com as minhas nesse aspecto. Enquanto ele tirava alguns folhetos e jornais da mesa de centro e os colocava no aparador, passei os olhos sobre os livros nas prateleiras mais próximas. Predominavam obras em francês e alemão, com os antigos dramaturgos franceses e diversos autores modernos, como Thiers, Villemain, Paul de Kock, George Sand, Eugène Sue; em alemão, Goethe, Schiller, Zschokke, Jean Paul Richter; em inglês, textos sobre economia política. Parei de examinar os títulos quando o senhor Hunsden voltou a falar.

– Você deveria beber algo. Certamente precisa se refazer depois de andar sabe-se deus quanto em uma noite canadense como esta; mas não será conhaque com água, nem uma taça de vinho do porto ou de xerez, pois não disponho desses venenos. Eu tomo vinho do Reno, e você pode escolher entre isso e café.

Novamente nossos gostos coincidiram: um costume que abominava mais do que qualquer outro era a ingestão habitual de licores e vinhos fortes. No entanto, não tinha vontade de tomar o ácido néctar alemão, mas gostava de café, então respondi:

– Aceito um pouco de café, senhor Hunsden.

Notei que minha resposta lhe agradou, pois certamente esperava uma fria reação à sua firme declaração de que não me ofereceria nem vinho nem licores; ele se limitou a me olhar inquisitivamente, analisando se minha cordialidade era sincera ou um mero fruto da educação. Sorri, pois o compreendia perfeitamente e, ainda que respeitasse sua firmeza, sua desconfiança me divertia. Parecendo satisfeito, tocou a campainha e pediu café, que foi trazido prontamente, enquanto ele se ateve a um cacho de uvas e um pouco de alguma bebida amarga. O café era excelente, o que fiz questão de dizer, expressando também a profunda compaixão que seu isolamento inspirava em mim. Ele não respondeu e creio que sequer ouviu meu comentário, pois naquele momento um daqueles eclipses momentâneos de que falei anteriormente cruzou o seu rosto, apagando seu sorriso e substituindo seu olhar normalmente perspicaz e brincalhão por outro, distraído e ausente. Aproveitei aquela pausa para examinar sua fisionomia. Ainda não tinha tido a oportunidade de observá-lo de perto e, míope que sou, tinha apenas uma vaga ideia de sua aparência. Fiquei surpreso ao perceber quão delicados, e até femininos, eram seus traços;

a altura, os cachos longos e escuros, a voz e o porte tinham me dado a ideia de algo forte, maciço; mas, ao contrário, até eu tinha feições mais duras e angulares. Imaginei que houvesse diferenças entre seu eu interior e seu exterior, e contradições, também, pois suspeitava de que tinha mais vontade e ambição em sua alma do que fibra e músculos em seu corpo. Talvez o segredo de sua melancolia volúvel estivesse nessas incompatibilidades entre *physique* e *morale;* ele queria, mas não podia, e sua mente atlética olhava com desprezo para sua frágil companheira. Quanto a sua beleza, gostaria de ter tido a opinião de uma mulher a respeito; a meu ver, seu rosto poderia causar em uma dama o mesmo efeito que um rosto feminino enérgico e interessante, mas sem atrativos, causaria em um homem. Os cachos escuros de que falei eram divididos ao meio, penteados sobre sua testa branca e suficientemente larga; suas bochechas eram de um rosa quase febril; suas feições poderiam ser bem retratadas em uma tela, mas não serviam para o mármore: eram maleáveis, marcadas uma a uma por seu caráter; suas expressões as reorganizavam a seu bel-prazer em uma curiosa metamorfose que lhe dava a aparência ora de um animal macabro, ora de uma menina astuta e travessa; e, com muita frequência, os dois aspectos se mesclavam, forjando um semblante estranho e complexo.

Despertando de seu silêncio, ele disse:

– William, que estupidez a sua por viver naquele alojamento deprimente da senhora King, quando você poderia alugar um apartamento aqui na Rua Grove e ter um jardim como o meu!

– Eu ficaria muito longe da fábrica.

– E daí? Seria bom andar até lá umas duas ou três vezes ao dia. Além disso, está tão morto que não lhe alegra ver uma flor ou uma folha verde?

– Não estou morto.

– Está como, então? Dia após dia, semana após semana, sentado naquele escritório de Crimsworth, rasgando o papel com a caneta como um autômato. Nunca se levanta nem reclama do cansaço, nunca pede um dia de folga nem fala de mudar ou descansar, não anda em más companhias nem se entrega à bebida.

– O senhor faz isso?

– Não pense que pode me desconcertar com suas perguntas. Meu caso e o seu são totalmente diferentes, e não faz sentido algum tentar traçar um paralelo entre eles. O que quero dizer é que, quando um homem pacientemente suporta o insuportável, ele está morto.

– E como o senhor sabe que sou paciente?

– Por deus, homem! Por acaso você imagina que é um mistério? Na outra noite, você pareceu surpreso de que eu soubesse a que família pertence, e agora se mostra espantado que eu diga que é paciente. Acha que sou cego e surdo? Presenciei mais de uma ocasião em que Crimsworth o tratou como um cachorro; pediu um livro e, quando você trouxe o errado, ou o que ele escolheu chamar de errado, praticamente o arremessou na sua cara; faz você abrir e fechar portas para ele como se fosse seu lacaio! Isso para não falar da posição em que colocou você naquela festa, sem lugar e sem par, andando a esmo como um aproveitador de quinta categoria! E você se demonstrou paciente em cada uma dessas situações.

– Bom, senhor Hunsden, o que posso fazer?

– Isso não sou eu quem pode responder. As conclusões que podem ser deduzidas a respeito do seu caráter dependem da natureza dos seus motivos. Se a sua paciência está relacionada à esperança de arrancar algo de Crimsworth no futuro, apesar de sua tirania, ou talvez até por meio dela, o senhor é o que o mundo chama de interesseiro e mercenário, mas é também um homem sábio. Se é paciente porque acha que deve responder a um insulto com submissão, você é um imbecil, e de forma alguma apostaria meu dinheiro em você. Agora, se sua paciência se deve a uma natureza fleumática, sonsa e apática, que é incapaz de chegar ao limite de sua resistência, Deus sem dúvida o fez para ser pisoteado, então continue se abaixando, ou melhor, deite-se de uma vez para que o carro de Juggernaut[7] passe logo por cima.

---

[7] A palavra, emprestada do sânscrito, é usada para se referir a um grande carro que leva a imagem de um deus hindu. (N.T.)

A eloquência do senhor Hunsden, como se pode notar, não era delicada nem bajuladora. Sua fala me desagradou; reconheci nele uma daquelas pessoas que, apesar de bastante sensíveis, se demonstram implacáveis com a sensibilidade alheia. Além disso, apesar de não ser como Crimsworth ou Lorde Tynedale, era mordaz, e suspeitava que também era autoritário à sua maneira: havia um quê de despotismo na veemência de suas críticas, proferidas para incitar o oprimido a se rebelar contra o seu opressor. Olhando mais fixamente para ele, percebi em seus olhos e em seu semblante a decisão de se apropriar de uma liberdade tão ilimitada que colocava em risco a liberdade do outro. Esses pensamentos passaram com rapidez pela minha cabeça, e logo comecei a rir uma risada baixa e involuntária, motivada pela sutil revelação da inconsistência daquele homem. Como tinha imaginado, Hunsden esperava que eu reagisse calmamente a suas suposições errôneas e ofensivas e a suas provocações amargas e arrogantes, e irritou-se com minha risada, ainda que não passasse de um sussurro.

Franziu a testa e dilatou ligeiramente suas narinas.

– Sim – começou –, eu disse que você era um aristocrata, e quem, além de um aristocrata, riria dessa forma ou me olharia desse jeito? Há frieza e escárnio em sua risada, uma rebeldia preguiçosa em seu olhar, uma ironia cavalheiresca, um ressentimento aristocrático. Você teria sido um excelente nobre, William Crimsworth! Foi feito para isso, e é uma lástima que a fortuna tenha frustrado a natureza! Olhe para suas feições, para sua figura e até para suas mãos: é pura distinção! E feia distinção. Se tivesse propriedades e uma mansão e um parque e um título, você poderia desempenhar seu papel exclusivo, defenderia os direitos de sua classe, ensinaria seus arrendatários a respeitarem sua nobreza, se oporia a qualquer medida que desse algum poder ao povo, apoiaria sua categoria podre e, por ela, estaria disposto a nadar no sangue camponês. Mas você não tem nenhum poder, então não pode fazer nada. Naufragou e está encalhado nas areias do comércio, obrigado a lidar com homens de negócios que você simplesmente não suporta, porque NUNCA SERÁ UM DELES.

A primeira parte do discurso de Hunsden não me afetou em nada – ou, caso o tenha feito, foi apenas para revelar como o seu preconceito deformou o juízo que fez sobre meu caráter. Sua conclusão, em contrapartida, não só me afetou como me chocou, desferindo sobre mim o duro golpe da verdade. Se cheguei a sorrir nesse momento, foi apenas para mostrar meu desdém por mim mesmo.

Hunsden percebeu e se aproveitou dessa vantagem.

– Você não chegará a lugar algum no mundo dos negócios – continuou. – Não conseguirá nada além de migalhas do pão amanhecido e da água que hoje lhe alimentam. Sua única chance de fazer fortuna é se casar com uma viúva rica ou fugir com uma herdeira.

– Deixo que esses recursos sejam colocados em prática por aqueles que os propõem – respondi, levantando-me.

– E nem assim há esperança! – disse friamente. – Que viúva iria querê-lo? E muito menos uma herdeira. Não é suficientemente audaz e atrevido para uma, nem suficientemente bonito e fascinante para a outra. Talvez você julgue parecer inteligente e refinado, então leve seu intelecto e refinamento ao mercado e depois me mande uma nota contando o valor que pagaram por eles.

O senhor Hunsden havia adotado um único tom para a noite, uma corda desafinada que ele insistia em tocar. Avesso à discordância, da qual eu tinha mais do que suficiente todos os dias, da manhã ao anoitecer, decidi que silêncio e solitude eram preferíveis àquela conversa irritante e então dei-lhe boa noite.

– Como? Já está indo? Bem, boa noite. Você sabe onde é a saída – disse, permanecendo sentado em frente ao fogo enquanto eu deixava o aposento e a casa.

Já tinha percorrido boa parte da distância até meu alojamento quando me dei conta de que caminhava muito depressa e respirava com dificuldade, de que cravava as unhas na palma das mãos em punho e travava a mandíbula. Percebendo o estado em que me encontrava, relaxei o passo, os punhos e a mandíbula, mas não consegui conter o mar de lamentações que inundava a minha mente. Por que raios resolvi me tornar um industrial? Por que tinha entrado na casa de Hunsden nesta noite? Por que tenho de voltar à fábrica amanhã ao nascer do sol? Passei a noite toda remoendo essas perguntas e por toda a noite exigi uma resposta sincera da minha alma. Não dormi; minha mente queimava e meus pés congelavam. Finalmente, o sino da fábrica tocou, e pulei da cama com os outros escravos.

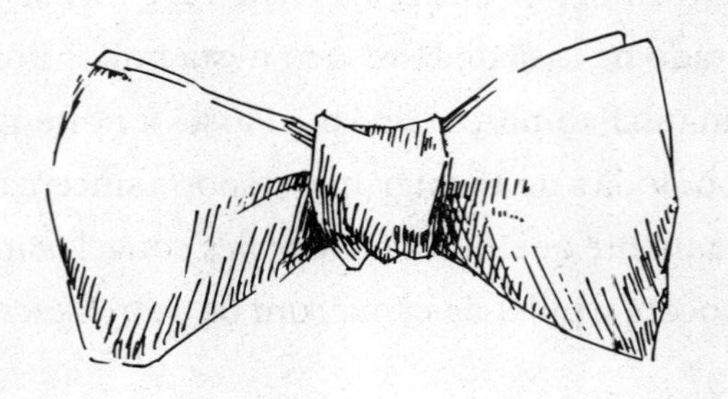

Capítulo 5

TUDO tem seu ponto culminante, seja um estado de espírito, seja uma posição na vida. Remoía a inexorabilidade dessa verdade em uma fria manhã de janeiro enquanto descia apressadamente a rua íngreme – e agora coberta de gelo – da casa da senhora King a Close. Os operários chegaram quase uma hora antes de mim, e a fábrica já estava acesa e funcionando a pleno vapor quando cheguei. Como de costume, ocupei meu posto no escritório de contabilidade; a lareira, recém-acesa, soltava apenas fumaça; Steighton ainda não tinha chegado. Fechei a porta e me sentei à escrivaninha; minhas mãos, ainda adormecidas por causa daquela água semicongelada, não me permitiam escrever enquanto não voltassem a se esquentar, então continuei pensando sobre o tal ponto culminante.

O descontentamento comigo mesmo perturbava profundamente a fluidez das minhas reflexões. "Vamos, William Crimsworth", disse minha consciência, ou o que quer que chame a nossa atenção internamente, "vamos, tenha uma ideia clara do que você aceitaria e do que não aceitaria. Você fala de ponto culminante, mas sabe se sua tolerância já chegou a ele? Ainda não se passaram nem quatro meses. Que homem decidido acreditou ser quando disse a Tynedale que seguiria os passos de seu pai e que bela caminhada poderá fazer! E como gosta de X! Como suas ruas, lojas, armazéns e fábricas formam um conjunto agradável! Como a perspectiva de um novo dia é animadora! Copiar cartas até o meio-dia, fazer refeições solitárias no alojamento, copiar cartas até o anoitecer; solidão, pois não desfruta da companhia de Brown, Smith, Nicholl ou Eccle; e, quanto a Hunsden, achava que encontraria algum prazer em se relacionar com ele – com ele! O que achou da amostra da noite passada? Foi boa? Ainda assim, é um homem talentoso e original, e, por mais que não goste de você, seus princípios o desafiam a gostar dele. Ele sempre o viu e sempre o verá como um desfavorecido; suas posições são desiguais e, mesmo que estivessem no mesmo nível, a mente de vocês não estaria; aceite isso e nunca espere colher algum fruto de amizade dessa planta protegida por espinhos. Cuidado, Crimsworth! Para onde vão seus pensamentos? Deixe a recordação de Hunsden tal qual uma abelha deixa uma pedra ou um pássaro no deserto; deixe sua aspiração abrir suas asas impacientes rumo a uma terra de visões onde agora, à luz do dia que avança, de um dia em X, você ouse sonhar com cordialidade, repouso, união. Essas três coisas que nunca encontrará neste mundo; talvez a alma dos justos que se tornaram perfeitos em vida o encontre no Paraíso, mas a sua nunca será perfeita. O relógio bate oito horas e suas mãos já descongelaram! Ao trabalho"!

– Trabalho? E por que deveria trabalhar? – disse, taciturno. – Ainda que trabalhe como um escravo, não consigo satisfazer a ninguém.

"Trabalha, trabalha!", reiterou a voz.

– Posso trabalhar, mas não fará diferença alguma – rosnei. Mesmo assim, saquei um maço de cartas e comecei minha tarefa, tarefa essa tão desagradável e amarga como a dos israelitas rastejando sob o sol do deserto em busca de palha e toco para atingir sua cota de tijolos.

Por volta das dez horas escutei a charrete do senhor Crimsworth chegar ao pátio, e em alguns minutos ele já estava no escritório. Tinha o costume de entrar, dar uma olhada em mim e em Steighton, pendurar sua capa de chuva, ficar um tempo de costas para o fogo e depois sair. Naquele dia, manteve-se fiel a seus hábitos; a única diferença é que, ao me olhar, sua expressão não era apenas dura, mas rabugenta; seus olhos não eram apenas frios, mas furiosos. Ele me observou por um ou dois minutos além do normal, e então se retirou em silêncio.

O sino tocou ao meio-dia, anunciando a pausa no expediente. Os operários foram comer; Steighton também se foi e pediu que eu trancasse a porta do escritório e levasse a chave comigo. Estava organizando uma pilha de papéis e colocando-os no lugar antes de fechar minha escrivaninha quando Crimsworth reapareceu e fechou a porta atrás de si.

– Espere aqui um momento – disse, em sua voz grave e bruta, enquanto suas narinas se dilatavam e seus olhos faiscavam um fogo sinistro.

Sozinho com Edward, lembrei-me de nossos laços familiares e, ao fazê-lo, esqueci-me das nossas diferentes posições e deixei de lado a deferência e o cuidado na fala, respondendo de forma breve e clara.

– É hora de ir para casa – disse, girando a chave na escrivaninha.

– Você fica aqui! E tire sua mão dessa chave! Deixe-a na fechadura!

– Por quê? – perguntei. – Por qual motivo deveria mudar meus hábitos?

– Faça o que mando – respondeu –, e sem perguntas! Você é meu criado, obedeça-me! O que você tem feito? – acrescentou, sem fazer pausa para respirar. Uma pausa brusca anunciou que, naquele momento, a raiva o impedia de articular qualquer palavra.

– Fique à vontade para olhar, se quiser. Aqui está a gaveta aberta, e ali estão os papéis.

– Maldita seja a sua insolência! O que você tem feito?

– O trabalho que me dá, e o faço muito bem.

– Seu hipócrita! Dissimulado, chorando de barriga cheia! Cara de pau! Chifre de gordura! – o último termo é, creio eu, puro dialeto do condado e se refere aos chifres do óleo negro e rançoso de baleias, os quais já tinha visto presos nos carros para besuntar as rodas.

– Bem, Edward Crimsworth, já basta. É hora de acertarmos as contas. Eu cumpri meu período de três meses de experiência, e esta é a forma de escravidão mais repugnante que existe. Procure outro escrevente. Eu me demito.

– Como ousa pedir demissão? Espere ao menos para receber seu salário – disse, pegando o pesado chicote da charrete ao lado de sua capa de chuva.

Deixei escapar uma risada, e não me dei o trabalho de esconder ou dissimular o desprezo estampado nela. Sua fúria aumentou e, depois de ter proferido uns tantos xingamentos e injúrias, mas sem se atrever a levantar o chicote, continuou:

– Agora você foi desmascarado! Eu conheço gente da sua laia, gente maldosa, bajuladora e cheia de lamúrias! O que você anda dizendo sobre mim para toda X? Responda-me!

– Sobre você? Eu não tenho nem vontade nem oportunidade de falar de você.

– Mentiroso! Você faz isso constantemente, sempre reclamando publicamente da forma como eu o trato. Saiu falando por aí que eu lhe pago uma miséria e que o chuto como a um cachorro. Bem que eu queria que você fosse um cachorro! Eu resolveria isso agora mesmo, e não arredaria o pé daqui até arrancar o último pedaço de carne dos seus ossos com este chicote!

Ele brandiu sua ferramenta, e a ponta do chicote tocou minha testa. Um tremor de excitação percorreu meu corpo; meu coração batia mais forte, e meu sangue corria depressa pelas veias. Levantei-me em um salto, fui até ele e o encarei.

– Abaixe este chicote – ordenei – e explique já o que quer dizer.

– Canalha! Com quem você acha que está falando?

– Com você. Segundo me consta, não há mais ninguém aqui. Você alega que eu venho espalhando mentiras, reclamando do salário baixo e do mau tratamento que me dá. Quero saber quais provas sustentam essas afirmações.

Crimsworth não tinha dignidade alguma, e, quando exigi que me desse uma explicação ele o fez aumentando seu tom de voz e me recriminando.

– Provas? Vou lhe dar provas! E vá até a luz para que eu possa ver essa sua cara insolente ficar vermelha quando eu demonstrar o hipócrita dissimulado que você é. Ontem, em uma audiência pública na câmara municipal, tive o prazer de ser ofendido durante o debate pelo meu opositor, que fez alusões a minha vida pessoal, com uma cantilena sobre monstros desnaturalizados, déspotas familiares e outras porcarias desse tipo. Quando me levantei para responder, fui silenciado pelas vaias daquele povo imundo; mas, assim que eu ouvi o seu nome, eu entendi de onde vinha aquele ataque. Olhei ao redor e vi aquele pérfido traidor, Hunsden, liderando a turba. Eu me lembro bem de ter visto vocês dois conversando intimamente em minha casa no mês passado, e eu sei que você esteve na casa dele ontem à noite. Você ousa negar?

– Ah, não, não vou negar. E, se Hunsden encorajou as pessoas para que o vaiassem, ele fez muito bem! Você merece ser execrado publicamente, pois dificilmente existiu um amo mais desalmado, um irmão mais brutal e um homem tão ruim como você.

– Canalha! Canalha! – reiterou, e, para completar seu insulto, fez o chicote estalar por cima da minha cabeça.

Bastou-me apenas um minuto para tomar-lhe o chicote, quebrá-lo ao meio e jogá-lo na lareira. Crimsworth investiu contra mim, mas escapei e disse:

– Toque em mim e eu garanto que você será levado ao juiz mais próximo.

Sempre que homens como ele se deparam com uma resistência firme e calma, levam um golpe em sua exorbitante insolência. Ele não queria ser levado a um juiz, e suponho que percebeu que eu falava sério. Olhou-me de um jeito estranho, ao mesmo tempo desafiador e espantado, e depois pareceu decidir que, afinal, seu dinheiro o fazia suficientemente superior a um miserável como eu e que tinha em suas mãos uma forma mais segura e digna de se vingar, sem precisar recorrer a um arriscado castigo corporal.

– Pegue as suas coisas e saia agora por esta porta. Vá mendigar ajuda à sua paróquia[8], seu miserável. Mendigue, roube, morra de fome, seja

[8] Com a Revolução Industrial e a expropriação de terra dos pequenos camponeses, o total de pessoas sem meios de sustento aumentou drasticamente e, assim, a quantidade de delitos contra a propriedade privada. Segundo o historiador Eric Hobsbawm, para lidar com essa questão, a rainha Elizabeth I criou, em 1601, a Lei dos Pobres, que pregava que os homens deveriam trabalhar (e, inclusive, ser forçados a isso se necessário). Além disso, estipulava que aqueles que, por algum motivo, não pudessem trabalhar deveriam ser sustentados, educados, ter atendimento médico e ser enterrados por sua comunidade – isto é, por sua paróquia. Essa Lei sofreu uma drástica reforma em 1834: dentre outros atos desumanos, passou a confinar os pobres em centros de trabalho forçado e os separar de suas famílias. (N.T.)

deportado![9] Faça o que quiser, mas não apareça mais na minha frente! Se eu descobrir que você colocou seus pés em um centímetro de terra sequer que me pertença, pagarei para alguém açoitá-lo.

– É improvável que você tenha essa oportunidade. Uma vez que saia de sua propriedade, o que poderia me tentar a voltar? Deixo uma prisão e o seu tirano; deixo algo pior do que a pior coisa que o futuro pode me reservar; então, não se preocupe com o meu retorno.

– Vá! Ou eu me encarrego disso! – exclamou Crimsworth.

Andei deliberadamente até a minha escrivaninha, tirei todos os meus pertences dali, coloquei-os em meu bolso, tranquei a gaveta e coloquei a chave no tampo da mesa.

– O que você está surrupiando desta escrivaninha? – reivindicou o dono da fábrica. – Deixe tudo em seu lugar ou mandarei a polícia fazer uma busca.

– Pois faça isso – disse, e então peguei o meu chapéu, coloquei as minhas luvas e caminhei tranquilamente para fora do escritório. Saí para nunca mais voltar.

Lembro que, quando o sino da fábrica anunciou a hora do almoço, antes de o senhor Crimsworth entrar na sala e de toda essa longa história acontecer, eu tinha bastante apetite e aguardava o sinal com certa impaciência, mas nesse momento eu até me esqueci de comer. A imagem do cordeiro assado com batatas foi substituída pela agitação e pelo turbilhão de pensamentos que derivavam dessa conversa. Só conseguia pensar em caminhar, pois a ação dos músculos poderia contrabalancear a ação dos meus nervos, e foi o que eu fiz: andei rápido e bastante. O que mais poderia fazer? Tinha tirado um enorme peso das costas e me sentia leve, solto. Deixei Bigben Close sem hesitar e sem causar dano algum ao meu amor-próprio. Eu não havia forçado as circunstâncias, elas que tinham me libertado. A vida,

[9] A expressão se refere à pena aplicada pelas autoridades britânicas até o século XIX, especialmente nos casos de crimes contra a propriedade. A pena de morte, tão frequente no país para esses crimes até o século XVIII, foi substituída pela deportação dos condenados para as colônias – especialmente à Austrália, considerando a independência dos Estados Unidos em 1776. Estima-se que, entre 1788 e 1867, aproximadamente um terço dos condenados foram enviados para fazer trabalhos forçados na Oceania. (N.T.)

então, voltou a se abrir para mim; seu horizonte não estava mais limitado pelo muro alto e negro que guardava a fábrica de Crimsworth. Passaram-se duas horas até que eu me acalmasse o suficiente para notar os limites claros e amplos que tomavam o lugar daquele recinto coberto de fuligem. Quando finalmente levantei os olhos, que maravilha! À minha frente estava Grovetown, um povoado de casas de campo localizado a umas cinco milhas de X. Um sol baixo anunciava o fim daquele curto dia de inverno; uma névoa fria se levantava do rio que cruza X e ao longo do qual passava a estrada que eu tinha tomado; a terra começava a escurecer, mas não o céu gelado e claro de janeiro. Reinava uma grande quietude; aquela hora do dia propiciava a tranquilidade, pois o expediente das fábricas ainda não tinha terminado e não havia quase ninguém nas ruas; ouvia-se apenas o som da água correndo no rio, profundo e abundante por causa do último degelo. Recostei-me em uma parede e me detive por um momento, observando a correnteza e contemplando o rápido fluir de suas ondas. Queria que minha memória capturasse aquela cena de forma clara e permanente, guardando aquele tesouro para o futuro. Quando o sino da igreja de Grovetown bateu quatro horas, levantei os olhos para absorver os últimos raios de sol, que lançavam seus lampejos vermelhos por entre os galhos secos dos antigos carvalhos ao redor da igreja, pintando aquele retrato exatamente como eu queria. Permaneci ali por mais alguns instantes, até que o badalar doce e lento do sino se extinguisse no ar. Com os ouvidos, olhos e sentimentos satisfeitos, afastei-me do muro e, uma vez mais, voltei a encarar X.

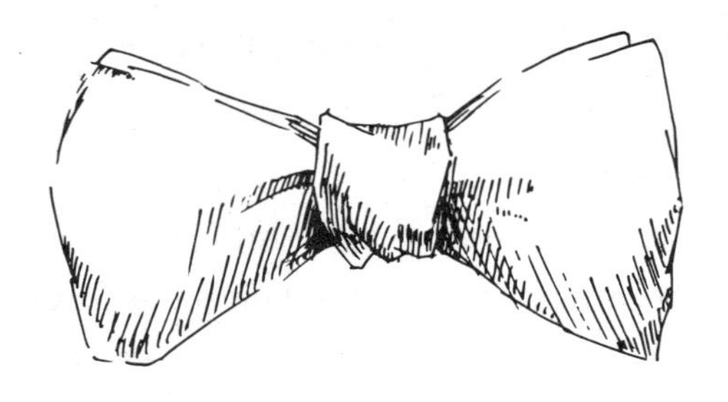

Capítulo 6

Retornei à cidade faminto; a lembrança da refeição que eu tinha esquecido parecia tentadora, o que me fez subir a ruela que dava em meu alojamento a passos largos. Era noite quando abri a porta da rua e entrei na casa, imaginando como estaria o fogo na minha lareira – a noite estava gelada, e estremeci diante da perspectiva de encontrar uma lareira sem vida e cheia de cinzas. Ao entrar na saleta, porém, tive a grata surpresa de encontrar um belo fogo crepitante em uma lareira devidamente limpa. Tinha acabado de me dar conta desse fenômeno quando percebi outra coisa intrigante: alguém ocupava a cadeira em frente à lareira onde eu costumava me sentar, com seus braços cruzados sobre o peito e suas pernas esticadas. Cogitei ser efeito da minha miopia ou da sombra criada pelo fogo, mas bastou uma olhada cuidadosa para que reconhecesse o senhor Hunsden. Obviamente não estava muito feliz em vê-lo, considerando a forma como tinha me despedido dele na noite anterior, então me aproximei, aticei o fogo e disse friamente "Boa noite", demonstrando a pouca cordialidade que sentia; apesar disso, perguntava-me o que ele fazia ali e quais motivos o tinham levado a se intrometer tão ativamente entre mim e Edward; afinal, tudo indicava que era ele a quem eu devia minha grata demissão.

Ainda assim, não me animava a fazer nenhuma pergunta e tampouco a demonstrar minha curiosidade; se ele queria se explicar, poderia fazê-lo, mas isso deveria partir dele, e achei que o faria em breve.

– Você tem uma dívida de gratidão comigo – foram suas primeiras palavras.

– Eu? Espero que essa dívida não seja muito alta, pois sou muito pobre para assumir compromissos pesados, sejam quais forem.

– Então é melhor se declarar falido desde já, pois esse compromisso pesa ao menos uma tonelada. Quando cheguei, encontrei o fogo da sua lareira apagado e mandei que o acendessem de novo e que aquela criada insossa e rabugenta ficasse para atiçá-lo com o fole até que estivesse queimando perfeitamente. Agora pode me agradecer.

– Não até que eu coma alguma coisa. Não consigo agradecer a ninguém faminto como estou.

Toquei a campainha e pedi chá e carne fria.

– Carne fria! – exclamou Hunsden quando a criada fechou a porta. – Que glutão você é! Carne com chá! Vai morrer comendo tanto assim.

– Não, senhor Hunsden, não vou – respondi, movido pela necessidade de contradizê-lo. Estava irritado por causa da fome, por vê-lo ali e pelos seus modos ainda rudes.

– Acho que é o excesso de comida que o deixa tão mal-humorado.

– Como o senhor sabe? – perguntei. – É próprio do senhor dar uma opinião pragmática sem estar a par de nenhuma das circunstâncias do caso. Pois saiba que não almocei.

Minha resposta foi suficientemente petulante e ríspida, e Hunsden se limitou a me olhar e dar risada.

– Coitadinho! – choramingou após uma pausa. – Não almoçou? Suponho que seu patrão não deixou que voltasse para casa. Crimsworth ordenou que fizesse jejum para castigá-lo, William?

– Não, senhor Hunsden.

Felizmente, aquela conversa insuportável foi interrompida pela chegada do chá, e imediatamente eu ataquei o pão, a manteiga e a carne fria. Depois de limpar o prato, humanizei-me a ponto de sugerir ao senhor Hunsden que parasse de me olhar e se juntasse a mim, se quisesse.

– Isso não me apetece nem um pouco! – disse, enquanto dava um puxão na campainha para chamar a criada, transmitindo-lhe seu desejo por um copo de água com torrada[10]. – E um pouco mais de carvão – acrescentou. – O senhor Crimsworth terá um bom fogo ardendo enquanto eu estiver aqui.

Quando suas ordens foram cumpridas, virou sua cadeira em direção à mesa e me encarou.

– Bem – retomou a conversa –, suponho que você esteja sem trabalho.

– Sim – respondi, e, sem querer demonstrar a satisfação que esse fato me proporcionava, cedi a um capricho momentâneo e continuei a conversa como se me sentisse prejudicado, e não beneficiado, por sua interferência. – Sim, estou, graças ao senhor. Crimsworth me demitiu sem aviso prévio graças a certa interferência sua em uma audiência pública, pelo que entendi.

– Como? Ele disse isso? Então ele me viu incentivar os rapazes? E o que ele disse sobre seu amigo Hunsden? Algo carinhoso?

– Chamou-o de traidor pérfido.

– Ah, ele ainda não me conhece. Sou uma dessas pessoas tímidas que não se revelam logo de cara, e ele só está começando a me conhecer, mas descobrirá que tenho algumas qualidades, qualidades ótimas! Os Hunsdens sempre foram excelentes em caçar patifes como ele, vilões sem honra são sua presa natural e não conseguem soltá-las quando as encontram. Você acabou de me chamar de pragmático e está certo. Essa palavra é propriedade da minha família e tem sido herdada geração após geração. Temos um ótimo olfato para abusos e farejamos um canalha a uma milha de distância; somos reformistas natos, reformistas radicais, e por isso é impossível para mim viver na mesma cidade que Crimsworth, encontrá-lo semanalmente e presenciar a forma como ele o trata (não que eu me importe com você, mas me preocupa a injustiça brutal com que viola o seu direito inato à

[10] Antiga iguaria da culinária britânica, consiste em deixar uma torrada de molho na água durante uma hora para saborizá-la. De acordo com o Universal Dictionary of the English Language, essa bebida também era consumida por pessoas que não poderiam ingerir alimentos sólidos. (N.T.)

igualdade). Confesso que era impossível estar nessa situação e não ouvir o anjo e o diabo da minha raça falando ao pé do meu ouvido. Segui meus instintos, enfrentei o tirano e rompi essa cadeia.

A verdade é que esse discurso me interessou muito, tanto por revelar o caráter de Hunsden como por explicar seus motivos; interessou-me a tal ponto que me esqueci de responder e fiquei em silêncio, refletindo sobre o turbilhão de ideias que surgiu em minha mente.

– E agora, vai me agradecer? – perguntou em seguida.

De fato, eu era grato, ou quase, e creio que parte de mim até gostava dele naquele momento, apesar de ele ter deixado claro que suas motivações não diziam respeito a mim. Mas a natureza humana é perversa, e foi-me impossível responder afirmativamente a uma pergunta tão direta, de modo que neguei qualquer tendência à gratidão e lhe disse que, se esperava algum tipo de recompensa por sua intervenção, deveria buscá-la em um mundo melhor, pois não a encontraria aqui. Ao responder, ele me chamou de "aristocrata vigarista e sem coração", pelo que voltei a acusá-lo de ter tirado o pão da minha boca.

– Seu pão estava sujo, William! – bradou. – Sujo e envenenado! Vinha das mãos de um tirano, porque eu lhe asseguro que Crimsworth é um tirano: um tirano com seus operários, um tirano com seus escreventes e, um dia, será um tirano com sua esposa.

– Besteira! Um pão é um pão, e um salário é um salário. E perdi ambos por sua culpa.

– O que você diz faz sentido, afinal de contas – disse Hunsden. – Devo admitir que fiquei agradavelmente surpreso por ouvi-lo fazer uma observação de ordem tão prática como essa. O que vinha observando de sua índole me levou a pensar que, ao menos por um tempo, o contentamento emocional oriundo da sua recém-recobrada liberdade apagaria qualquer preocupação com provisões e prudências. Tenho-o em melhor conta agora, sabendo que se preocupa com o indispensável.

– Preocupar-me com o indispensável! Como se eu tivesse alguma alternativa. Preciso viver, e para viver eu preciso ter o que o senhor chama de "indispensável", coisa que só posso conseguir trabalhando. Eu repito, o senhor tirou isso de mim.

– O que você planeja fazer? – perguntou com frieza. – Você tem relações influentes. Suponho que eles lhe arrumarão algo em breve.

– Relações influentes? Quem? Gostaria de saber quem são.

– Os Seacombes.

– Tolice. Eu cortei relações com eles.

Hunsden olhou para mim incrédulo.

– Sim, cortei – disse. – E é definitivo.

– Você quer dizer que eles cortaram relações com você, William.

– Como queira. Eles se ofereceram para me financiar desde que eu entrasse para a Igreja, de forma que recusei tanto as condições como a recompensa. Distanciei-me de meus tios implacáveis e preferi me lançar aos braços de meu irmão mais velho, de cujo afetuoso abraço fui arrancado pela cruel intervenção de um desconhecido: o senhor, no caso.

Não pude conter o breve sorriso que brotou em meu rosto ao dizer isso; ao mesmo tempo, os lábios de Hunsden se curvaram em uma manifestação semelhante de sentimentos.

– Ah, compreendo – disse, olhando-me nos olhos, e era evidente que conseguia ler a minha alma. Depois de passar alguns minutos apoiando a cabeça com a mão, diligentemente ocupado em examinar meu semblante, continuou. – Seja honesto, é verdade que não pode esperar nada dos Seacombes?

– Sim, rejeição e repulsa. Por que me pergunta novamente? Como permitiriam que mãos manchadas com a tinta de um escritório e sujas com a gordura de um armazém de lã voltassem a tocar suas palmas aristocráticas?

– Seria difícil, sem dúvida. Mas, ainda assim, você é um Seacombe tão perfeito em aparência, feições, linguagem e modos que não sei como poderiam renegá-lo.

– Eles já o fizeram, então vamos encerrar este assunto.

– Você se arrepende, William?

– Não.

– E por que não, rapaz?

– Porque não são pessoas pelas quais eu poderia sentir algum tipo de simpatia.

– Estou dizendo que você é um deles.

– Isso só demonstra que o senhor não sabe nada sobre o assunto. Eu sou filho da minha mãe, mas não sou sobrinho dos meus tios.

– Mesmo assim, um dos seus tios é um lorde, ainda que bastante insignificante e não muito rico, e o outro é muito honorável[11]. Você deveria levar seus interesses em consideração.

– Tolices, senhor Hunsden. Mesmo que eu desejasse me submeter aos caprichos dos meus tios, jamais conseguiria fazer uma mesura com a cortesia suficiente para cair nas graças deles. Eu sacrificaria meu bem-estar e ainda assim não ganharia a proteção deles.

– É possível. Então pensou que o plano mais prudente seria se valer dos próprios meios desde já?

– Exatamente. Devo me valer de meus meios e continuarei assim até a minha morte, porque não posso compreender, nem adotar nem praticar os das outras pessoas.

– Bem – disse, bocejando –, apenas uma coisa está clara para mim nessa história toda: que não é problema meu – ele se alongou e bocejou novamente. – Queria saber que horas são – acrescentou. – Tenho um compromisso às sete.

– São quinze para as sete no meu relógio.

– Bem, então me vou – e se levantou. – Você não vai mais se aventurar no mundo dos negócios? – perguntou, apoiando o cotovelo na moldura da lareira.

– Não, acho que não.

– Você seria um idiota se fizesse isso. Provavelmente, depois de tudo isso, irá reconsiderar a proposta do seu tio e se tornar um vigário.

---

[11] O prefixo "O Muito Honorável" é um título britânico tradicionalmente atribuído a nobres cuja posição é inferior à de marquês. (N.T.)

– Para isso, precisaria me regenerar completamente por dentro e por fora. Um bom vigário é um dos melhores homens.

– De fato, você acredita nisso? – interrompeu-me Hunsden em tom zombeteiro.

– Sim, sem sombra de dúvida. Mas eu não tenho as qualidades inerentes a um bom vigário, e antes de adotar uma profissão para a qual não tenho vocação preferiria enfrentar as provações da pobreza.

– Você é um cliente difícil de agradar. Não quer ser um homem de negócios nem da Igreja, não pode ser advogado nem médico, e tampouco cavalheiro, pois não tem dinheiro. Eu sugiro que você viaje.

– Como, se não tenho dinheiro?

– Você tem que viajar em busca de dinheiro, homem. Fala francês, com um terrível sotaque inglês, sem dúvida, mas fala. Vá para o continente e veja o que o espera por lá.

– Deus sabe que eu gostaria de ir! – exclamei com um ardor involuntário.

– Pois vá! Que diabos o impede? Se você souber administrar suas finanças, pode ir a Bruxelas, por exemplo, por cinco ou seis libras.

– Se eu não soubesse, a necessidade me ensinaria.

– Vá, então, e abra caminho com sua inteligência quando chegar lá. Conheço Bruxelas quase tão bem como X, e tenho certeza de que alguém como você se adaptaria melhor lá do que em Londres.

– Mas e o trabalho, senhor Hunsden? Devo ir aonde possa encontrar trabalho, e como poderia conseguir uma recomendação, apresentação ou emprego em Bruxelas?

– Agora fala o órgão da cautela, aquele que detesta dar um único passo sem saber o que o aguarda mais à frente. Você tem uma folha de papel, caneta e tinta?

– Espero que sim – e prontamente lhe dei tais ferramentas de escrita, supondo o que ele iria fazer.

Ele se sentou, escreveu algumas linhas, dobrou e selou a carta, escreveu seu destinatário e a entregou a mim.

– Tome, prudência. Aí está um pioneiro para derrubar os primeiros obstáculos do seu caminho. Sei muito bem, rapaz, que você não é um daqueles que coloca a mão no fogo sem saber como não se queimar, e você está certo. Tenho aversão a homens imprudentes e nada me convenceria a me intrometer nos assuntos de alguém assim. Aqueles que são imprudentes consigo mesmo tendem a ser dez vezes mais imprudentes com seus amigos.

– Suponho que seja uma carta de apresentação – disse, pegando a epístola.

– Sim, e com ela no seu bolso você não correrá o risco de acabar na mais absoluta miséria, o que sei que consideraria degradante, e, obviamente, eu também. A pessoa para quem você entregará esta carta costuma dispor de duas ou três respeitáveis vagas de trabalho que dependem da recomendação dela.

– Isso me satisfaz perfeitamente – disse.

– Bem, e onde está sua gratidão? – interpelou Hunsden. – Não sabe falar "Obrigado"?

– Tenho quinze libras e um relógio que minha madrinha, que nunca vi, deu-me dezoito anos atrás – respondi de maneira irrelevante; depois, admiti que estava feliz e declarei que não invejava nenhum ser de toda a cristandade.

– E quanto à sua gratidão?

– Partirei sem demora, senhor Hunsden. Amanhã, se tudo der certo. Não ficarei nem um dia além do necessário em X.

– Excelente! Mas você deveria ter a decência de reconhecer a ajuda que recebeu, e seja rápido, pois já são quase sete e estou aguardando seu agradecimento.

– Apenas me dê licença, por favor, senhor Hunsden. Quero pegar uma chave que está aí no canto da moldura da lareira. Vou arrumar meu baú antes de me deitar.

O relógio da casa anunciou as sete.

– O rapaz é um selvagem – disse Hunsden. Então pegou seu chapéu no aparador e deixou o apartamento, rindo para si mesmo.

Senti-me um pouco tentado a ir atrás dele. Eu realmente pretendia sair de X na manhã seguinte e certamente não teria outra oportunidade de me despedir. A porta da sala fechou com um estrondo.

"Deixe-o ir", disse para mim mesmo. "Algum dia nós nos veremos novamente."

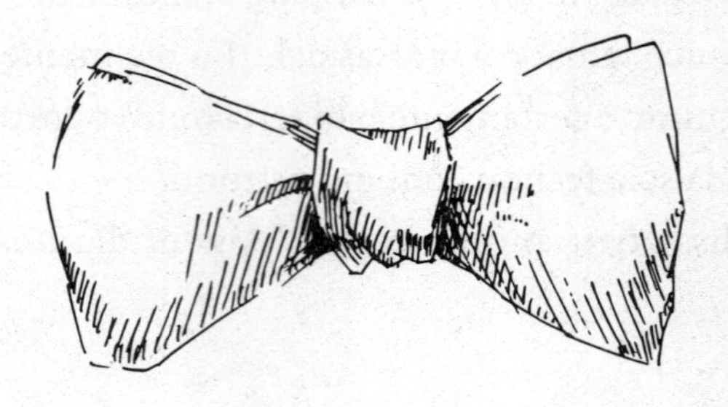

Capítulo 7

Leitor, você já esteve na Bélgica? Teve a chance de conhecer a fisionomia do país? Tem suas características gravadas na memória como as tenho na minha?

Três – não, quatro – quadros cobrem as paredes da cela onde guardo minhas recordações do passado. Primeiro, Eton. Tudo naquele quadro se vê de uma perspectiva distante, diminuta, que se perde da vista, mas em cores vivas, verde, orvalhadas; com um céu primaveril coberto de nuvens brilhantes, porém carregadas, pois minha infância não teve apenas dias ensolarados; teve também seus dias nublados, frios, tempestuosos. Em segundo, X, grande, lúgubre, com a tela trincada e esfumaçada; um céu amarelado com nuvens de fuligem, sem sol e sem azul; a vegetação degradada e suja dos arredores; enfim, uma paisagem bem melancólica.

Em terceiro, a Bélgica; e vou me deter nesta paisagem. Quanto ao quarto lugar, está coberto por uma cortina, que talvez eu a retire, ou não, mais adiante, conforme minha capacidade e conveniência. Em todo caso, por enquanto ele seguirá como está. Bélgica! Um nome privado de poesia e de romantismo, mas que, sempre que pronunciado, soa em meus ouvidos e ecoa em meu coração como nenhuma outra junção de sílabas consegue fazê-lo, seja ela doce ou clássica. Bélgica! Repito a palavra agora, sentado sozinho na calada da noite. Ela agita meu mundo do passado como uma convocação para a ressurreição; os túmulos se abrem, os mortos se levantam; vejo pensamentos, sentimentos e lembranças dantes dormentes se levantar da terra – a maioria com auréolas –, mas, enquanto contemplo suas formas etéreas e me esforço para distinguir seus contornos com mais clareza, o som que as havia despertado se esvanece, e uma a uma se fundem em uma delicada névoa absorvidas pelo húmus, devolvidas às suas urnas, encerradas uma vez mais em seus mausoléus. Adeus, fantasmas luminosos!

Essa é a Bélgica, leitor. Veja, não diga que o quadro é monótono ou melancólico; não me pareceu ser nem um nem outro quando o contemplei pela primeira vez. Quando saí de Oostende[12] em uma manhã amena de fevereiro e tomei a estrada para Bruxelas, nada me parecia ser insosso. Meu senso de prazer estava aguçado ao máximo, intacto, ávido, impecável. Era jovem e gozava de boa saúde; ainda não tinha conhecido o prazer, suas indulgências ainda não haviam debilitado nem saciado nenhuma das minhas faculdades. Pela primeira vez, agarrava a liberdade, e a influência de seu sorriso e de seu abraço me devolveram à vida como o sol e o vento do oeste. Sim, naquela época eu me sentia como um viajante que, subindo uma colina pela manhã, não duvida de que contemplará um maravilhoso alvorecer; e se o caminho for estreito, íngreme e pedregoso? Ele não percebe, pois seus olhos estão fixos no topo já avermelhado, avermelhado e dourado, e uma vez que o alcance está certo da cena que o aguarda mais adiante. Sabe que terá o sol à sua frente, que seu carro já se aproxima sobre o horizonte oriental e que a brisa que sente em seu rosto, como um arauto, está abrindo para um deus um caminho livre e vasto de azul-celeste entre as nuvens, suaves como pérolas e quentes como chamas. Aguardavam-me terrenos difíceis e de trabalho árduo; porém, sustentado pela vitalidade e atraído por esperanças tão vagas quanto promissoras, não considerava as

[12] Maior cidade da costa belga, banhada pelo Mar do Norte. Pelo contexto, é possível inferir que, após sair do Reino Unido e atravessar o mar, o narrador entrou no continente pela cidade de Oostende. (N.T.)

adversidades do terreno. Subia agora a colina pela sombra, com seixos, desnivelamentos e roseiras bravas pelo caminho, mas meus olhos estavam fixos no pico carmesim acima; minha imaginação, no firmamento resplandecente adiante; e sequer pensei nas pedras que me rasgavam os pés ou nos espinhos que me arranhavam o rosto e as mãos.

Olhava com frequência, e sempre com prazer, pela janela da diligência (lembre-se de que à época ainda não havia trens nem estradas de ferro). Bem, e o que via? Vou dizer com sinceridade. Pântanos verdes e cobertos de junco; campos férteis e planos, cultivados em lotes que se assemelhavam a grandes hortas; fileiras de árvores serradas, niveladas como salgueiros podados, margeando o horizonte; canais estreitos que deslizavam lentamente junto à estrada; casas de fazenda flamengas pintadas; alguns casebres bem sujos; um céu cinza, morto; estrada molhada, campos molhados, telhados molhados. Meus olhos não cruzaram com nenhum objeto bonito nem pitoresco durante todo o trajeto; e, mesmo assim, para mim tudo era bonito, tudo era mais do que pitoresco. A paisagem não mudou até o fim do dia, ainda que a umidade dos muitos dias de chuva tivesse encharcado todo o campo; no entanto, voltou a chover conforme anoitecia, e foi através da escuridão molhada e sem estrelas que vi as primeiras luzes de Bruxelas. Não vi muito além das luzes da cidade naquela noite. Quando apeei da diligência, um fiacre alugado me levou ao Hotel de..., onde ia me hospedar graças ao conselho de um companheiro de viagem. Depois de comer uma refeição digna de um viajante, deitei-me e dormi o sono dos justos.

Acordei de um sono profundo e prolongado na manhã seguinte com a impressão de que ainda estava em X, e, percebendo que o sol já estava alto, levantei-me em um pulo, imaginando que tinha perdido a hora e que chegaria tarde ao escritório. Aquela sensação momentânea e dolorosa desapareceu ante a consciência revivida e renovadora da liberdade, quando abri as cortinas da minha cama e me deparei com um aposento estrangeiro largo e lauto; como era diferente do apartamento pequeno e lúgubre, ainda que confortável, que tinha ocupado por uma ou duas noites em uma respeitável pousada em Londres, enquanto esperava o barco zarpar! Mas longe de mim profanar a memória daquele quarto sombrio! Ele também tem um lugar em meu coração, pois foi lá que, deitado no silêncio e na escuridão, escutei pela primeira vez os sinos da Catedral de São Paulo informando a Londres que era meia-noite, e me lembro bem do seu tom grave e pausado, carregado de fleuma e força colossais. Da janela pequena e estreita do meu quarto, vi pela primeira vez a cúpula se elevar sobre a névoa londrina. Suponho que as sensações provocadas por aqueles primeiros sons e aquelas primeiras visões não podem ser revividas; Memória, guarde-as como tesouros, lacre-as em urnas e guarde-as em segurança. Bem, levantei-me. Os viajantes dizem que os alojamentos no estrangeiro são incômodos e pouco mobiliados; para mim, o aposento parecia alegre e majestoso: suas janelas eram amplas, *croisées* que se abriam como portas, com vidraças grandes e transparentes; dois espelhos enormes, um sobre a penteadeira e outro sobre a prateleira da lareira; o piso pintado, tão limpo e reluzente. Quando me vesti e desci as escadas, os grandes degraus de mármore quase me intimidaram, assim como o vestíbulo imponente ao qual eles conduziam. No primeiro patamar, encontrei uma arrumadeira flamenga que calçava sapatos de madeira e vestia uma anágua vermelha e um *manteau-de-lit*[13] de algodão estampado; seu rosto era largo e sua fisionomia denotava sua estupidez; quando me dirigi a ela em francês, ela me respondeu em flamengo e sem nenhuma cortesia; apesar disso, achei que era encantadora; a meu ver, mesmo não sendo amável nem bonita, era muito pitoresca e me lembrava as figuras femininas de certas pinturas holandesas que havia visto em Seacombe Hall.

Dirigi-me para o salão, igualmente espaçoso e imponente, e aquecido por uma estufa; o piso, a estufa e boa parte da mobília eram pretos; contudo nunca tinha experimentado uma sensação tão libertadora como a que senti ao me sentar em uma mesa negra comprida (e parcialmente coberta

[13] Casaco feminino de modelagem ampla, não ajustado ao corpo e fechado ao redor do tronco, o *manteau-de-lit* era usado por mulheres de classe alta como um robe, ao sair da cama, e por mulheres da classe trabalhadora no dia a dia. Sua popularidade entre as classes mais baixas se devia ao seu menor custo, já que sua modelagem permitia menor quantidade de tecido; além disso, por ser uma peça ampla e ajustável, contemplava variações de tamanho corporal. (N.T.)

por uma toalha alva); e, depois de pedir o café da manhã, servi-me do café de uma pequena cafeteira negra. Pode ser que para alguns, não para mim, a estufa tivesse uma aparência deprimente, mas estava indiscutivelmente quente e havia dois cavalheiros sentados junto a ela, falando em francês; era impossível acompanhar a fala rápida ou compreender boa parte do que diziam, mas, mesmo assim, a língua francesa sendo falada por franceses ou belgas (ainda não conseguia discernir os horrores do sotaque belga) soava como música para os meus ouvidos. Um dos cavalheiros percebeu que eu era inglês, seguramente por causa da maneira como me dirigi ao garçom: insisti em fazê-lo em francês, com meu execrável sotaque do sul da Inglaterra, apesar de o homem entender inglês. Depois de me olhar uma ou duas vezes, o cavalheiro me abordou educadamente em um inglês excelente (lembro-me de ter pedido a Deus que conseguisse falar francês daquela maneira); sua fluidez e pronúncia correta me deram, pela primeira vez, uma ideia exata do caráter cosmopolita da capital em que me encontrava; foi minha primeira experiência com tamanha habilidade em línguas modernas, que depois descobri ser tão comum naquela cidade.

Posterguei o café da manhã o quanto pude, fosse ali sentado à mesa ou fosse conversando com aquele estranho; era um viajante livre e independente; porém por fim recolheram as coisas, e os cavalheiros deixaram o salão; e, de repente, a ilusão foi substituída pela realidade e pelos negócios. Eu, um escravo recém-libertado do jugo, liberto há uma semana após passar vinte e um anos confinado, deveria, por causa da necessidade, voltar a aceitar os grilhões da dependência. Mal tinha experimentado o prazer de não servir a nenhum amo quando o dever me ordenou com severidade: "Vá e procure um novo senhor a quem servir". Nunca procrastino uma tarefa necessária e dolorosa, nunca coloco o prazer antes do dever, não é da minha natureza fazer isso; seria impossível desfrutar de uma lenta caminhada pela cidade, apesar de ter notado a bela manhã que fazia, sem antes entregar a carta de apresentação do senhor Hunsden e começar a buscar por um novo emprego. Arrancando a liberdade e o prazer da minha mente, peguei meu chapéu e obriguei meu corpo relutante a sair do Hotel de... para a rua estrangeira.

Fazia um belo dia, mas não quis olhar para o céu azul nem para as mansões ao meu redor; havia me concentrado em apenas uma coisa: encontrar o "senhor Brown, Rua Royale, número...", conforme endereçado na carta. Graças a algumas perguntas, consegui finalmente chegar à porta que buscava; bati, perguntei pelo senhor Brown e tive minha entrada permitida.

Fui conduzido a uma saleta de desjejum, onde me encontrei na presença de um cavalheiro idoso de aparência muito séria, formal e respeitável. Entreguei a carta do senhor Hunsden a ele, que me recebeu de forma muito cortês. Após uma breve conversa sobre amenidades, perguntou-me se havia algo em que seu conselho ou experiência poderiam me ser úteis. Respondi que sim e então lhe contei que não era um cavalheiro de fortuna que viajava por prazer, mas, sim, um antigo escrevente em um escritório de contabilidade que buscava algum emprego, de preferência para início imediato. Ele respondeu que, como amigo do senhor Hunsden, estava disposto a me auxiliar da melhor maneira que pudesse e, após alguma reflexão, mencionou um posto em uma empresa mercantil na cidade de Liège e outro em uma livraria em Lovaina.

"Funcionário administrativo e atendente!", murmurei para mim mesmo. "Não", balancei a cabeça em negativa. Já tinha experimentado o trabalho administrativo e o detestava; acreditava que existissem outros empregos que me seriam mais convenientes; e tampouco desejava sair de Bruxelas.

– Não sei de emprego algum em Bruxelas – respondeu o senhor Brown –, a menos que esteja disposto a ensinar. Conheço o diretor de uma grande escola que precisa de um professor de inglês e latim.

Refleti alguns segundos e logo abracei a ideia com entusiasmo.

– Era exatamente o que buscava, senhor! – disse.

– Mas você compreende francês bem o suficiente para ensinar inglês a meninos belgas? – perguntou.

Felizmente, pude responder afirmativamente à sua pergunta; como tinha estudado o idioma com um francês, conseguia me comunicar de maneira inteligível, ainda que não fosse fluente; também sabia ler e escrever muito bem.

– Então – prosseguiu o senhor Brown –, creio que possa lhe prometer a vaga, porque o *monsieur* Pelet não rejeitará um professor recomendado por mim. Volte aqui às cinco da tarde para que eu o apresente a ele.

A palavra me surpreendeu.

– Não sou professor – disse.

– Ah, não se preocupe. Professor aqui na Bélgica significa instrutor[14], é isso.

Com a consciência tranquila, agradeci ao senhor Brown e me retirei. Dessa vez, saí à rua com o coração aliviado; a tarefa que tinha imposto a mim mesmo para o dia já havia sido cumprida, então podia aproveitar algumas horas de descanso. Senti-me livre para olhar para cima; pela primeira vez percebi a transparência cintilante do ar, o azul intenso do céu, o aspecto alegre e limpo das casas brancas ou coloridas; notei a elegância da Rua Royale[15] e, caminhando lentamente por suas largas calçadas, segui observando seus hotéis majestosos até que as cercas, os portões e as árvores do parque oferecessem uma nova atração para meus olhos. Lembro-me de que, antes de entrar no parque, detive-me por um momento para contemplar a estátua do General Belliard[16], e então fui até o topo da escadaria logo atrás dela e olhei para a ruela afastada, que depois descobri que se chamava Rua d'Isabelle. Recordo perfeitamente que meus olhos pousaram sobre a porta verde de uma casa bastante grande do outro lado, onde, em uma placa de latão, se lia: *Pensionnat de demoiselles*[17]. *Pensionnat!* A palavra me gerou certa inquietude, pois parecia remeter a restrição. Algumas das *demoiselles,*

---

[14] Em inglês, usa-se *professor* para se referir a altos níveis acadêmicos, como um professor universitário, enquanto *teacher* é usado para os demais docentes. Como não temos essa distinção tão marcada em Língua Portuguesa, optamos pelo uso de "instrutor" para se referir a *teacher.* (N.T.)

[15] Uma das principais e mais extensas ruas de Bruxelas, localizada no centro da cidade. Ao longo da Rua Royale estão situadas muitas empresas multinacionais e diversos pontos de interesse, como o Palácio Real, o Parque de Bruxelas, a Coluna do Congresso, o Jardim Botânico e a sala de concertos, entre outros. (N.T.)

[16] Monumento construído em 1838 em homenagem ao general francês Augustin-Daniel Belliard (1769-1832), que, como ministro plenipotenciário da França em Bruxelas, auxiliou a deter os avanços do exército holandês em 1831, garantindo, assim, a manutenção da independência do país. A estátua fica próxima do Parque de Bruxelas. (N.T.)

[17] Internato de senhoritas. (N.T.)

alunas externas, sem dúvida, saíam pela porta naquele momento; procurei por um rosto bonito entre elas, mas seus fechados *bonnets*[18] de estilo francês escondiam qualquer possibilidade; em um instante elas desapareceram.

Tinha atravessado boa parte de Bruxelas antes das cinco da tarde, mas pontualmente, ao dar a hora, estava de volta à Rua Royale. Fui conduzido novamente à saleta de desjejum, onde encontrei o senhor Brown sentado à mesa, e ele não estava sozinho: havia um cavalheiro perto da lareira. Poucas palavras de apresentação bastaram para caracterizá-lo como meu futuro mestre: "*Monsieur* Pelet, senhor Crimsworth; senhor Crimsworth, *monsieur* Pelet"; e uma inclinação de cabeça de ambas as partes encerrou a cerimônia. Não sei como foi a minha saudação; ordinária, suponho, pois meu estado de ânimo era calmo e tranquilo e não sentia a agitação que havia perturbado meu primeiro encontro com Edward Crimsworth; a saudação do *monsieur* Pelet foi extremamente cortês, mas não foi exagerada e quase não parecia francesa. Sentamo-nos um de frente para o outro. Em uma voz agradável, baixa e, em consideração aos meus ouvidos estrangeiros, nítida e pausada, ele me comunicou que acabava de receber do *respectable monsieur Brown* um informe sobre meus conhecimentos e meu caráter que dissipou seus receios a respeito da conveniência de me contratar como professor de latim e inglês em sua escola; entretanto, por causa das formalidades, faria algumas perguntas para testar minha capacidade. Assim o fez, e expressou, com palavras lisonjeiras, a satisfação gerada pelas minhas respostas. A questão do pagamento veio logo em seguida, e ficou acordada em mil francos ao ano, além de despesas com alimentação e alojamento.

– Além disso – sugeriu –, como todos os dias o senhor disporá de várias horas em que seus serviços na escola não serão requisitados, poderá conseguir emprego em outras instituições de ensino, tornando rentáveis seus momentos livres.

Considerei isso muito amável e, de fato, acabei descobrindo que as condições que *monsieur* Pelet me havia proposto eram muito liberais para

[18] *Bonnets* eram gorros em estilo francês, que podiam ser amarrados sob o queixo e que possuíam largas abas laterais que cobriam as orelhas. (N.T.)

Bruxelas, pois a quantidade de professores disponíveis tornava a educação muito barata. Após combinarmos que já assumiria meu posto no dia seguinte, nós nos despedimos.

Bem, e como era? Quais foram minhas impressões sobre ele? Era um homem de aproximadamente 40 anos, de estatura média e porte macilento; seu rosto era pálido e suas bochechas e olhos, fundos; suas feições eram agradáveis e harmônicas, tinham um ar francês (ele não era flamengo, mas francês de ascendência e nascimento); em seu caso, entretanto, a severidade característica dos traços gauleses era suavizada por seus ternos olhos azuis e sua expressão melancólica, quase sofrida; sua fisionomia era *fine et spirituelle*[19]. Utilizo duas palavras francesas porque definem, melhor do que qualquer palavra inglesa, a espécie de inteligência que estava impressa em suas feições. No todo, era um personagem interessante e agradável. Estranhei apenas a total ausência das características comuns à sua profissão, e quase temi que não fosse severo e resoluto o bastante para um professor. Sua aparência, ao menos, contrastava drasticamente com a do meu antigo empregador, Edward Crimsworth.

Influenciado pela impressão causada por sua amabilidade, surpreendi-me bastante quando, ao chegar a sua casa no dia seguinte e fazer uma primeira inspeção do que constituiria o terreno de meus futuros esforços – a saber, as salas de aula espaçosas, iluminadas e com pé-direito alto –, vi um grande número de alunos (meninos, claro), cuja aparência geral revelava todos os indícios de uma escola particular concorrida, próspera e bem disciplinada. Enquanto atravessava as salas na companhia de meu empregador, um silêncio profundo reinava por todas as partes, e se por acaso ouvíssemos algum murmúrio ou sussurro bastava apenas um olhar dos pensativos olhos daquele gentil pedagogo para que se calassem. Achava impressionante como um olhar tão terno podia ser tão eficiente. Depois de ter caminhado por toda a extensão das salas, *monsieur* Pelet me olhou e disse:

[19] Refinada e espiritual. (N.T.)

– O senhor se importaria em assumir as turmas agora e testar sua proficiência em inglês?

A proposta foi inesperada. Achei que teria ao menos três dias para me preparar; mas como é um mau agouro começar qualquer carreira com hesitação, dirigi-me à mesa de professor que estava próxima a nós e encarei meu círculo de alunos. Levei um momento para organizar meus pensamentos, e também para formar em francês a frase com a qual intencionava iniciar minha docência, a qual fiz da maneira mais curta possível.

– *Messieurs, prenez vos livres de lecture.*

– *Anglais ou Français, monsieur?* – perguntou um jovem flamengo de aparência robusta e com cara de lua cheia que vestia um blusão.

– *Anglais*[20].

Decidi ter o mínimo de trabalho possível naquela aula; ainda não podia contar com minha língua inexperiente para explicar o conteúdo; minha pronúncia e desenvoltura no idioma ficariam muito expostas às críticas daqueles jovens cavalheiros à minha frente, com os quais eu já tinha a impressão de que seria preciso garantir de imediato uma posição vantajosa, de forma que segui empregando os meios para tal.

– *Commencez!*[21] – exclamei, e, quando todos já haviam pegado seus livros, o jovem com cara de lua cheia (cujo nome era Jules Vanderkelkov, como descobri depois) leu a primeira frase. O *livre de lecture*[22] era *O vigário de Wakefield*[23], muito utilizado em escolas estrangeiras por conter, supostamente, excelentes amostras de inglês coloquial; mas também poderia ter sido um pergaminho rúnico, considerando a semelhança das palavras lidas por Jules com aquelas faladas cotidianamente pelos nativos da Grã-Bretanha. Meu Deus, que pronúncia nasalada! Como bufava e arquejava! Tudo o que dizia vinha do nariz e da garganta, pois é assim

---

[20] – Senhores, peguem seus livros de leitura.
– Inglês ou francês, senhor?
– Inglês. (N.T.)

[21] – Comecem! (N.T.)

[22] Livro de leitura. (N.T.)

[23] Ficção escrita em 1761 pelo autor irlandês Oliver Goldsmith (1728-1774). (N.T.)

que os flamengos falam, mas o escutei até o final do parágrafo sem fazer uma correção sequer, o que pareceu deixá-lo satisfeito, convencido, sem dúvida, de que tinha conduzido sua leitura como um *anglais* nato. Foi com o mesmo silêncio impassível que escutei outros doze alunos e, quando o décimo segundo concluiu, gaguejando, chiando e balbuciando, deixei o livro solenemente sobre a mesa.

– *Arrêtez!*[24] – disse. Fiz uma pausa, durante a qual observei todos com um olhar firme e sério. Quando se olha para um cachorro com firmeza e pelo tempo necessário, ele acaba ficando envergonhado, e assim ficaram meus alunos belgas. Ao perceber que alguns dos rostos ficavam emburrados e outros, constrangidos, lentamente juntei as mãos e exclamei com uma grave *voix de poitrine:*[25] – *Comme c'est affreux!*[26]

Eles se entreolharam, fizeram beiço, coraram, bateram o pé; percebi que não ficaram felizes, porém impressionados, e da forma que eu desejava. Depois de ter abaixado suas cristas, o próximo passo era conquistar seu apreço, o que não seria fácil, considerando que mal ousava falar por medo de expor minhas falhas.

– *Ecoutez, messieurs!*[27]– disse, esforçando-me para imprimir em minha pronúncia o tom compassivo de um ser superior que, comovido pela enormidade da impotência deles, capaz de suscitar apenas o seu desprezo a princípio, se digna a lhes conceder sua ajuda ao final.

Comecei *O vigário de Wakefield* desde o início e li umas vinte páginas devagar e com clareza enquanto me ouviam com atenção, mudos durante toda a leitura. Quando terminei, já se havia passado quase uma hora; então me levantei e disse:

– *C'est assez pour aujourd'hui, messieurs; demain nous recommencerons, et j'espere que tout ira bien.*[28]

---

[24] – Parem! (N.T.)

[25] Voz de peito, definida no âmbito musical como o registro vocal que resulta em um tom estridente, que parece vibrar no peito. Ela também pode ser definida como uma voz grave que, por ser propositadamente dirigida para o tórax, dá mais sonoridade a sons mais fracos. (N.T.)

[26] – Como está horrível! (N.T.)

[27] – Escutem, cavalheiros! (N.T.)

[28] – Isso basta por hoje, senhores; recomeçaremos amanhã e espero que tudo corra bem. (N.T.)

Com essas palavras proféticas, fiz uma mesura e deixei a sala na companhia do *monsieur* Pelet.

– *C'est bien! C'est tres bien!*[29] – disse meu diretor quando entrei em seu gabinete. – *Je vois que monsieur a de l'adresse; cela, me plait, car, dans l'instruction, l'adresse fait tout autant que le savoir*[30].

Do gabinete, *monsieur* Pelet me conduziu ao meu alojamento, meu *chambre*, como disse com certa complacência. Era um quarto muito pequeno, com uma cama minúscula, mas meu empregador deu-me a entender que eu o ocuparia sozinho, o que era, claro, um grande conforto. Apesar de suas dimensões tão limitadas, tinha duas janelas: como a luz não é taxada na Bélgica, as pessoas não têm rancor de deixá-la entrar em suas casas[31]; aqui, no entanto, essa observação não é muito relevante, já que uma das janelas estava fechada com tábuas; a outra dava para o pátio dos alunos. Olhei para a outra, imaginando que aspecto teria sem as tábuas. Suponho que ele tenha compreendido a indagação em meus olhos, pois explicou:

– *La fenêtre fermée donne sur un jardin appartenant a un pensionnat de demoiselles* – disse –, *et les convenances exigent... Enfin, vous comprenez, n'est-ce pas, monsieur?*

– *Oui, oui*[32] – respondi, e aparentei dar-me por satisfeito, claro; mas quando ele saiu e fechou a porta atrás de si, a primeira coisa que fiz foi esquadrinhar as tábuas pregadas, esperando encontrar uma fresta ou rachadura que pudesse ser aumentada para que espiasse o terreno consagrado. Minha investigação foi em vão, pois as tábuas estavam bem unidas e pregadas. É espantoso que tenha ficado tão decepcionado. Achei que teria

[29] – Bom! Muito bom! (N.T.)

[30] – Percebo que o senhor é habilidoso. Isso me agrada, pois, na educação, habilidade é tão importante quanto conhecimento. (N.T.)

[31] Entre os séculos XVII e XIX, os ingleses precisavam pagar impostos pelo número de janelas que tinham em suas casas. A cobrança partia do pressuposto de que, quanto maior a casa (e o poder aquisitivo de seu proprietário), maior a quantidade de janelas. Dessa forma, em vez de pagarem mais impostos, muitas pessoas simplesmente optavam por construir casas com menos janelas. (N.T)

[32] – A janela fechada dá para o jardim de um internato de senhoritas – disse –, e o decoro exige que... Enfim, o senhor compreende, não?
– Claro, claro. (N.T.)

sido muito agradável olhar para um jardim com flores e árvores, e muito divertido ver as jovens jogar, além de estudar o caráter feminino em uma variedade de fases, enquanto permanecia escondido da vista delas por uma modesta cortina de musselina; ao passo que, sem dúvida, por culpa do escrúpulo de alguma velha diretora, só me restava a opção de olhar para um pátio pelado de cascalho com um enorme *pas de géant*[33] no centro e cercado pelos monótonos muros e janelas de uma escola para meninos. Não só naquele instante, mas em muitos outros que se seguiram, especialmente em momentos de cansaço e desânimo, contemplei com olhos insatisfeitos aquelas tábuas tentadoras, desejando arrancá-las para vislumbrar a área verde que imaginava estar atrás delas. Sabia que crescia uma árvore perto da janela, pois, apesar de ainda não ter escutado o farfalhar de suas folhas, frequentemente ouvia seus galhos baterem nos vidros durante a noite. Durante o dia, quando escutava com atenção, podia ouvir, mesmo através das tábuas, as vozes das *demoiselles* no recreio e, para ser sincero, meus reflexos sentimentais eram ocasionalmente abalados pelos sons, nem sempre agradáveis e muitas vezes agudos que, erguendo-se do Paraíso invisível abaixo, penetravam ruidosamente em minha solidão. Honestamente, não saberia dizer quem tinha pulmões mais potentes, se as alunas da *mademoiselle* Reuter ou os alunos do *monsieur* Pelet, e se o assunto fosse os gritos, as meninas ganhariam sem sombra de dúvida. A propósito, esqueci de mencionar que Reuter era o nome da velha senhora que havia feito que tapassem a minha janela. Digo velha porque, obviamente, deduzi que o era, a julgar por sua cautela e seu comportamento de aia; ademais, ninguém se referia a ela como se fosse jovem. Lembro-me de ter ficado bastante surpreso quando descobri seu primeiro nome: Zoraide – *mademoiselle* Zoraide Reuter; mas as nações continentais se permitem caprichos na escolha de nomes que nós, sóbrios ingleses, jamais cogitaremos; na verdade, acho que dispomos de uma lista bastante limitada da qual escolher.

[33] Literalmente, “passo de gigante”, também se refere a blocos colocados a certa distância um do outro para que, ao andar (ou saltar) sobre eles, as pessoas exercitem o equilíbrio e a agilidade. (N.T.)

Enquanto isso, o meu caminho se desdobrava progressivamente com tranquilidade. Em algumas semanas ultrapassei as irritantes dificuldades inerentes a qualquer começo de carreira. Em pouco tempo passei a me comunicar em francês com bastante desenvoltura, o que me deixou mais à vontade com meus alunos; por ter começado nossa relação com o pé direito desde o início, e, por seguir mantendo a vantagem que havia conquistado, eles nunca tentaram se rebelar, circunstância essa considerada importante e incomum por todos aqueles que estejam mais ou menos familiarizados com o cotidiano de escolas belgas e que estejam a par da relação muitas vezes bélica estabelecida entre professores e estudantes. Antes de concluir este capítulo, tecerei um comentário a respeito do sistema que segui em relação às minhas aulas, já que minha experiência pode ser útil para os outros.

Não precisava ser um exímio observador para detectar o caráter dos jovens de Brabante[34], mas requeria-se certo tato para adotar medidas condizentes com a capacidade deles. Em geral, suas faculdades intelectuais eram fracas e seus impulsos animais, fortes, de maneira que sua natureza demonstrava, ao mesmo tempo, sua impotência e sua força inerente; eram estúpidos, mas também especialmente teimosos, pesados como chumbo e, como tal, difíceis de demover. Sendo esse o caso, teria sido realmente absurdo exigir deles muito esforço mental; com sua memória curta, inteligência obtusa e capacidades reflexivas débeis, recuavam com asco de qualquer atividade que demandasse um estudo mais cuidadoso ou raciocínio mais aprofundado. Tivesse um professor, com medidas insensatas e arbitrárias, tentado arrancar deles algum abominável esforço, teriam resistido com a mesma obstinação e gritaria de porcos desesperados; e ainda que não fossem valentes sozinhos, eram implacáveis quando agiam *en masse.* Soube que, antes da minha chegada à escola de *monsieur* Pelet, a insubordinação coletiva dos estudantes causou a demissão de mais de um professor de inglês. Dessa maneira, era necessário exigir apenas uma moderada aplicação

[34] Referência ao antigo ducado situado nos Países Baixos e norte da Bélgica, cuja extensão abrangia a atual província holandesa de Brabante do Norte, as atuais províncias belgas de Antuérpia, Brabante Flamengo, Brabante Valão e a região de Bruxelas (na Bélgica). (N.T.)

da natureza deles tão pouco qualificada para os estudos; auxiliar, de todas as maneiras possíveis, a compreensão tão obtusa e reduzida; ser gentil, atencioso e mesmo complacente, até certo ponto, com temperamentos tão irracionalmente obstinados; mas, tendo alcançado esse ponto culminante da indulgência, você deve pregar os pés no chão, plantá-los e enterrá-los como rochas, tornando-se tão imutável quanto as torres de Santa Gudula[35], pois qualquer movimento, até meio passo a mais, bastaria para mergulhar de cabeça no abismo da imbecilidade; e, uma vez alojado, você receberia prontamente as provas da gratidão e generosidade flamengas na forma de chuvas de saliva de Brabante e punhados de lama dos Países Baixos. Você pode aplainar ao máximo o caminho do aprendizado, remover cada pedra do trajeto; mas, no fim das contas, ainda deverá insistir, com firmeza, para que o aluno segure no seu braço e se deixe guiar em silêncio pela estrada que preparou. Após ter rebaixado a qualidade de minhas aulas ao menor nível do meu aluno mais incapaz, após ter-me mostrado como o mais moderado e tolerante dos professores, uma palavra impertinente, um gesto de desobediência, me transformava de imediato em um déspota. Eu oferecia a eles apenas uma alternativa: submeter-se e reconhecer seus erros, ou a desonrosa expulsão. O sistema funcionou, e minha influência se estabeleceu, gradualmente, sobre um sólido alicerce. "O garoto é o pai do homem", dizem, e eu pensava o mesmo quando contemplava os meus meninos e me lembrava da história política de seus antepassados: a escola de Pelet era um exemplo perfeito da nação belga.

---

[35] A Catedral de São Miguel e Santa Gudula é um monumento histórico da cidade de Bruxelas, que tem como seus padroeiros os santos desta catedral. Sua construção teve início, provavelmente, com uma capela dedicada a São Miguel Arcanjo no século IX; depois, em 1047, as relíquias de Santa Gudula foram transportadas para lá. Ao todo, a catedral levou aproximadamente 300 anos para ser concluída. (N.T.)

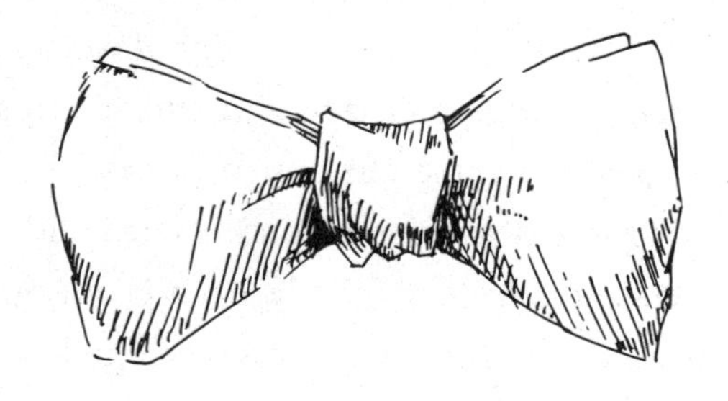

Capítulo 8

Se continuei gostando de Pelet? Sim, bastante! A forma como me tratava não poderia ter sido mais lisonjeira, cavalheiresca e até amigável. Não tive de suportar dele nenhuma fria negligência, interferência irritante ou pretensiosa afirmação de superioridade. Temo, no entanto, que dois belgas, pobres e esforçados professores assistentes da escola, não teriam dito o mesmo; com eles o diretor era invariavelmente seco, severo e distante. Creio que tenha percebido, em algumas ocasiões, minha surpresa diante da diferença de tratamento dispensado, a qual justificou dizendo, com um sorriso um tanto sarcástico:

– *Ce ne sont que des Flamands; allez!*[36] – e então tirou o charuto da boca e cuspiu no chão pintado da sala em que estávamos.

Certamente eram flamengos, e ambos tinham a típica fisionomia flamenga, em cujos traços a inferioridade intelectual estava inconfundivelmente marcada; ainda assim, eram homens, e, em geral, homens honestos, e eu não via por que o fato de serem aborígenes daquela terra plana e sem graça deveria servir de pretexto para tratá-los apenas com

[36] – Ora, vamos! Não passam de flamencos! (N.T.)

severidade e desprezo. Esse sentimento de injustiça envenenou, de certa forma, a sensação de prazer que sua afabilidade teria me proporcionado em outras circunstâncias. Sem dúvida, era agradável encontrar em meu empregador, no final da jornada de trabalho, uma companhia inteligente e alegre; ainda que às vezes fosse um pouco sarcástico ou um pouco sugestivo demais; ainda que descobrisse que sua cordialidade era mais uma questão de aparências do que de realidade; e ainda que eu ocasionalmente suspeitasse da existência de rochas ou aço sob aquele verniz aveludado; ainda assim, nenhum de nós é perfeito. Além disso, cansado como estava da frequente atmosfera de brutalidade e soberba na qual me encontrava em X, não tinha a menor inclinação para, finalmente lançar a âncora em águas calmas, decretar de imediato uma intrometida busca por defeitos que eram escrupulosamente retirados de minha vista e cuidadosamente escondidos. Eu estava disposto a aceitar Pelet pelo que parecia ser, a acreditar em sua benevolência e amizade até que algum evento desfavorável provasse o contrário. Ele não era casado, e logo percebi que tinha as ideias típicas de um francês, de um parisiense, sobre as mulheres e o matrimônio. Suspeitava de algum relaxamento em seu código de ética, pois havia algo de frio e *blasé*[37] em sua voz sempre que se referia ao que chamava de *le beau sexe*[38]*;* ele, porém, era muito educado para impor assuntos sem que eu os solicitasse, e como era muito inteligente e um grande entusiasta de conversas intelectuais, sempre tínhamos muito sobre o que conversar sem que precisássemos nos esforçar para tal. Eu detestava a forma como ele falava de amor; abominava, do fundo da minha alma, a mera libertinagem; ele percebeu que tínhamos conceitos diferentes e, em mútuo acordo, mantivemos distância de questões polêmicas.

A casa e a cozinha de Pelet eram administradas por sua mãe, uma autêntica velha francesa; tinha sido bonita – ao menos foi o que ela me disse, e eu me esforçava para acreditar nela; agora era feia como apenas as

[37] Entediado, indiferente. (N.T.)

[38] O belo sexo. (N.T.)

velhas do continente podem ser; apesar de que, talvez, sua forma de vestir a fizesse parecer mais feia do que realmente era. Em casa, ficava sempre sem touca, com seu cabelo grisalho estranhamente despenteado; era raro que usasse vestido em casa, apenas uma surrada camisola de algodão; sapatos também lhe eram desconhecidos, e em vez deles, calçava largas pantufas com os calcanhares gastos. De outro lado, sempre que queria aparecer em público, como em domingos ou dias de festa, colocava vestidos de cores chamativas, geralmente de textura fina, um *bonnet* de seda com uma guirlanda de flores e um levíssimo xale. Apesar de ser uma mexeriqueira indiscreta e incontrolável, não era, no fundo, uma velha mal-intencionada; limitava-se principalmente à cozinha, e parecia evitar a augusta presença de seu filho, por quem nutria um nítido respeito e admiração. Quando ele a recriminava por algo, era cruel e implacável, mas raramente se dava ao trabalho de fazê-lo.

Madame Pelet tinha a própria sociedade, o próprio círculo de visitantes escolhidos, que, no entanto, eu quase nunca os via, já que ela costumava recebê-los no que chamava de seu *cabinet*, um pequeno quarto adjacente à cozinha, cujo acesso se dava descendo um ou dois degraus. Por sinal, não era difícil encontrá-la sentada naqueles degraus, com uma bandeja sobre os joelhos, entretida na tripla tarefa de comer o seu jantar, mexericar com sua criada favorita, a arrumadeira, e repreender sua antagonista, a cozinheira; eram raras as ocasiões em que comia com seu filho, e nunca era no jantar; e aparecer na mesa dos meninos também era impensável. Esses detalhes soarão estranhos aos leitores ingleses, mas a Bélgica não é a Inglaterra, e seus costumes não são iguais aos nossos.

Considerando então os hábitos da velha senhora, fiquei bastante surpreso quando, em uma quinta-feira à noite (trabalhava apenas meio período às quintas), sozinho em meu quarto corrigindo uma pilha de exercícios de inglês e latim, ouvi uma criada bater à porta e, ao abri-la, apresentou-me seus cumprimentos em nome de madame Pelet e acrescentou que ela estava feliz por me convidar para tomar o *goûter* (refeição equivalente ao nosso chá inglês) com ela na sala de jantar.

– *Plaît-il?*[39] – disse, achando que não tinha compreendido corretamente a mensagem e o convite inusitados; e as mesmas palavras foram repetidas. Aceitei, claro, e, enquanto descia as escadas, perguntava-me que capricho tinha passado pela cabeça da velha senhora; seu filho estava fora, tinha ido para uma noitada na sala de concertos do Grande Harmonie ou algum outro clube do qual era membro. Mal toquei a maçaneta da sala de jantar e me ocorreu uma ideia estranha.

"Claro que não irá me cortejar", pensei. "Já ouvi falar de velhas senhoras francesas fazendo excentricidades como essa. E o *goûter?* Creio que comecem esses assuntos enquanto bebem e comem."

Fiquei terrivelmente abalado com a sugestão feita pela minha imaginação fértil e, se tivesse me permitido algum tempo para refletir sobre ela, certamente teria parado naquele instante, corrido de volta para o meu quarto e me trancado ali; mas, sempre que um perigo ou horror é obscurecido por um véu de incertezas, o primeiro desejo da mente é se certificar da verdade, reservando o recurso da fuga para quando algo de fato acontecer e o medo for então confirmado. Girei a maçaneta e, em um momento, atravessei o inevitável umbral e fechei a porta atrás de mim, encontrando-me na presença de madame Pelet.

Meu Deus! À primeira vista, meus piores temores pareciam se confirmar. Ali estava ela, sentada com um vestido de musselina verde-claro e um chapéu de renda com um aplique de rosas vermelhas junto da mesa cuidadosamente posta, com frutas, tortas, café e uma garrafa de algo, não sabia de quê. O suor frio já brotava em minha testa, eu já lançava olhares para a porta fechada às minhas costas quando, para o meu imenso e indescritível alívio, meus olhos, que vagavam em direção à estufa, encontraram ao seu lado uma segunda figura acomodada em uma grande poltrona. Também era uma mulher, e uma mulher velha, gorda e corada na mesma medida em que madame Pelet era magra e amarelada. Seus trajes eram igualmente

[39] – Perdão? (N.T.)

finos, e seu *bonnet* de veludo violeta era adornado com uma guirlanda de flores primaveris em diferentes tons.

Só tinha tido tempo de fazer essas observações gerais quando madame Pelet se aproximou, com um passo que pretendia ser gracioso e flexível, e se dirigiu a mim:

– *Monsieur* é muito gentil em deixar seus livros e seus estudos a pedido de uma pessoa insignificante como eu. *Monsieur* completaria sua gentileza em me permitir que lhe apresente minha querida amiga madame Reuter, que reside na casa vizinha, na escola para senhoritas?

"Ah!", pensei. "Sabia que ela era velha!" Cumprimentei-a com uma mesura e me sentei. Madame Reuter se sentou à mesa de frente para mim.

– O que está achando da Bélgica, *monsieur?* – perguntou com um marcado sotaque bruxelense.

Agora eu já conseguia distinguir com clareza a diferença entre a pronúncia parisiense elegante e pura de monsieur Pelet, por exemplo, e a dicção gutural dos flamengos. Respondi educadamente, e logo passei a refletir sobre como uma velha grosseira e desajeitada como aquela poderia dirigir uma escola para meninas, sobre a qual tinha ouvido palavras elogiosas. De fato, era algo a se pensar. Madame Reuter parecia mais uma velha *fermière* flamenga, alegre e glutona, ou até uma *maîtresse d'auberge,* em vez de uma séria, grave e rígida *directrice de pensionnat.* Em geral as mulheres do continente, ao menos as velhas belgas, permitem-se certas liberdades de modos, fala e aparência que seriam rejeitadas pelas nossas veneráveis grandes damas por serem consideradas absolutamente infames; e o rosto alegre da madame Reuter evidenciava que ela não era uma exceção às regras de seu país; havia um brilho de malícia em seu olho esquerdo; o direito era deixado habitualmente entreaberto, o que me parecia realmente peculiar. Depois de várias vãs tentativas para compreender o que motivou aquelas velhas e excêntricas criaturas a me convidarem para o *goûter,* eu finalmente desisti e, resignando-me a uma inevitável perplexidade, olhava de uma para outra enquanto fazia justiça aos *confitures,* bolos e café, os quais me ofereciam com fartura. Elas também comeram com apetite nada delicado e, depois de terem acabado com boa parte dos sólidos, propuseram um *petit verre*[40]. Eu o recusei, mas elas não fizeram o mesmo; ambas se serviram do que me pareceu ser um copo muito bem servido de ponche e, colocando-os em um móvel perto da estufa, aproximaram também suas cadeiras dali e me convidaram a fazer o mesmo. Eu obedeci e me sentei praticamente entre as duas; madame Pelet me dirigiu a palavra primeiro, então madame Reuter.

– Agora vamos falar de negócios – começou madame Pelet, e prosseguiu com um discurso elaborado que, quando interpretado, visava dizer que ela havia solicitado o prazer de minha companhia naquela noite para dar à sua amiga, madame Reuter, a oportunidade de me fazer uma proposta importante, que poderia ser muito interessante para mim.

– *Pourvu que vous soyez sage* – disse madame Reuter –, *et a vrai dire, vous en avez bien l'air*[41]. Tome um pouco de ponche – palavra que ela pronunciava de um jeito peculiar –, é uma bebida agradável e saudável para tomar depois de refeições completas.

Inclinei a cabeça, mas voltei a recusar a bebida; e ela continuou:

– Compreendo – disse, depois de um longo e solene gole –, compreendo perfeitamente a importância da tarefa que me foi confiada pela minha querida filha, pois você sabe, *monsieur*, que é ela quem dirige a escola ao lado, certo?

– Ah! Eu pensava que era senhora, madame – embora tivesse me lembrado naquele exato momento que se referiam a ela como a escola de *mademoiselle*, e não de madame Reuter.

– Eu? Oh, não! Eu administro a casa e cuido dos criados, da mesma forma que minha amiga madame Pelet o faz para o seu filho, nada mais. Ah, pensava que eu fosse professora, não? – e riu sinceramente, como se a ideia a divertisse.

---

[40] *Fermière:* camponesa, agricultora; *maîtresse d'auberge:* dona de albergue, pousada; *directrice de pensionnat:* diretora de uma escola ou internato; *confitures:* geleias; *petit verre:* literalmente "pequeno copo", é usado para se referir ao consumo de bebidas alcoólicas, como licores. (N.T.)

[41] – Contanto que o senhor seja sábio – disse madame Reuter –, e devo dizer que o senhor parece sê-lo. (N.T.)

– Madame se equivoca em rir – apontei. – Se não ensina, tenho certeza de que não é porque não possa fazê-lo – concluí, tirando do bolso um lenço e tocando-o em meu nariz com toda a pompa francesa enquanto me inclinava em uma saudação.

– Que jovem encantador! – murmurou madame Pelet; madame Reuter, menos sentimental por ser flamenga, e não francesa, limitou-se a rir novamente.

– Temo que seja uma pessoa perigosa – disse. – Se consegue criar elogios e saudações com essa velocidade, Zoraide certamente terá medo do senhor; mas se for bom, guardarei seu segredo e não contarei a ela sobre suas qualidades aduladoras. Agora, ouça sua proposta. Ela tomou conhecimento de que o senhor é um excelente professor e, como deseja ter os melhores docentes em sua escola *(car Zoraide fait tout comme une reine, c'est une veritable maitresse-femme*[42]*)*, encarregou-me de vir aqui esta noite e perguntar à madame Pelet sobre a possibilidade de contratá-lo. Zoraide é uma general cautelosa, nunca avança sem antes examinar o terreno com cuidado; inclusive creio que ela não ficaria feliz se soubesse que já revelei suas intenções para o senhor, pois não ordenou que eu fosse tão longe, mas achei que não faria mal compartilhar tal segredo, e madame Pelet concordou. Contudo seja cuidadoso para não entregar nenhuma de nós para Zoraide, minha filha, quero dizer; ela é muito discreta e reservada, e não entende o prazer em um pouco de mexerico.

– *C'est absolument comme mon fils!*[43] – exclamou madame Pelet.

– Ah, o mundo mudou tanto desde a nossa juventude! – respondeu a outra. – Os jovens de hoje são tão conservadores. Mas, retomando a conversa, *monsieur*. Madame Pelet comentará com seu filho sobre a possibilidade de você dar aulas na escola de minha filha, e ele falará com você; e então amanhã o senhor irá à nossa casa, pedirá para conversar com ela e abordará o assunto como se a primeira insinuação a esse respeito

[42] – (pois Zoraide faz tudo como uma rainha, é realmente uma mulher muito capaz). (N.T.)

[43] – Exatamente igual ao meu filho! (N.T.)

tivesse chegado a você por meio do próprio *monsieur* Pelet. E certifique-se de nunca, jamais mencionar meu nome, pois não quero desagradar a Zoraide de nenhuma forma.

– *Bien, bien!* – concordei interrompendo-a, pois toda aquela conversa e volteio começavam a me enfadar demais. – Consultarei com *monsieur* Pelet e tudo se dará como a senhora deseja. Boa noite, *mes dames,* sou infinitamente grato às senhoras.

– *Comment! Vous vous en allez déjà?* – perguntou madame Pelet. – *Prenez encore quelque chose, monsieur; une pomme cuite, des biscuits, encore une tasse de café?*

– *Merci, merci, madame. Au revoir*[44] – e por fim saí do aposento.

Retornando ao meu quarto, comecei a repassar mentalmente o incidente daquela noite. Considerando tudo, pareceu-me um assunto estranho levado de maneira igualmente estranha; as duas velhas armaram uma pequena confusão a respeito; mesmo assim, sentia que o ocorrido tinha me deixado satisfeito. Primeiro, porque seria uma mudança de ares dar aulas em outra instituição; e também porque ensinar a jovens moças seria uma interessante ocupação, ser admitido em um internato de senhoritas seria uma nova experiência em minha vida. Além disso, pensava enquanto olhava para as tábuas na janela: "Finalmente poderei ver o misterioso jardim; olharei tanto para os anjos como para o seu Éden".

[44] – Como? Já está indo? Tome algo mais, *monsieur*. Maçã cozida, alguns biscoitos, outra xícara de café?

– Obrigado, obrigado, madame. Até logo. (N.T.)

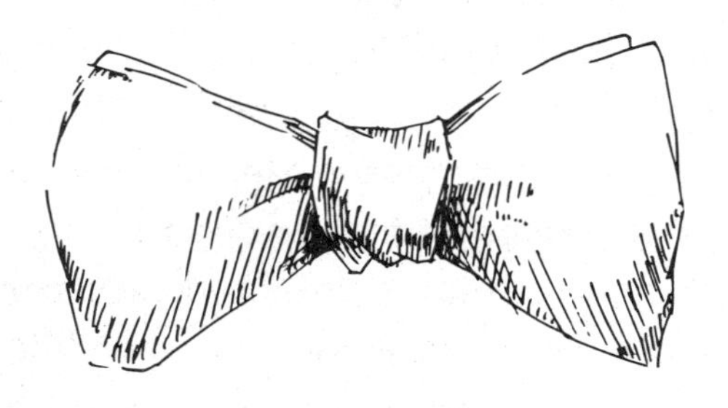

Capítulo 9

Monsieur Pelet obviamente não pôde se opor à proposta feita por *mademoiselle* Reuter, já que a permissão para que eu aceitasse um emprego adicional, caso tivesse a oportunidade, constava das condições acordadas na minha contratação. Assim, no dia seguinte combinamos que eu estaria livre para dar aulas na escola de senhoritas quatro tardes por semana.

Ao fim do dia, preparei-me para ir ao instituto conversar com *mademoiselle,* já que não tive tempo de visitá-la antes por causa de todas as minhas aulas. Recordo-me bem que, antes de sair do quarto, debati brevemente comigo mesmo sobre a conveniência de trocar meus trajes habituais por outros mais elegantes, mas concluí que seria um esforço desnecessário. "Sem dúvida", pensei, "é uma solteirona difícil, pois, apesar de ser filha de madame Reuter, já deve ter completado mais de 40 primaveras; e, ainda que eu esteja errado, e ela seja jovem e bonita, eu não sou atraente, e não o serei mesmo que troque de roupa; e, sendo assim, irei da forma que estou." Então saí, olhando de soslaio para o espelho sobre a penteadeira, onde vi um rosto fino e irregular, com fundos olhos escuros sob uma testa larga e quadrada; uma fisionomia destituída de viço e beleza, jovem, mas não jovial; que não conseguiria ganhar o amor de uma dama e tampouco seria alvo das flechas do Cupido.

Logo cheguei à entrada do internato e toquei a campainha. Em um instante a porta foi aberta, dando lugar a uma passagem cujo piso de mármore era ora branco, ora preto, e cuja pintura das paredes também imitava mármore; no extremo oposto havia uma porta de vidro, e foi através dela que vi os arbustos e o terreno gramado banhados pelo ameno sol noturno primaveril, pois já estávamos em meados de abril[45].

Aquela foi a primeira vez que vi o jardim; porém não tive tempo de olhá-lo com mais cuidado porque, depois de ter respondido afirmativamente quando perguntei se sua senhora estava em casa, a porteira abriu as portas dobráveis que davam acesso a um aposento à esquerda e, após permitir minha entrada, fechou-as atrás de mim. Encontrei-me em um salão com o piso muito bem pintado e polido, cadeiras e sofás revestidos de tapeçaria branca, uma estufa de porcelana verde, paredes exibindo quadros de moldura dourada, um relógio de pêndulo dourado e outros adereços na prateleira da lareira e um enorme lustre no meio do teto; espelhos, aparadores, cortinas de musselina e uma bela mesa de centro completavam o inventário das mobílias. Tudo parecia extremamente limpo e reluzente, mas causaria uma sensação de indiferença se não fosse pela grata presença de um segundo par de grandes portas abertas que revelavam outro salão menor, com uma mobília mais acolhedora. Essa saleta era acarpetada e tinha um piano, um sofá e uma *chiffonnière*[46]; porém o mais importante é que tinha uma janela alta com uma cortina carmesim, que, ao ser aberta, me permitiu dar mais uma olhada no jardim por seus vidros grandes e transparentes, em torno dos quais se haviam enroscado algumas folhas de hera e gavinhas da videira.

– *Monsieur Creemsvort, n'est ce pas?*[47] – disse uma voz atrás de mim. Tive um sobressalto involuntário e me virei. Estava tão absorto na contemplação

[45] As estações costumam ser bem definidas no Hemisfério Norte e, dentre suas características, está o dia bastante "longo" na primavera (de março a junho) e no verão (de junho a setembro). Em meados de abril, por exemplo, o sol nasce por volta das 6h30 e se põe em torno das 20h40. Vale dizer que o movimento oposto acontece no outono (de setembro a dezembro) e no inverno (de dezembro a março), com dias bastante "curtos" – em meados de novembro, por exemplo, o sol costuma nascer às 8h e se pôr às 17h. (N.T.)

[46] Cômoda alta, estreita e com gavetas. (N.T.)

[47] – Senhor Cremsworth, certo? (N.T.)

daquela bela saleta que não notei a entrada de alguém no salão ao lado. Entretanto agora era *mademoiselle* Reuter que havia se aproximado e se dirigia a mim; e, após ter feito uma reverência com o instantaneamente recobrado *sang-froid*[48] (não costumo me envergonhar com facilidade), comecei a conversa falando sobre o agradável aspecto de sua saleta e da vantagem que tinha sobre *monsieur* Pelet por possuir um jardim.

– Sim – respondeu –, penso nisso com frequência. É meu jardim, *monsieur,* que me faz conservar a casa; caso contrário, provavelmente já teria me mudado há um bom tempo para um local mais espaçoso e confortável. Mas não podia levar meu jardim comigo, e dificilmente encontraria um tão grande e agradável em outro lugar da cidade.

Concordei com seu raciocínio.

– Mas o senhor ainda não o viu – disse ela enquanto se levantava. – Aproxime-se da janela para uma vista melhor. – Eu a segui; ela abriu a janela e, curvando-me para fora, vi, em toda a sua plenitude, o reino que até então me era uma região desconhecida. Era uma faixa de terra cultivada, longa, mas não muito larga, com caminho central ladeado por suntuosas e antigas árvores frutíferas; tinha um gramado, um *parterre*[49] com roseiras, alguns caminhos de flores e, em um canto mais distante, um denso bosque de lilases, laburnos e acácias. Pareceu-me agradável, muito agradável, ainda mais porque fazia um bom tempo que não via qualquer tipo de jardim. Mas meus olhos não pousaram apenas sobre o jardim de *mademoiselle* Reuter; depois de contemplar seus canteiros bem aparados e arbustos repletos de botões, deixei que meu olhar retornasse para ela e que lá permanecesse por alguns instantes.

Pensava que encontraria uma imagem alta, magra, amarelada e monástica, toda vestida de preto e com uma touca branca fechada e amarrada abaixo do queixo, tal qual o capelo de uma freira. No entanto, à minha frente estava uma mulher pequena e arredondada, que de fato poderia ser

[48] Sangue-frio. (N.T.)

[49] Canteiros dispostos em padrões geométricos, comuns aos jardins franceses do século XVII. (N.T.)

mais velha do que eu, mas que ainda assim era jovem (não devia ter mais que 26 ou 27 anos); sua tez era alva como a de uma inglesa; não usava touca, e seus cabelos eram acastanhados e cacheados; suas feições não eram belas, delicadas ou harmônicas, mas também não eram de forma alguma sem graça, e eu já as considerava expressivas. Qual era sua característica principal? A sagacidade? O juízo? Pensava que sim, mas ainda não podia ter certeza. Descobri, contudo, que havia certa serenidade em seu olhar e frescor em sua expressão, os quais eram muito agradáveis de contemplar. A cor de suas bochechas era como o amadurecer de uma boa maçã, tão saudável para o coração como o vermelho de sua casca.

Mademoiselle Reuter e eu começamos a falar de negócios. Ela não estava totalmente segura sobre o passo que estava para dar, porque eu era bastante jovem, e os pais poderiam se opor ao fato de suas filhas terem um professor como eu.

– Mas, em geral, é melhor seguir meus critérios – disse ela – e guiar os pais em vez de me deixar ser guiada por eles. A adequação de um professor não é determinada por sua idade; e, pelo que ouvi e pude observar por mim mesma, o senhor parece ser muito mais digno da minha confiança do que *monsieur* Ledru, o professor de Música, que é um homem casado e de quase 50 anos.

Comentei que esperava parecer digno de sua boa opinião a meu respeito e que, conhecendo a mim mesmo, seria incapaz de trair a confiança que depositava em mim.

– *Du reste*[50] – acrescentou –, a vigilância será rígida – e então começou a discutir sobre as condições da contratação.

Era bastante cautelosa e precavida; não chegou a negociar, mas me sondou para descobrir quais eram minhas expectativas e, percebendo que eu não mencionaria um valor, refletiu e argumentou com uma fala tranquila, porém fluida e cheia de rodeios, até chegar à soma de quinhentos francos ao ano – o que não era muito, mas aceitei. Começou a escurecer antes que

[50] – Além disso... (N.T.)

terminássemos nossa negociação, a qual não apressei, pois era prazeroso ouvi-la falar; entretinha-me o talento que demonstrava para os negócios. Nem Edward havia se revelado tão prático, era apenas mais ríspido e impaciente. Ela tinha tantas razões, tantas explicações; e, no fim das contas, conseguiu provar que era bastante imparcial e até generosa. Finalmente, encerrou; não pôde acrescentar mais nada, pois, como eu havia aceitado todos os seus termos, não tinha mais motivo para exercitar sua eloquência. Senti-me obrigado a me levantar, porém preferiria ter ficado um pouco mais; para onde poderia retornar senão para o meu quarto pequeno e vazio? Além disso, meus olhos se deleitavam observando-a, especialmente agora que a luz do crepúsculo suavizava um pouco suas feições e, na duvidosa penumbra, pude notar sua fronte tão aberta quanto era elevada, e que sua boca possuía tanto os contornos da doçura quanto as definidas linhas da razão. Quando me levantei para sair, estendi-lhe a mão de propósito, apesar de saber que isso ia de encontro à etiqueta local; ao que ela sorriu e disse:

– *Ah! C'est comme tous les Anglais!*[51] – mas, gentilmente, me estendeu a mão.

– É um privilégio de meu país, *mademoiselle* – respondi. – E saiba que sempre o reivindicarei.

Ela riu um pouco, muito amavelmente, com aquela tranquilidade óbvia em tudo que fazia, uma tranquilidade que me confortava e comprazia de forma singular – ao menos foi o que pensei naquela noite.

Quando voltei à rua, Bruxelas me parecia um lugar muito agradável; tinha a sensação de que um caminho alegre, agitado e ascendente se abria à minha frente naquela noite igualmente agradável, amena e calma de abril. Quão impressionável é o homem! Ou ao menos o homem que eu era naqueles dias.

---

[51] – Ah! Como todos os ingleses! (N.T.)

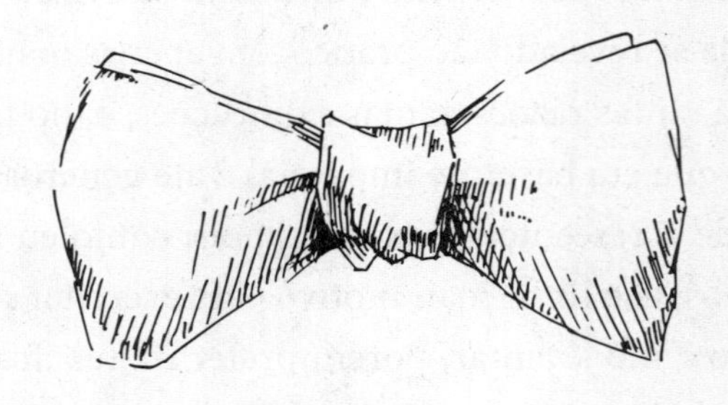

Capítulo 10

As horas pareciam se arrastar na escola de *monsieur* Pelet na manhã seguinte; queria que chegasse logo a tarde para que pudesse voltar ao internato vizinho e ministrar minha primeira aula naquele prazeroso recinto, pois era como aparentava ser. Ao meio-dia chegou a hora do recreio, e à uma hora comemos; isso ajudou a passar o tempo até que, finalmente, o sino grave de Santa Gudula bateu lentamente às duas horas, anunciando o momento que eu tanto aguardava.

Ao pé da estreita escadaria traseira por onde descia do meu alojamento, topei com *monsieur* Pelet.

– *Comme vous avez l'air rayonnant!* – disse ele. – *Je ne vous ai jamais vu aussi gai. Que s'est-il donc passé?*

– *Apparemment que j'aime les changements* – respondi.

– *Ah! Je comprends. C'est cela. Soyez sage seulement. Vous êtes bien jeune, trop jeune pour le rôle que vous allez jouer. Il faut prendre garde, savez-vous?*

– *Mais quel danger y a-t-il?*

– *Je n'en sais rien. Ne vous laissez pas aller à de vives impressions, voilà tout*[52].

---

[52] – O senhor está radiante! Nunca o vi tão alegre! O que aconteceu?
– Parece que gosto de mudanças.

Eu dei risada. Uma sensação de prazer agradável se apoderou dos meus nervos ao pensar que era muito provável que essas *vives impressions* fossem criadas. Até então, a monotonia, a mesmice do dia a dia tinham sido a minha cruz; meus *élèves*[53] em seus blusões masculinos nunca haviam despertado *vives impressions* em mim, exceto, talvez, a da ira em algumas ocasiões. Despedi-me de *monsieur* Pelet e, caminhando a passos largos, fui seguido por uma de suas risadas, um som tipicamente francês, despreocupado e zombador.

Encontrei-me uma vez mais ante a porta ao lado e fui rapidamente readmitido na alegre passagem, com suas paredes claras que imitavam mármore. Segui a porteira e, depois de descer uma escadaria e fazer uma curva, cheguei a uma espécie de corredor; nele abriu-se uma porta e a pequena figura de *mademoiselle* Reuter apareceu, graciosa e *mignon*. Agora pude ver sua vestimenta em plena luz do dia; era um vestido simples de lã fina que se ajustava perfeitamente às suas formas compactas e curvilíneas; sua gola pequena e delicada, suas *manchettes*[54] de renda e seus bem-cuidados borzeguins[55] parisienses valorizavam seu pescoço, punhos e pés. Porém estava séria quando se aproximou! Seu olhar e sua fronte denotavam preocupação e negócios, e ela parecia quase severa. Seu "*Bon jour, monsieur*" foi bastante educado, mas também metódico, trivial, jogando um balde de água fria em minhas *vives impressions.* Ao ver sua senhora, a criada deu meia-volta, mas eu segui lentamente pelo corredor, caminhando a seu lado.

– Hoje *monsieur* dará aula no primeiro horário – disse. – Talvez seja melhor começar com um ditado ou uma leitura, já que são as formas mais simples para explicar em língua estrangeira, e é natural que o professor se sinta um pouco intimidado no início.

– Ah, compreendo. É isso. Mas seja prudente. É muito jovem, demasiado jovem para o papel que vai desempenhar. É importante que seja cauteloso.

– Mas onde está o perigo?

– Não sei. Não se deixe levar por impressões vívidas. Isso é tudo. (N.T.)

[53] Alunos, estudantes. (N.T.)

[54] Punhos. (N.T.)

[55] Antecessor das botas, trata-se de um tipo de calçado que se assemelha a coturnos e é usado desde a Antiguidade. (N.T.)

Ela tinha razão, claro, como eu sabia por experiência própria; restou-me apenas aquiescer. Seguimos então em silêncio. O corredor acabava em um amplo saguão quadrado de pé-direito alto; uma porta de vidro em uma das extremidades revelava o longo e estreito refeitório vazio, exceto pelas mesas, duas luminárias e um armário; à frente, grandes portas de vidro se abriam para o pátio e o jardim; do lado oposto, uma escada em caracol dava acesso ao piso superior; e, na parede restante, um grande par de portas dobráveis, agora fechadas, sem dúvida escondia as salas de aula.

Mademoiselle Reuter me olhou de esguelha, provavelmente para se certificar de que eu estava suficientemente tranquilo para ser introduzido em seu *sanctum sanctorum*[56]. Suponho que tenha julgado que demonstrava um autocontrole tolerável, pois abriu a porta e permitiu minha entrada. Fomos recebidos pelo farfalhar de pessoas que se levantavam; sem olhar para os lados, passei entre duas fileiras de carteiras e me apossei da mesa vazia e isolada sobre o tablado de um palmo, para controlar metade da turma; a outra metade ficava a cargo de uma vigilante *maîtresse,* posicionada em um tablado similar. Ao fundo dele e preso a um tabique móvel que separava esta sala de aula de outra adjunta, havia um grande quadro de madeira pintado de preto e envernizado; sobre a mesa estava um grosso giz branco de lousa, que me auxiliaria a esclarecer quaisquer dúvidas gramaticais ou verbais que pudessem surgir durante a aula; e, ao lado do giz, havia uma esponja úmida que me permitiria apagar as anotações depois que tivessem cumprido seu propósito.

Fiz essas observações de forma lenta e cuidadosa antes de me permitir olhar para os bancos que estavam à minha frente; depois de pegar o giz, de voltar a olhar para o quadro e de tocar a esponja para verificar se estava suficientemente úmida, achei que estava tranquilo o bastante para levantar os olhos e observar calmamente ao meu redor.

---

[56] A expressão latina pode ser traduzida como "santuário; o mais sagrado dos lugares". Também é usada para se referir à parte de uma construção ou organização a que poucas pessoas têm acesso, geralmente por causa da importância e/ou confidencialidade do trabalho ali realizado. (N.T.)

Primeiro, notei que *mademoiselle* Reuter já tinha deixado a sala, pois não a vi em lugar algum; só a *maîtresse* ou professora, a que ocupava o outro tablado, ficou para me observar; o fato de estar um pouco oculta pelas sombras, somado à minha miopia, permitiu apenas que eu distinguisse que era magra e macilenta, que sua tez parecia ser oleosa e que sua postura, ali sentada, denotava tanto apatia como afetação. Mais visíveis, mais destacadas e completamente iluminadas pela luz que banhava a sala eram as ocupantes dos bancos, meninas de 14, 15 e 16 anos, e algumas jovens de 18 a 20 (ao menos foi o que me pareceu); todas em trajes recatados e com penteados simples; com feições harmônicas, cútis rosada, olhos grandes e brilhantes e formas arredondadas, e até sólidas. Não suportei àquela primeira vista como um estoico; deslumbrado, baixei os olhos e murmurei com uma voz demasiado baixa:

– *Prenez vos cahiers de dictée, mesdemoiselles.*

Não era exatamente a forma como havia pedido aos meninos de Pelet que pegassem seus livros de leitura. Prontamente, levantaram o tampo de suas carteiras e, parcialmente ocultas por ele e com suas cabeças abaixadas enquanto procuravam seus cadernos de exercício, deixaram escapar risadinhas e sussurros.

– *Eulalie, je suis prete a pleuer de rire* – disse uma delas.

– *Comme il a rougi en parlant!*

– *Oui, c'est um véritable blanc-bec.*

– *Tais-toi, Hortense, il nous écoute.*[57]

Os tampos foram abaixados e as cabeças reapareceram. Tinha identificado três, as que cochichavam, e não vacilei em encará-las com firmeza quando emergiram de seu eclipse temporal. Foi surpreendente o efeito de tranquilidade e coragem que aquelas poucas frases displicentes

[57] – Peguem seus cadernos de ditado, senhoritas.
[...]
– Eulalie, estou quase morrendo de tanto rir.
– Como ficou vermelho ao falar!
– Sim, é um verdadeiro novato.
– Cale-se, Hortense! Ele está ouvindo. (N.T.)

produziram em mim; o que havia me intimidado era a ideia de que aqueles jovens seres diante de mim, com seus hábitos escuros e monásticos e seus suaves cabelos trançados, fossem uma espécie de anjos. As risadas frívolas e os sussurros haviam, de certa forma, aliviado o peso daquelas fantasias vãs e opressivas.

As três às quais me refiro se sentavam na primeira fileira, a meio metro do tablado, e estavam entre as que pareciam mais velhas. Descobri seus nomes mais tarde, mas já os menciono agora: elas eram Eulalie, Hortense e Caroline. Eulalie era alta e elegante, loira e com as feições de uma Madonna dos Países Baixos – já havia visto muitas *figure de Vierge*[58] em quadros holandeses que eram exatamente iguais a ela; não havia ângulos em sua face nem em sua forma, apenas curvas e arredondamentos; nem um pensamento, sentimento ou paixão perturbava a uniformidade de sua tez alva e transparente com rubor ou linhas de expressão; seu nobre busto subiu e desceu no ritmo regular de sua respiração, seus olhos se mexeram um pouco, e esses foram os únicos sinais de vida que me auxiliaram a distingui-la de uma bela estátua de cera. Hortense era corpulenta, de estatura mediana e figura sem graça; seu rosto era impressionante, mais vivaz e mais brilhante que o de Eulalie, com cabelos castanho-escuros, pele morena e um brilho alegre e travesso nos olhos; talvez fosse coerente e tivesse juízo, mas não havia qualquer indício dessas qualidades em seus traços.

Caroline era miúda, mas já tinha corpo de adulta; seus cabelos e olhos negros como corvos, suas feições harmônicas e sua tez oliva sem cor, com o rosto transparente e o colo pálido, formavam nela uma junção de elementos tida por muitos como um ideal de beleza. Como conseguia parecer sensual com sua palidez sem matizes e com a retidão clássica de suas feições, eu não sei dizer. Creio que era algo elaborado entre seus lábios e olhos, e o resultado não deixava nem um espaço para dúvida na mente de seu observador. Agora era sensual, mas em dez anos seria vulgar: em seu rosto se lia a promessa de um futuro de insensatez.

---

[58] Figuras da Virgem. (N.T.)

Se era com pouco escrúpulo que eu fitava essas meninas, era com menos ainda que elas me olhavam. Eulalie levantou seus olhos imóveis até os meus e pareceu esperar, passiva e segura, um tributo espontâneo aos seus majestosos encantos. Hortense me olhou com audácia e deu uma risadinha ao mesmo tempo, enquanto falava com um ar despudorado de liberdade:

– *Dictez-nous quelque chose de facile pour commencer, monsieur.*[59]

Caroline sacudiu os abundantes cachos largos, ainda que um tanto ásperos, que caíam sobre seus olhos negros e vivazes; entreabriu os lábios, carnudos como os de um escravo de sangue quente, deixando-me entrever seus perfeitos dentes cintilantes e, ao mesmo tempo, deu-me um sorriso *de sa façon.*[60] Encantadora como Pauline Bonaparte[61], naquele momento parecia tão pura quanto Lucrécia Bórgia.[62] Caroline era de família nobre; posteriormente, ouvi falar do caráter de sua mãe, e então deixei de me espantar com os dotes precoces da filha.

Logo compreendi que aquelas três se consideravam as rainhas da escola e acreditavam que seu esplendor lançava uma sombra sobre todas as outras. Em menos de cinco minutos haviam revelado seu caráter, e em menos de cinco minutos eu havia vestido a armadura da férrea indiferença e baixado a viseira da impassível austeridade.

– Peguem suas canetas e comecem a escrever – disse, no mesmo tom seco e banal com que me dirigia a Jules Vanderkelkov e companhia.

Começado o ditado, as três beldades me interrompiam com frequência para fazer perguntas bobas ou comentários desnecessários, alguns dos quais não repliquei, e a outros dei uma resposta curta e tranquila.

– *Comment dit-on point et virgule en Anglais, monsieur?*

– Ponto e vírgula, *mademoiselle.*

---

[59] – Dite-nos algo fácil para começar, *monsieur. (N.T.)*

[60] Peculiar, característico. (N.T.)

[61] Irmã de Napoleão Bonaparte e famosa por sua beleza, Pauline Bonaparte (1780-1825) foi a primeira princesa reinante de Guastalla, princesa imperial francesa e princesa consorte de Sulmona e Rossano. Casou-se duas vezes, ambas forçadas pelos interesses políticos de seu irmão. (N.T.)

[62] Filha ilegítima do papa Alexandre VI (nato Rodrigo Bórgia) e também famosa por sua beleza e pelo fascínio que exercia sobre os homens, Lucrécia (1480-1519) casou-se três vezes e envolveu-se em alguns escândalos amorosos. (N.T.)

– Ah, *comme c'est drôle!* (Risadinhas.)

– *J'ai une si mauvaise plume, impossible d'écrire!*

– *Mais, monsieur, je ne sais pas suivre, vous allez si vite.*

– *Je n'ai rien compris, moi!*[63]

Neste momento, elevou-se um rumor geral, e a professora, abrindo a boca pela primeira vez, exclamou:

– *Silence, mesdemoiselles!*

Não fizeram silêncio; ao contrário, as três senhoritas da primeira fileira começaram a falar ainda mais alto.

– *C'est si difficile, l'Anglais!*

– *Je deteste la dictée.*

– *Quel ennui d'écrire quelque chose que l'on ne comprend pas!*[64]

Algumas das alunas sentadas atrás delas deram muita risada, e uma atmosfera de confusão começou a impregnar a classe; era necessário agir imediatamente.

– *Donnez-moi votre cahier* – disse a Eulalie de forma brusca e, inclinando--me, peguei-o antes que ela tivesse tempo de dá-lo a mim. – *Et vous, mademoiselle, donnez-moi le vôtre*[65] – continuei, agora em um tom mais ameno, ao me dirigir a uma menina pálida e sem graça que estava na primeira fileira da outra metade da sala e a quem já havia classificado como a mais feia e mais atenta da sala; ela se levantou, andou até mim e me entregou seu caderno com uma mesura modesta e grave.

Observei os dois ditados. O de Eulalie estava borrado, manchado e cheio de erros bobos; o de Sylvie (era esse o nome da menina feia) estava

---

63 – Como se fala ponto e vírgula em inglês, *monsieur?*
[...]
– Ah, que bonito!
– Tenho uma caneta ruim! É impossível escrever com ela!
– Mas, monsieur, não consigo acompanhar! Está indo muito rápido!
– Não entendi nada! (N.T.)

64 – O inglês é tão difícil!
– Detesto ditados!
– Que chatice escrever algo que não se compreende! (N.T.)

65 – Me dê seu caderno. [...] E você, senhorita, me dê o seu. (N.T.)

limpo e não tinha nem um erro crasso, apenas alguns poucos equívocos de ortografia. Li os dois exercícios em voz alta, apontando seus erros; depois, voltei-me para Eulalie.

– *C'est honteux!* – disse a ela; então, rasguei lentamente seu ditado em quatro partes, com as quais a presenteei. Virei-me para Sylvie, devolvi seu caderno e, com um sorriso, disse: – *C'est bien, je suis content de vous.*[66]

Sylvie aparentava uma calma satisfação, e Eulalie soltava fogo pelas ventas, mas o motim havia terminado. A coqueteria vaidosa e fútil da primeira fileira foi substituída por um mau humor taciturno, o que me era muito mais conveniente, e o resto da aula decorreu sem interrupções.

O badalar do sino no pátio anunciou o momento de concluir as tarefas escolares, junto do nosso sino e o de certa escola pública imediatamente depois. A ordem se dissipou no mesmo instante e todas as discentes se levantaram; apressei-me em pegar meu chapéu, cumprimentar a *maîtresse* e sair da sala antes da multidão de alunas externas da sala adjunta, onde sabia que quase cem delas estavam aprisionadas e cujo tumulto crescente já tinha escutado. Mal tinha cruzado o salão para chegar ao corredor quando *mademoiselle* Reuter me interpelou.

– Entre aqui um momento – disse, indicando a sala de onde tinha saído ao me ver; era uma *salle-à-manger*, como indicavam o *beaufet* e o *armoire vitrée*[67], repleto de cristais e porcelana, que faziam parte de sua mobília. Antes que fechasse a porta atrás de nós, o corredor já estava cheio de alunas diurnas que tiravam suas capas, seus *bonnets* e bolsas do mancebo; em intervalos, ouvia-se a voz estridente de uma *maîtresse* que tentava em vão assegurar a ordem; digo em vão porque não havia disciplina alguma naquelas filas desordeiras, ainda que aquela fosse considerada uma das escolas de Bruxelas com melhor comportamento.

– Bem, você deu sua primeira aula – começou *mademoiselle* Reuter com uma voz deveras calma e monótona, como se não tivesse qualquer ciência

[66] – É vergonhoso! [...] Está bom, estou satisfeito. (N.T.)

[67] *Salle-à-manger:* sala de jantar; *beaufet: buffet*, aparador; *armoire vitrée:* cristaleira. (N.T.)

do caos que tinha se apossado da sala ao lado. – Ficou satisfeito com suas alunas ou algo na conduta delas o incomodou? Não esconda nada de mim; pode depositar em mim sua inteira confiança.

Felizmente, sentia-me capacitado para lidar com minhas alunas sem qualquer ajuda; boa parte do encantamento, da dourada nuvem que havia nublado minha perspicácia no início, já tinha se dissipado. Não posso dizer que tenha ficado chateado ou abatido pelo contraste entre a realidade do *pensionnat de demoiselles* e o vago ideal que tinha daquela comunidade; estava apenas esclarecido e surpreso; por isso, não me sentia inclinado a reclamar para minha empregadora, ainda que recebesse seu atencioso convite à confiança com um sorriso.

– Agradeço imensamente, *mademoiselle,* mas tudo transcorreu muito bem.

Ela pareceu incrédula.

– *Et les trois demoiselles du premier banc?* – perguntou.

– *Ah! Tout va au mieux!*[68] – foi minha resposta, e ela parou de me questionar; mas seus olhos, que não eram nem grandes nem brilhantes, que não se enterneciam nem ateavam fogo, eram astutos, penetrantes e práticos, revelaram como ela estava a par do ocorrido, deixando escapar um brilho fugaz que dizia com clareza: "Seja quão reservado quiser, eu não dependo de sua sinceridade; o que você pretendia ocultar, eu já sei".

Em uma transição tão sutil a ponto de ser quase imperceptível, a atitude da diretora mudou; o ansioso ar profissional deixou seu rosto e ela começou a falar sobre o tempo e a cidade e a mostrar que era uma boa vizinha, indagando sobre *monsieur* e *madame* Pelet. Respondi a todas as suas perguntas; ela prolongou a conversa, eu a segui em suas muitas voltas; continuou por tanto tempo, disse tantas coisas e variou os temas com tamanha frequência que não foi difícil perceber que tinha um propósito particular para me manter ali. Suas palavras não me deram pistas a respeito,

---

[68] – E as três senhoritas da primeira fileira?
– Ah! Tudo transcorreu bem! (N.T.)

mas suas feições me ajudaram; enquanto seus lábios pronunciavam trivialidades gentis, seus olhos recaíam seguidamente em meu rosto. Não me fitava diretamente, mas com o canto dos olhos, de maneira sutil e furtiva; porém creio que não perdi nem uma vez. Eu a estudava com a mesma intensidade. Logo percebi que tentava identificar meu verdadeiro caráter, que buscava meus pontos fortes, fracos e excêntricos; ora aplicava um teste, ora outro, esperando encontrar uma fissura, um espaço onde pudesse plantar seu pequeno pé com firmeza enquanto colocava as rédeas em meu pescoço e se tornava senhora de minha natureza. Não me interprete mal, leitor; não era uma influência amorosa que queria exercer sobre mim; naquele momento, aspirava apenas ao astuto poder de um político: eu acabava de assumir meu posto como professor em sua escola, e ela queria saber em quais aspectos seu intelecto era superior ao meu, por quais sentimentos ou opiniões conseguiria me guiar.

Diverti-me deveras com o jogo, e não apressei sua conclusão; às vezes dava esperanças a ela, começava uma frase com hesitação, e seus olhos astutos se iluminavam, pensando que tinha ganhado alguma vantagem; depois de fazê-la avançar um pouco, deleitava-me em dar meia-volta e terminar com um raciocínio sensato e firme, e ela fechava a cara. Por fim, uma criada entrou para anunciar o jantar; o conflito foi necessariamente encerrado e nos despedimos sem que nenhum dos lados tivesse ganhado alguma vantagem sobre o outro: *mademoiselle* Reuter não havia sequer me dado a oportunidade de atacá-la com entusiasmo, e eu, por minha vez, havia conseguido frustrar todos os seus pequenos estratagemas. A batalha terminara em um empate. Novamente estendi-lhe a mão ao sair da sala, e ela me deu a sua, que era pequena e branca, mas como era fria! Também a olhei nos olhos, obrigando-a a fazer o mesmo; esse último teste se mostrou contra mim, saí dele decepcionado, e ela, ilesa: seguia moderada, prudente, tranquila.

"Estou ficando mais esperto", pensei, enquanto caminhava de volta à escola de *monsieur* Pelet. "Veja essa mulher! É como aquelas das novelas e dos romances? Ao ler sobre o caráter feminino na poesia ou na ficção, pensamos que ele é constituído de sentimentos, sejam eles bons ou maus. Aqui tenho um exemplar, um dos mais adequados e respeitáveis, cujo ingrediente principal é a razão abstrata. Nem Talleyrand[69] fora tão impassível como Zoraide Reuter!" Era o que pensava naquele momento; mais tarde, descobri que a falta de sensibilidade é perfeitamente consonante com fortes propensões.

[69] Político e diplomata francês, Charles-Maurice de Talleyrand-Périgord (1754-1838) demonstrou uma surpreendente capacidade de sobrevivência política ao ocupar cargos elevados em diversos governos do país. (N.T.)

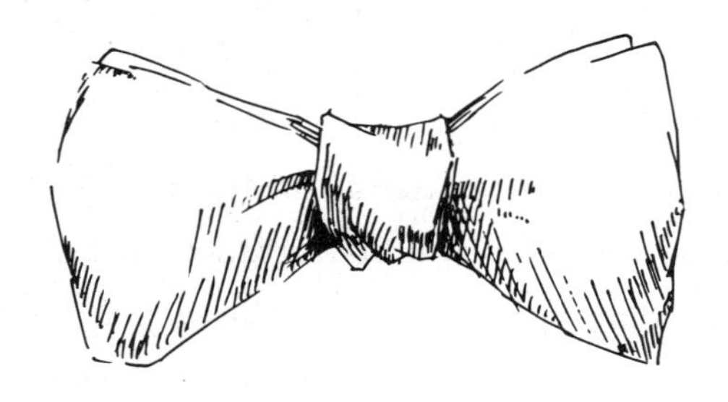

Capítulo 11

A conversa com a astuta aspirante à política foi realmente longa, de maneira que, quando cheguei ao meu alojamento, o jantar já tinha sido servido. Atrasos nas refeições eram contra as regras da escola e, se fosse um dos professores assistentes que tivesse chegado após a sopa e com o primeiro prato já começado, *monsieur* Pelet certamente o teria recebido com uma represália pública, além de privá-lo tanto da sopa como do peixe; entretanto, como não era o caso, aquele cavalheiro cortês e parcial apenas maneou a cabeça e, após me sentar, desenrolar o guardanapo e murmurar minhas preces heréticas, ele cordialmente mandou que um criado fosse à cozinha e me trouxesse um prato de *purée aux carottes*[70] (era dia de vigília) e, antes de mandar retirar o segundo prato, reservou-me uma porção de seu peixe seco. Terminado o jantar, os meninos saíram em disparada para jogar; Kint e Vandam (os dois assistentes) os seguiram, claro. Pobres homens! Se não parecessem tão pesados, tão apáticos, tão indiferentes a absolutamente tudo, eu teria me compadecido (e muito) por serem obrigados a andar atrás daqueles meninos desregrados a todo tempo e lugar; mesmo da forma que

[70] Puré de cenouras. (N.T.)

eram, senti-me inclinado a me considerar um arrogante privilegiado ao deixar a mesa para ir ao meu quarto, certo de que lá encontraria, se não diversão, ao menos liberdade; mas aquela noite (como já havia ocorrido tantas outras vezes) estava longe de terminar.

– *Eh bien, mauvais sujet!* – disse a voz de *monsieur* Pelet atrás de mim quando coloquei meu pé no primeiro degrau das escadas. – *Où allez-vous? Venez à la salle à manger que je vous gronde un peu*[71].

– Sinto muito, *monsieur* – respondi enquanto o seguia ao seu gabinete –, por ter voltado tão tarde, mas não foi minha culpa.

– Era isso que eu queria saber – continuou ele ao entrarmos no confortável cômodo em que queimava um bom fogo de lenha, pois, por causa da estação, a estufa havia sido retirada. Tocou a campainha, pediu "café para dois" e logo já estávamos sentados com um conforto quase inglês: um de cada lado da lareira, uma pequena mesa de centro no meio e, sobre ela, uma cafeteira, um açucareiro e duas xícaras grandes de porcelana branca. Enquanto *monsieur* Pelet se dedicava a escolher um charuto da caixa, meus pensamentos retornaram aos dois assistentes marginalizados, cujas vozes roucas tentavam impor alguma ordem no pátio.

– *C'est une grande responsabilité, que la surveillance* – apontei.

– *Plaît-il?* – respondeu Pelet.

Comentei que achava que *messieurs* Vandam e Kint deveriam se cansar de vez em quando do trabalho.

– *Des bêtes de somme, des bêtes de somme* – murmurou com desdém enquanto eu lhe oferecia sua xícara de café. – *Servez-vous, mon garçon*[72] – disse em tom apaziguador, depois que coloquei um par de torrões de açúcar continental em seu café. – E agora me conte por que se demorou

[71] – Bem, sujeito malvado! [...] Aonde está indo? Venha ao refeitório e deixe-me repreendê-lo um pouco. (N.T.)

[72] – A vigilância é uma grande responsabilidade.
– Perdão?
[...]
– Burros de carga, burros de carga [...]. Sirva-se, meu rapaz. (N.T.)

tanto na escola de *mademoiselle* Reuter. Sei que, tanto lá como aqui, as aulas se encerram às quatro horas, e quando você voltou já passava das cinco.

– *Mademoiselle* Reuter queria conversar comigo, *monsieur.*

– Nota-se. Sobre o quê, se não se importa que eu pergunte?

– Falou sobre nada, *monsieur.*

– Um tópico fértil! E conversaram na sala de aula, na frente das alunas?

– Não. Como o senhor, pediu-me que fosse à sua sala.

– Então também estava madame Reuter, a velha governanta mexeriqueira amiga de minha mãe?

– Não, *monsieur.* Tive a honra de ficar completamente sozinho com *mademoiselle.*

– *Cest joli, cela* – observou; então sorriu e fitou o fogo.

– *Honi soit qui mal y pense* – boquejei de maneira significativa.

– *Je connais un peu ma petite voisine, voyez-vous.*[73]

– Neste caso, *monsieur* poderá me ajudar a descobrir o que levou *mademoiselle* a me fazer sentar ali durante uma longa e tediosa hora, escutando uma dissertação deveras prolixa e fluente sobre as maiores banalidades.

– Ela estava sondando o seu caráter.

– Foi o que imaginei, *monsieur.*

– Ela descobriu o seu ponto fraco?

– E qual é o meu ponto fraco?

– Que dúvida! O sentimentalismo. Qualquer mulher que crave uma flecha fundo o suficiente chegará a um insondável poço de sensibilidade em seu peito, Crimsworth.

Senti o sangue golpear o peito e enrubescer meu rosto.

– Apenas algumas mulheres, *monsieur.*

– *Mademoiselle* Reuter está entre elas? Vamos, seja honesto, *mon fils; elle est encore jeune, plus agée que toi peut-être, mais juste assez pour unir*

---

[73] – Que bonito!

– Envergonhe-se quem vê malícia nisso.

(Expressão francesa muito usada em meios cultos, também é um dos lemas do Reino Unido e da Ordem da Jarreteira, comenda britânica criada em 1349 pelo rei Eduardo III.)

– Pois eu conheço um pouco da minha jovem vizinha. (N.T.)

la tendresse d'une petite maman a l'amour d'une épouse dévouée; n'est-ce pas que cela t'irait supérieurement?[74]

– Não, *monsieur*. Gostaria que minha esposa fosse apenas minha esposa, e não minha mãe.

– Então ela é velha demais para você?

– Não, não seria sequer um dia mais velha se me interessasse em outros aspectos.

– Em quais aspectos não te interessa, William? Ela é fisicamente agradável, não?

– Muito, seus cabelos e sua tez são exatamente os que me agradam; e sua forma, apesar de ser tipicamente belga, é deveras graciosa.

– Bravo! E o que acha de seu rosto, de suas feições?

– Um pouco duras, especialmente sua boca.

– Ah, sim! Sua boca – disse *monsieur* Pelet, e deu uma risadinha baixa. – Há personalidade naquela boca, firmeza, mas também um belo sorriso, não acha?

– Um tanto astuta.

– De fato, mas essa expressão é por causa das sobrancelhas, você as notou?

Repliquei negativamente.

– Então você ainda não a viu baixar os olhos?

– Não.

– É um deleite. Observá-la quando tem nas mãos um tricô ou algum outro trabalho feminino, a imagem viva da concentração pacífica e serena em suas agulhas e seda; ao seu redor desenrola-se uma conversa na qual peculiaridades de um caráter são desveladas ou importantes interesses são inquiridos. Ela não participa da conversa; seu humilde intelecto feminino está totalmente voltado ao tricô; suas feições permanecem impassíveis, não se atreve a sorrir em concordância nem a franzir o cenho em reprovação.

74 – [...] meu filho; ela ainda é jovem, talvez seja um pouco mais velha do que você, mas apenas o suficiente para unir a ternura de uma mãe com o amor de uma devotada esposa. Não seria perfeito para você? (N.T.)

Suas pequenas mãos seguem diligentemente ocupadas em sua despretensiosa tarefa; ficaria feliz se ao menos conseguisse terminar aquela bolsa, ou aquele *bonnet grec*[75]. Se algum cavalheiro se aproximar de sua cadeira, uma quietude ainda maior, um decoro ainda mais modesto se apossa de suas feições e cobre toda sua fisionomia. Observa então suas sobrancelhas, *et dites-moi s'il n'y a pas du chat dans l'un et du renard dans l'autre*[76].

– Prestarei atenção tão logo tenha a oportunidade – disse.

– E então – continuou o diretor – as pálpebras se agitam, as claras pestanas se levantam em um segundo, e os olhos azuis, que espiam através dessas cortinas, lançam um olhar breve, astuto e inquisitivo antes de se retirar.

Sorri, e ele me seguiu. Depois de alguns minutos de silêncio, indaguei:

– Acredita que ela se casará?

– Se casar? Os pássaros se juntam? Claro que tem a intenção e a resolução de se casar tão logo encontre um parceiro adequado, e ninguém melhor do que ela sabe da impressão que é capaz de causar; não tem ninguém que goste tanto de cativar o outro de forma tão sorrateira. Ou estou muito enganado ou ela ainda deixará marcas de seus furtivos passos em seu coração, Crimsworth.

– De seus passos? Não, nem pensar! Meu coração não é uma tábua sobre a qual se pode caminhar.

– Mas a pressão suave de uma *patte de velours*[77] não causará nenhum dano.

– Não me ofereceu nem uma *patte de velours;* apenas formalidade e comedimento.

– Isso é para começar. Deixe que o respeito seja a fundação; o afeto, o andar térreo; e o amor, a estrutura. *Mademoiselle* Reuter é uma hábil arquiteta.

– E o interesse, *monsieur* Pelet? Ela não considera esse aspecto?

---

[75] Touca de estilo grego. (N.T.)

[76] – [...] e me diga se não há um gato em uma e uma raposa na outra. (N.T.)

[77] Pata de veludo. (N.T.)

– Sim, sim, certamente; será o cimento entre todas as pedras. E agora que já falamos sobre a diretora, o que diz de suas alunas? *N'y a-t-il pas de belles études parmi ces jeunes têtes?*[78]

– Estudos de caráter? Sim, imagino que sejam no mínimo curiosos, mas não se pode adivinhar muito de um primeiro contato.

– Ah, vejo que prefere a discrição, mas me diga, não se sentiu nem um pouco envergonhado diante daquelas jovens e belas criaturas?

– A princípio, sim; mas me recuperei e prossegui com o indispensável sangue-frio.

– Não acredito!

– Contudo é verdade. No começo, acreditava que eram anjos, mas elas não permitiram que eu seguisse me enganando por muito tempo. Três das mais velhas e mais belas se incumbiram de me colocar em meu devido lugar, e o fizeram com tanta esperteza que, em cinco minutos, soube ao menos o que eram: três coquetes arrogantes.

– *Je les connais!* – exclamou Pelet. – *Elles sont toujours au premier rang à l'église et à la promenade; une blonde superbe, une jolie espiègle, une belle brune.*[79]

– Exatamente.

– Todas são criaturas encantadoras com cabeça para artista. E que grupo formariam juntas! Eulalie (sei como se chamam), com seus suaves cabelos trançados e seu rosto sereno de marfim. Hortense, com seus abundantes cachos castanhos luxuosamente amarrados, trançados e torcidos, como se não soubesse o que fazer com toda aquela abundância, com seus lábios escarlate, suas bochechas adamascadas e seus olhos risonhos e marotos. E Caroline de Blemont! Ah, como é bela! E de uma beleza perfeita! Com uma nuvem de cachos negros emoldurando seu rosto de huri![80] E que

---

[78] – [...] Não há belos estudos naquelas jovens cabeças? (N.T.)

[79] – Sei quem são! [...] Estão sempre na primeira fileira da igreja e do passeio; uma loira soberba, uma travessa e bonita e uma bela morena. (N.T.)

[80] Jovem de incrível beleza que, segundo o Alcorão, desposará o crente muçulmano quando ele chegar ao Paraíso. (N.T.)

lábios fascinantes! Que olhos negros divinos! Byron a teria idolatrado, e você, um tacanho frio e frígido, fingiu ser austero e insensível na presença de uma Afrodite tão excepcional?

Eu teria rido do entusiasmo do diretor se tivesse acreditado em suas palavras, mas havia algo em seu tom de voz que denunciava um falso arrebatamento. Pareceu-me que estava apenas fingindo fervor para que eu baixasse a guarda e retribuísse com alguma revelação, de maneira que me limitei a sorrir. Ele continuou:

– Confesse, William! A aparência atraente de Zoraide Reuter não parece deselegante e comum se comparada aos magníficos encantos de algumas de suas alunas?

A pergunta me deixou inquieto, mas intuía que o diretor tentava (por motivos que, até então, não me eram conhecidos) despertar em mim ideias e desejos alheios ao que era correto e honrado. A iniquidade de suas provocações revelou o próprio antídoto quando ele acrescentou:

– Cada uma dessas três beldades herdará uma grande fortuna, e com um pouco de habilidade, um jovem inteligente e educado como você poderia se tornar dono e senhor da mão, do coração e da bolsa de qualquer uma delas.

Em resposta, lancei um olhar inquisitivo e um *"Monsieur?"* que o pegaram desprevenido.

Deu uma risada forçada, afirmou que estava apenas me provocando e perguntou se eu realmente o havia levado a sério. Naquele exato momento, soou o sino, anunciando o fim do recreio. Era a noite em que o diretor estava acostumado a ler passagens de obras teatrais e literárias para seus estudantes; de maneira que não esperou minha resposta, levantou-se e saiu da sala, cantarolando uma composição alegre de Béranger.[81]

[81] Poeta e compositor francês, Pierre Jean de Béranger (1780-1857) compôs canções patrióticas, satíricas e populares que refletiam o espírito revolucionário de sua época. (N.T.)

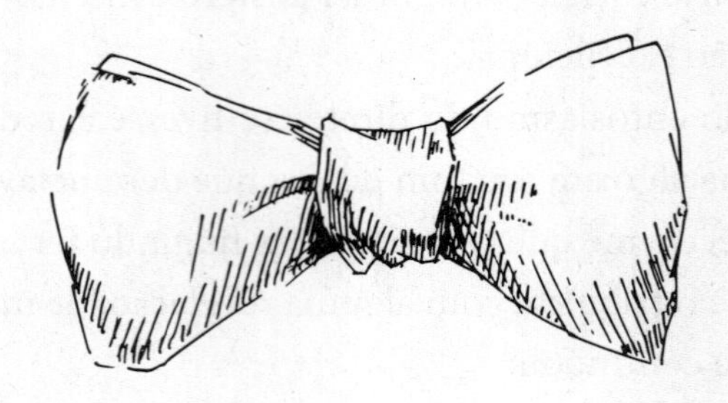

Capítulo 12

Todos os dias, quando ia ao internato de *mademoiselle* Reuter, deparava-me com novas ocasiões que me permitiam comparar o ideal à realidade. O que sabia eu a respeito do caráter feminino antes de chegar a Bruxelas? Absurdamente pouco. E que ideia tinha a respeito? Demasiadamente vaga, pequena, diáfana, reluzente. Agora que pude conhecê-lo mais de perto, descobri que era, na verdade, bastante palpável; muitas vezes chegava a ser bastante duro e até pesado, havia metal nele, tanto chumbo como ferro.

Deixe que os idealistas, aqueles que sonham com anjos terrenos e flores em forma humana, deem uma olhada em meu portfólio; posso lhes mostrar um ou dois esboços, fiéis à natureza. Tracei esses esboços em minha segunda aula no estabelecimento de *mademoiselle* Reuter, onde estavam agrupados aproximadamente cem espécimes do gênero *jeune fille*, oferecendo grande variedade de exemplares. Era uma coleção sortida, oriunda de castas e países diferentes; sentado em meu tablado, podia distinguir, nas longas fileiras de amostras, alunas francesas, inglesas, belgas, austríacas e prussianas. A maioria pertencia à classe burguesa; mas havia também muitas condessas, as filhas de dois generais e as de diversos coronéis, capitães e funcionários do governo; essas damas se sentavam ao lado de jovens destinadas a ser *demoiselles de magasins*[82] e de flamengas, aborígenes genuínas do país. Seus trajes eram bastante semelhantes e notava-se pouca diferença em suas maneiras; havia exceções à regra, mas a maioria ditava o tom da escola, que era grosseiro, ruidoso, marcado pelo desprezo absoluto por qualquer forma de tolerância entre elas mesmas e com os professores, pela ávida busca pelos próprios interesses e conveniências, e pela indiferença em relação aos interesses e comodidades das demais. Muitas delas mentiam descaradamente quando parecia proveitoso. Todas compreendiam a arte de falar bem quando houvesse alguma possibilidade de ganho, e tinham uma imensa destreza para virar as costas tão logo a cordialidade deixasse de ser bastante conveniente. Eram raras as vezes em que discutiam abertamente, mas calúnias e mexericos eram praticados amplamente. Amizades íntimas eram proibidas pelas regras da escola, e nenhuma das moças parecia nutrir um pingo de afeição pelas outras além do necessário para garantir uma companhia nos momentos de aborrecida solidão. Cada uma delas foi supostamente criada na mais completa ignorância a respeito de vícios, dadas as inúmeras precauções tomadas para mantê-las indoutas e até inocentes. Como era possível, então, que apenas uma dentre todas as que haviam completado 14 anos conseguisse olhar para um homem com modéstia e decoro? O olhar mais corriqueiro de um homem invariavelmente provocava um ar de flerte ousado e impudico, ou um frouxo olhar lascivo. Não sei nada a respeito dos mistérios da religião católica romana, e não sou intolerante no que tange à teologia, mas suspeito que as raízes dessa imoralidade precoce, tão óbvia e comum nos países papistas, advenham da disciplina, se não das doutrinas da Igreja de Roma. Registro apenas o que vi: jovens que pertenciam aos chamados altos escalões da sociedade e que foram criadas com esmero, mas que eram, em grande parte, mentalmente depravadas. Agora basta da visão geral, sigamos para um ou dois espécimes selecionados.

[82] *Jeune fille:* moças; *demoiselles de magasins:* atendentes, balconistas. (N.T.)

O primeiro retrato é uma imagem de Aurelia Koslow na íntegra, uma *fräulein*[83] alemã – ou melhor, mestiça de alemães e russos. Ela tem 18 anos e foi mandada a Bruxelas para concluir sua educação; tem porte médio e rígido, é alta, mas com pernas curtas; busto bem desenvolvido, mas não bem moldado; cintura muito marcada pelo espartilho desumanamente apertado e vestido cuidadosamente ajustado; pés grandes, torturados por botas pequenas; sua cabeça é pequena, com cabelo macio, trançado, engomado e arrumado à perfeição; tem fronte estreita, pequenos e vingativos olhos cinza e feições com um quê de tártaras, o nariz um tanto achatado e bochechas um tanto salientes, que formam um conjunto até agradável; e seu biotipo é razoavelmente bonito. Basta sobre suas características físicas. Quanto à sua mente, é deploravelmente ignorante e mal informada; incapaz de escrever e falar corretamente até em alemão, sua língua nativa; é uma imbecil em francês e suas tentativas de aprender inglês não passam de uma farsa, ainda que esteja na escola há doze anos; mas, como seus exercícios de todas as disciplinas são invariavelmente feitos por uma colega e ela apenas recita as lições de um livro escondido em seu colo, não é de se espantar que seu progresso se dê a passos de lesma. Não conheço os hábitos diários de Aurelia, pois não tive a oportunidade de observá-la durante todo o dia, mas, pelo que vejo do estado de sua escrivaninha, de seus e papéis, diria que é desleixada e até suja; como mencionei, seu vestido é bem-cuidado, mas, passando atrás do banco em que ela estava, percebi que o do banco em que ela estava, percebi que o pescoço é cinza por falta de limpeza, e que seus cabelos, tão brilhantes com goma e óleo, não tentariam viva alma a tocá-los e, muito menos, a correr-lhes os dedos.

A conduta de Aurelia durante a aula, ao menos quando estou presente, é extraordinária e pode ser considerada um exemplo de inocência. Assim que entro na sala, cutuca sua vizinha de banco e solta uma risada malcontida. Conforme me acomodo no tablado, ela fixa seu olhar em mim; parece decidida a atrair e, se possível, monopolizar minha atenção; para

[83] Senhorita. (N.T.)

tanto, lança-me todos os tipos de olhares, lânguidos, provocativos, lascivos e risonhos. Como eu me demonstrei imune a esse tipo de artilharia – pois depreciamos aquilo que se oferece com extravagância sem que seja solicitado –, ela passou a recorrer à emissão de ruídos: ora suspira, ora grunhe, ora solta sons inarticulados para os quais a linguagem ainda não tem nome. Se passo perto dela enquanto caminho pela sala, ela estende seu pé de maneira que toque o meu; quando não percebo sua manobra e minhas botas relam em seus borzeguins, ela é acometida por uma convulsão de risadas contidas; e quando percebo e consigo evitar sua armadilha, ela expressa sua mortificação por meio de resmungos mal-humorados, nos quais sou execrado em seu francês horrível, pronunciado com um intolerável sotaque baixo-alemão.[84]

Perto de *mademoiselle* Koslow senta-se outra senhorita chamada Adele Dronsart; uma belga ligeiramente baixa e corpulenta de cintura larga, pescoço e membros curtos, cútis clara e rosada, feições regulares e bem-esculpidas, olhos bem-formados de um tom castanho-claro, assim como os cabelos, belos dentes, e com pouco mais de 15 anos, mas tão desenvolvida como uma jovem inglesa robusta de 20. Essa descrição dá a impressão de que ela era uma donzela atarracada, mas bonita, não? Bem, toda vez que passava os olhos pela fileira de jovens cabeças, eles geralmente se detinham nos dela; seu olhar sempre estava esperando o meu e frequentemente conseguia capturá-lo. Ela era um ser de aspecto antinatural, tão jovem e vibrante e, ao mesmo tempo, semelhante a uma górgona. Em sua fronte viam-se desconfiança e um mau humor; em seus olhos, propensões violentas; em sua boca, a inveja e a falsidade de uma pantera. Em geral, estava sempre muito quieta, como se sua robusta figura não fosse capaz de se inclinar, nem tampouco sua grande cabeça – larga na base e estreita no topo –, que parecia ter sido feita para girar prontamente em seu curto pescoço. Não tinha mais do que dois tipos de expressão: predominava a

[84] O termo baixo-alemão, ou baixo-saxão, refere-se ao conjunto de dialetos falados no norte da Alemanha e no leste dos Países Baixos, em muitos aspectos semelhante ao inglês e ao frísio. (N.T.)

carranca insatisfeita e severa, que às vezes se alternava com um sorriso pérfido e pernicioso. Era rejeitada por suas companheiras, que, por piores que fossem, não eram tão ruins quanto ela.

Aurelia e Adele estavam na primeira metade da segunda turma; a segunda metade era encabeçada por uma aluna interna chamada Juanna Trista, uma jovem de ascendência belga e espanhola. Sua mãe, flamenga, tinha falecido, e seu pai, catalão, era um comerciante que vivia nas Ilhas..., onde Juanna havia nascido e de onde fora enviada à Europa para ser educada. Imagino como que alguém, vendo a cabeça e o rosto dessa menina, tenha aceitado abrigá-la sob seu teto. Sua cabeça tinha exatamente o mesmo formato do crânio do papa Alexandre VI[85]; seus traços de benevolência, veneração, diligência e lealdade eram especialmente pequenos, enquanto os do amor-próprio e da firmeza, assim como os da tendência destrutiva e combativa, eram absurdamente grandes; sua cabeça ascendia em curva, contraindo-se na fronte e avolumando-se atrás. Tinha feições regulares, mas grandes e muito marcadas; seu comportamento era duro e bilioso; sua cútis, clara; seus cabelos e olhos, negros; suas formas, angulosas e rígidas, mas proporcionais; sua idade, 15 anos.

Juanna não era muito magra, mas tinha o semblante marcado, e seu *regard*[86] era intenso e faminto; sua fronte estreita deixava espaço apenas para que fossem gravadas as palavras rebeldia e ódio; também se podia ler covardia em algum outro de seus traços, creio que nos olhos. *Mademoiselle* Trista achou que convinha atribular minhas primeiras aulas com uma variedade de grosserias: imitava os sons de um cavalo, cuspia saliva, dizia impropérios. Atrás e ao lado dela estava um grupo de flamengas muito

---

[85] Nascido Rodrigo Bórgia (1431-1503), Alexandre VI foi papa de 1492 a 1503. Considerado por muitos o pior papa da história da Igreja Católica, era reconhecidamente corrupto e pouco dado às virtudes cristãs, praticava o nepotismo e tinha diversos filhos e amantes – diz-se, inclusive, que era pai de Lucrécia Bórgia. Seu principal legado foram as Bulas Alexandrinas, que iniciaram a divisão de terras ao redor do mundo entre portugueses e espanhóis, culminando na assinatura do Tratado de Tordesilhas. Quanto à menção ao seu crânio, trata-se de uma referência à frenologia, pseudociência influente à época, que afirmava que as formas e protuberâncias cranianas indicam as faculdades e aptidões mentais do indivíduo. (N.T.)

[86] Olhar. (N.T.)

vulgares e de aparência inferior, o que inclui dois ou três exemplos da deformidade física e imbecilidade intelectual cuja frequência nos Países Baixos parecia provar que o clima é capaz de degenerar a mente e o corpo. Logo descobri que Juanna influenciava completamente essas jovens e, com sua ajuda, provocava e mantinha uma algazarra ensurdecedora; por fim, fui compelido a calá-las, ordenando que ela e duas de suas pupilas se levantassem e, depois de as obrigar a ficar em pé por cinco minutos, expulsei-as da sala – as cúmplices foram mandadas para uma grande sala adjunta que chamavam de *la grande salle*, e a mandante, para uma saleta, cuja porta tranquei, guardando a chave em meu bolso. Executei essa sentença na frente de *mademoiselle* Reuter, que pareceu horrorizada diante da dureza da punição – a mais severa que me atrevi a aplicar em sua escola. Respondi ao seu olhar aterrorizado primeiro com compostura e depois com um sorriso, que talvez a tenha adulado e que certamente a acalmou. Juanna Trista permaneceu na Europa tempo suficiente para pagar, com maldade e ingratidão, todos que haviam feito algo de bom para ela; e então se juntou a seu pai nas Ilhas..., regozijando-se com a ideia de que lá teria escravos que, em suas palavras, poderia chutar e açoitar a seu bel-prazer.

Esses três retratos são reais. Tenho outros igualmente marcantes e desagradáveis, mas pouparei meu leitor de sua exibição.

Sem dúvida, há quem pense que agora, a fim de estabelecer um contraste, eu deveria pintar um retrato encantador, com uma meiga cabeça virginal rodeada por um halo, ou uma doce personificação da inocência, abraçada a uma pomba da paz. Contudo não vi nada semelhante, de maneira que não consigo esboçar tais retratos. A aluna da escola que tinha o temperamento mais alegre era uma menina do campo, Louise Path, que era suficientemente benevolente e prestativa, mas sem educação nem bons modos; além disso, padecia também da praga da dissimulação que assolava o instituto; honra e princípio eram-lhe desconhecidos, tinha apenas escutado seus nomes. A aluna menos excepcional era a pobre Sylvie que mencionei anteriormente. Sylvie tinha modos gentis e mente inteligente; era até sincera, à medida que sua religião o permitisse ser; no entanto tinha um organismo defeituoso que atrofiava o seu crescimento e esfriava seu espírito. Além disso, por ter sido destinada ao claustro, toda a sua alma se deformou, adquirindo um viés monástico; percebia-se, em sua dócil e aprendida submissão, que já estava preparada para sua vida futura, colocando sua independência de pensamento e de ação nas mãos de um confessor despótico. Ela não se permitia nenhuma opinião original, nenhuma preferência de companhia ou de trabalho; era guiada por outra pessoa em todos os aspectos. Com um ar pálido, passivo e autômato, passava o dia fazendo o que se pedia, nunca o que gostava ou o que acreditava, por alguma convicção inata, ser certo. A pobre futura religiosa foi ensinada desde cedo a subordinar os mandos de sua razão e de sua consciência à vontade de seu diretor espiritual. Era a aluna-modelo da escola de *mademoiselle* Reuter: uma imagem apagada, arruinada, em que a vida persistia debilmente, mas cuja alma fora encantada pelo feitiço romano.

Havia poucas alunas inglesas na escola, as quais podiam ser dividias em duas categorias. Primeiro, a de inglesas continentais, constituída principalmente de filhas de aventureiros fracassadas que abandonaram o seu país por causa de dívidas ou desonras. Essas pobres meninas nunca conheceram as vantagens de um lar estável, de um exemplo decoroso ou de uma sincera criação protestante; moram ora em um internato católico, ora em outro, em consequências das andanças de seus pais por diversos países (da França para a Alemanha, da Alemanha para a Bélgica); acabam com pouca instrução e muitos hábitos ruins, perdem a noção até de elementos básicos da moral ou da religião e se tornam estupidamente indiferentes a cada sentimento capaz de elevar sua humanidade; podem ser distinguidas pela sombra de seu desalento, oriundo de seu aniquilado amor-próprio e da constante intimidação praticada por suas colegas papistas, que as odeiam por serem inglesas e as ofendem por serem hereges.

A segunda categoria é constituída de inglesas britânicas, das quais não encontrei sequer meia dúzia durante todo o período em que ensinei no internato. Caracterizavam-se por seus vestidos limpos, porém descuidados; seus cabelos mal penteados (em comparação aos bem-cuidados e aparados cabelos estrangeiros); postura ereta e figura flexível; mãos brancas e finas; feições mais irregulares, mas também mais inteligentes do que as das belgas; fisionomia grave e recatada, com um aspecto geral de autêntico decoro e decência. Por si só, essa última circunstância já me permitia distinguir, em poucos instantes, as filhas de Albião[87], criadas dentro do protestantismo, das filhas adotivas de Roma e protegidas dos jesuítas. Essas jovens inglesas também eram orgulhosas; invejadas e ridicularizadas por suas colegas continentais, afastavam o insulto com austera civilidade e enfrentavam o ódio com mudo desprezo. Evitavam a companhia das outras e pareciam viver ilhadas na multidão.

Encarregadas dessa eclética multidão estavam três professoras, todas francesas: *mesdemoiselles* Zéphyrine, Pélagie e Suzette. As duas últimas possuíam características bastante ordinárias, assim como sua aparência, seus modos, seu temperamento, seus pensamentos, sentimentos e ideias – não poderia explicar melhor nem se escrevesse um capítulo sobre isso. O comportamento e a aparência de Zéphyrine eram um pouco mais distintos que os de Pélagie e Suzette, mas sua personalidade era a de uma autêntica coquete parisiense, pérfida, mercenária e sem coração. Algumas vezes vi uma quarta professora que aparecia para dar aulas diárias de bordado, costura, remendo ou alguma outra arte pouco convincente, mas nunca tive a oportunidade de observar sua pessoa nem de estudar seu caráter, pois se sentava no canto da sala, cercada por seus moldes e por uma dúzia de alunas mais velhas. No que tange à sua aparência, notei que tinha um ar muito juvenil para ser professora, mas não percebi nenhum outro detalhe mais marcante; e, no que se refere ao caráter, aparentava ter muito pouco, já que suas alunas pareciam estar sempre *en révolte*[88] contra sua autoridade. Não residia na escola, e creio que se chamava *mademoiselle* Henri.

Em meio a essa coleção de tudo que havia de insignificante e defeituoso, muito do que era vicioso e repulsivo (muitos haviam usado esse último

[87] Nome atribuído às Ilhas Britânicas, especialmente à Inglaterra, por antigas fontes latinas e gregas. (N.T.)

[88] Em rebelião. (N.T.)

epíteto para descrever as duas ou três jovens britânicas orgulhosas, silenciosas, malvestidas e recatadas), a diretora sagaz, sensível e amável brilhava como uma estrela sobre um pântano repleto de fogo-fátuo; profundamente ciente de sua superioridade, essa consciência lhe proporcionava uma felicidade interior que a sustentava frente às preocupações e responsabilidades inerentes ao cargo, ajudando-a a manter seu temperamento calmo, seu semblante sereno e seus modos tranquilos. Ela gostava – e quem não gostaria? – de entrar na sala de aula e saber que sua presença era suficiente para estabelecer a ordem e o silêncio que todas as objeções e até exigências de seus subordinados nem sempre conseguiam impor; gostava de ser comparada – ou melhor, de contrastar – com aquelas ao seu redor e de saber que suas qualidades pessoais e intelectuais as ultrapassavam inquestionavelmente (as três professoras francesas eram feias). Cuidava de suas alunas com indulgência e firmeza, assumindo sempre o papel de quem recompensava e elogiava, deixando para seus empregados a tarefa ingrata de culpar e castigar, sendo vista por todos com deferência e até com afeto. As professoras não gostavam dela, mas se submetiam por lhe serem inferiores em todos os aspectos; os diversos professores que ensinavam em sua escola eram influenciados por ela de uma maneira ou de outra – dominava um por saber lidar com seu temperamento ruim; outro, por atender a alguns de seus caprichos mesquinhos; subjugou um terceiro com bajulações; intimidou o quarto, um homem tímido, com um semblante austero e decidido. Quanto a mim, ainda me observava e aplicava os testes mais engenhosos; perambulava ao meu redor, confusa e insistente. Creio que me considerava um precipício liso e pelado, que não oferecia ao alpinista pedras afiadas, raízes proeminentes ou tufos de grama aos quais se agarrar. Ora me adulava com um tato impecável, ora pregava sermões, ora especulava até onde iriam meus interesses pecuniários, depois se divertia a ponto de beirar a afetação – sabia que alguns homens se deixam conquistar por uma fingida debilidade – e depois falava em seu juízo perfeito, ciente de que outros cometem a loucura de admirar um bom raciocínio. Era prazeroso e fácil me esquivar de suas investidas; era agradável quando ela já me dava por vencido e eu mudava, olhava-a nos olhos com certo desdém e testemunhava sua mal disfarçada humilhação, ainda que muda. Mesmo assim, seguiu insistindo; e devo confessar que, após testar, provar e cutucar cada milímetro do cofre que guardava em meu peito, ela finalmente tocou seu ponto secreto e, por um momento, sua tampa se abriu, e ela colocou as mãos sobre a joia que jazia escondida. Para descobrir se ela a roubou ou a quebrou, ou se a tampa voltou a se fechar e machucou seus dedos, siga lendo, meu caro leitor.

Aconteceu que um dia fui dar aula mesmo me sentindo indisposto; tinha um resfriado forte e tosse, e duas horas falando incessantemente me deixaram demasiado rouco e combalido. Após sair da sala de aula, encontrei *mademoiselle* Reuter no corredor; com preocupação, ela me disse que eu parecia muito pálido e cansado.

– Sim – respondi –, estou exausto.

Então ela acrescentou, com um interesse crescente:

– O senhor não irá embora antes de tomar um refresco – convencendo-me a entrar em seu gabinete e se mostrando muito dócil e gentil durante minha permanência.

No dia seguinte, foi ainda mais amável; entrou pessoalmente na aula para comprovar que as janelas estavam fechadas e que não havia correntes de ar; estimulou-me com cordial seriedade a não fazer grandes esforços e, quando me despedi, deu-me sua mão sem que eu lhe estendesse a minha, e não pude deixar de demonstrar, com um suave e respeitoso apertão, que estava ciente do favor e que lhe era grato. Minha modesta manifestação gerou um sorrisinho alegre em seu rosto, e quase a considerei encantadora. Durante o resto da noite, não via a hora de a próxima tarde chegar para voltar a vê-la.

Não me decepcionei, pois ela ficou na sala durante todas as aulas e, com frequência, olhava-me quase que com afeto. Às quatro horas saímos da sala e ela se demonstrou interessada em meu estado de saúde; logo em seguida, repreendeu-me com gentileza por estar falando muito alto e me esforçando em excesso. Detive-me na porta de vidro que dava para o jardim para ouvir seu sermão até o fim; a porta estava aberta e o dia estava excelente e, enquanto escutava sua confortante reprimenda, contemplei a luz do sol e as flores e me senti muito feliz. As alunas diurnas começaram a sair das salas do saguão.

– Quer ir ao jardim por alguns minutos – ofereceu ela –, até que todas tenham saído?

Desci os degraus sem dizer nada, mas logo me virei e perguntei:

– Gostaria de vir comigo?

No momento seguinte, a diretora e eu passeávamos juntos pelo passeio ladeado por árvores frutíferas, que estavam floridas e carregadas de folhas novas. O céu estava azul, o ar estava imóvel naquela tarde de maio que esbanjava cores e fragrâncias. Liberado da sala asfixiante, cercado por flores e folhagens, com uma mulher agradável, sorridente e afável ao me lado, como acha que me senti? Pois me senti em uma situação invejável. Era como se as visões românticas que tinha imaginado a respeito desse jardim, antes escondido de meus olhos por tábuas ciumentas, tivessem virado realidade; e quando uma curva no caminho fez com que perdêssemos a casa de vista, e uns arbustos altos encobriram a mansão de *monsieur* Pelet e momentaneamente nos ocultaram das demais casas, que se levantavam como anfiteatros ao redor desse pequeno reduto verde, dei o braço para *mademoiselle* Reuter e a levei até uma cadeira de jardim aninhada sob alguns lilases próximos. Ela se sentou e me acomodei a seu lado; continuou falando com uma desenvoltura que comunicava sua tranquilidade e, enquanto a escutava, dei-me conta de que estava prestes a me apaixonar. Tanto em sua escola como na escola vizinha, o sino tocou anunciando o jantar e fomos obrigados a nos despedir, mas a detive por um momento enquanto se afastava.

– Tem algo que eu quero – disse.

– O quê? – perguntou Zoraide com ingenuidade.

– Apenas uma flor.

– Colha-a então, ou duas, ou vinte, se quiser.

– Não, uma é suficiente. Mas *mademoiselle* deve colhê-la e dá-la a mim.

– Que capricho! – exclamou, mas levantou-se na ponta dos pés, arrancou um belo ramalhete de lilases e, graciosamente, ofereceu-o a mim.Eu o peguei e fui embora, satisfeito com o presente e esperançoso quanto ao futuro.

Sem dúvida, aquele dia de maio foi encantador e terminou com uma noite quente, serena e enluarada de verão. Recordo-me bem, pois fiquei acordado até tarde corrigindo *devoirs* e, sentindo-me cansado e um pouco sufocado em meu pequeno quarto, abri a famosa janela tapada, cujas tábuas, contudo, tinham sido removidas graças a minha persuasão sobre madame Pelet, já que eu ocupava o posto de professor no *pensionnat de demoiselles* e, portanto, não era "inconveniente" que visse minhas alunas praticarem esportes. Sentei-me no assento da janela, apoiei o braço no parapeito e me inclinei para fora; sobre mim estava o lusco-fusco de um firmamento noturno sem nuvens, onde a majestosa luz do luar ofuscava o brilho trêmulo das estrelas; abaixo estava o jardim salpicado com uma luminosidade prateada, com profundas sombras, e coberto de orvalho; um perfume bem-vindo exalava das copas cerradas das árvores frutíferas; não se movia nem uma folha sequer naquela noite sem brisa. Minha janela dava diretamente para o caminho do jardim de *mademoiselle* Reuter, chamado *l'allée défendue*[89], que tinha esse nome pelo fato de ser proibido para as alunas, por causa da proximidade da escola de meninos. Era ali onde os lilases e os laburnos cresciam em abundância; era o recanto mais reservado, onde os arbustos protegiam a cadeira de jardim na qual a jovem diretora se sentara naquela tarde. É desnecessário dizer que pensava nela quando me debrucei na treliça e deixei meus olhos vagarem ora pelos caminhos e limites do jardim, ora pelas muitas janelas da casa que despontava como uma massa branca atrás das densas folhagens. Pensava em qual parte do edifício estaria o quarto dela, e uma luz solitária que brilhava através das persianas de uma janela *croisée*[90] pareceu me guiar até ela.

[89] O beco proibido. (N.T.)

[90] Literalmente "janela cruzada", é uma janela de estilo gótico usada desde o século XIV, cuja folha é divida em quatro partes individuais que formam uma cruz latina. (N.T.)

"Faz vigília até tarde", pensei, "porque deve ser quase meia-noite. É uma mulher fascinante", prossegui em meu silencioso solilóquio, "sua imagem forma um prazeroso retrato na memória. Sei que não é considerada bonita para os padrões, mas não importa, sua aparência é harmoniosa e me agrada; seus cabelos castanhos, seus olhos azuis, o tom rosado em suas bochechas e a brancura de seu pescoço, tudo me apraz. Também respeito suas habilidades; sempre achei repugnante a ideia de desposar uma boneca ou uma mulher estúpida. Sei que uma bela boneca ou uma linda estúpida podem servir para a lua de mel, mas uma vez arrefecida a paixão, como seria terrível encontrar um pedaço de cera e madeira sobre meu peito, uma idiota em meus braços e recordar que havia transformado aquilo em um igual – não, em meu ídolo – e saber que teria de passar o resto de minha deprimente vida com uma criatura incapaz de compreender o que eu dissesse, de apreciar o que eu pensasse ou de simpatizar com o que eu sentisse! Zoraide Reuter, por outro lado", pensei, "tem tato, caráter, bom senso e discrição, mas será que tem coração? Que sorriso bondoso e recatado tinha nos lábios quando me entregou os lilases! Pensava que era astuta, dissimulada, às vezes interesseira, é verdade; mas será que boa parte do que parecia ser esperteza e simulação não poderiam ser esforços de um temperamento afável para lidar de maneira serena com as dificuldades que lhe eram desconcertantes? Quanto aos seus interesses, sem dúvida quer ser bem-sucedida e independente, mas quem pode culpá-la? Mesmo que careça de princípios sólidos, não seria mais seu azar do que sua culpa? Ela foi educada dentro do catolicismo; se tivesse nascido na Inglaterra e sido criada como protestante, não poderia acrescentar integridade a todas as suas outras qualidades? Se ela desposasse um homem inglês e protestante, não reconheceria logo, inteligente como é, que a retidão é melhor do que o interesse próprio, que a honestidade é superior à política? Valeria a pena que alguém fizesse tal experimento. Amanhã voltarei a observá-la. Ela sabe que eu o faço, e com que calma suporta tal escrutínio! Parece que a agrada em vez de irritá-la".

Naquele momento, uma melodia se intrometeu em meu monólogo, interrompendo-o. Era um clarim, tocado com maestria, possivelmente nos arredores do parque ou na Place Royale. Suas notas eram tão doces e seu efeito tão apaziguador naquele contexto, em meio ao silêncio e sob o sossegado reinado do luar, que deixei de divagar e passei a ouvi-lo mais atentamente. A melodia se afastou, seu som foi enfraquecendo até se extinguir totalmente, e meus ouvidos se preparavam para voltar a repousar na absoluta quietude da noite. Mas não! Que murmúrio era aquele, baixo e próximo, que continuava chegando mais perto e frustrando as esperanças de um silêncio completo? Era alguém que conversava; sim, claramente, uma voz audível, porém apagada, emanava do jardim exatamente embaixo da minha janela. Outra voz a respondia; a primeira era a voz de um homem, a segunda, de uma mulher, os quais vi se aproximando lentamente pelo passeio. A princípio, suas formas estavam ocultas entre as sombras e não pude distinguir mais do que um contorno escuro, mas então um feixe de luar pousou sobre eles no fim do caminho, quando estavam bem debaixo do meu nariz, e revelou com toda sua claridade, para que não houvesse dúvida: *mademoiselle* Zoraide Reuter de braços dados, ou de mãos dadas (não me lembro qual), com meu diretor, confidente e conselheiro, *monsieur* François Pelet, que dizia:

– *À quand donc le jour des noces, ma bien-aimée?*

– *Mais, François, tu sais bien qu'il me serait impossible de me marier avant les vacances*[91] – respondeu ela.

– Junho, julho, agosto, um trimestre inteiro! – exclamou o diretor. – Como posso esperar tanto? Eu, que morreria agora mesmo aos seus pés de tanta impaciência!

– Ah! Se você morrer, tudo se ajeitará sem que precisemos nos preocupar com tabeliães ou contratos. Precisarei apenas providenciar um vestido de luto, que seria feito muito mais rápido do que o enxoval.

[91] – Quando será o dia do casamento, minha querida?
– Mas *François*, você sabe muito bem que para mim seria impossível me casar antes das férias. (N.T.)

– Cruel Zoraide! Desdenha do sofrimento de quem a ama com tamanha devoção como eu, se diverte me atormentando e não se importa em me deixar louco de ciúme. Pois negue o quanto quiser, mas estou certo de que lançou olhares encorajadores para aquele colegial, o Crimsworth. Ele se apaixonou, coisa que não ousaria fazer se você não tivesse alimentado suas esperanças.

– O que está dizendo, François? Que ele está apaixonado por mim?

– Completamente.

– Ele lhe contou?

– Não, mas posso ver em sua cara, já que fica vermelho toda vez que escuta o seu nome.

Uma risadinha de exultante faceirice entregou a satisfação que sentiu *mademoiselle* Reuter ao tomar conhecimento da novidade (que era falsa, claro, porque no fim das contas eu não cheguei a tanto). *Monsieur* Pelet prosseguiu, perguntando a ela o que pensava fazer comigo, dando a entender com muita clareza e sem muita elegância que era um absurdo que pensasse em se casar com um *blanc-bec* como eu, já que ela deveria ser pelo menos dez anos mais velha do que eu (então ela tinha 32? Nunca teria imaginado!). Ouvi-a negar qualquer intenção a respeito; o diretor, entretanto, continuou pressionando até conseguir uma resposta final.

– François – disse –, você está com ciúme! – e voltou a rir; então, como que se desse conta de que esse galanteio não era coerente com a modesta dignidade que desejava aparentar, acrescentou em tom recatado: – Sinceramente, meu querido François, não vou negar que é possível que esse jovem inglês tenha se esforçado para me agradar, mas, longe de tê-lo incentivado, sempre o tratei da maneira mais reservada permitida pela cortesia. Estando comprometida com você, jamais daria falsas esperanças a outro homem. Acredite em mim, meu querido amigo.

Mesmo assim, Pelet resmungou algumas palavras de desconfiança; ao menos foi o que me pareceu, considerando a resposta que ela lhe deu.

– Que besteira! Como poderia preferir um estrangeiro desconhecido a você? Além disso, sem querer alimentar a sua vaidade, Crimsworth não se compara a você nem física nem mentalmente, não é um homem atraente em nenhum aspecto. Pode ser que, para algumas, pareça um cavalheiro inteligente, mas para mim…

O resto da frase se perdeu na distância, pois o casal havia se levantado da cadeira e se afastava. Aguardei seu regresso, porém o barulho de uma porta que se abriu e fechou logo me informou que tinham entrado na casa. Escutei um pouco mais, porém só ouvia o silêncio; escutei por mais de uma hora, até que finalmente ouvi *monsieur* Pelet entrar e subir para seus aposentos. Olhei mais uma vez para a grande fachada da casa do jardim e percebi que sua luz solitária fora apagada, assim como minha fé no amor e na amizade, ao menos por algum tempo. Fui para a cama, mas algo de febril e ardente começou a correr em minhas veias e não me deixou dormir naquela noite.

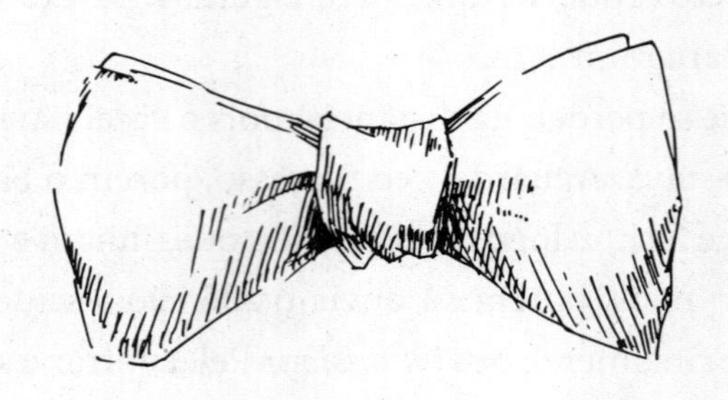

Capítulo 13

Na manhã seguinte, levantei assim que amanheceu e, depois de me vestir, passei meia hora com o cotovelo apoiado na cômoda, refletindo sobre quais medidas podia tomar para recobrar o ânimo, destroçado pela falta de sono, já que não tinha qualquer intenção de fazer uma cena com *monsieur* Pelet para reprovar sua deslealdade, para chamá-lo para um duelo ou qualquer outra coisa que o valha. Por fim, tive a ideia de caminhar no frescor da manhã até uma casa de banhos vizinha e me presentear com um mergulho revigorante. O remédio produziu o efeito desejado. Voltei às sete da manhã, calmo e revigorado, e fui capaz de cumprimentar o diretor com um semblante tranquilo e impávido quando ele entrou para tomar o café da manhã; nem quando me estendeu a mão cordialmente e me agraciou com o título de *mon fils,* pronunciado no tom afetuoso com que costumava se dirigir a mim, especialmente nos últimos dias, manifestei qualquer sinal do sentimento que, apesar de calado, seguia queimando-me o coração. Não almejava me vingar – não; mas a sensação de haver sido insultado e traído seguia viva dentro de mim como a brasa de um carvão recém-apagado. Deus sabe que não sou um homem de natureza vingativa; não machucaria outro homem por não poder mais depositar nele minha confiança ou meu apreço; contudo minha razão e meus sentimentos não se deixam levar pelo vento, tampouco são como as marcas na areia, que se apagam com a mesma rapidez que surgem. Uma vez convencido de que a disposição de um amigo era incompatível com a minha, uma vez sabendo que ele estava indelevelmente marcado por defeitos tão desprezíveis aos meus princípios, eu simplesmente rompia relações. Foi o que fiz com Edward. Quanto a Pelet, a descoberta ainda era recente. Devia agir da mesma forma com ele? Era a pergunta que me fazia enquanto mexia meu café com meio *pistolet*[92] (nunca tínhamos colheres); Pelet estava sentado à minha frente com seu rosto pálido, que parecia mais cansado do que de costume, olhando-me como se adivinhasse meus pensamentos; ora pousando seus olhos azuis em seus alunos e nos professores assistentes com seriedade, ora pousando-os em mim com cortesia.

"As circunstâncias me guiarão", disse para mim mesmo, e, deparando--me com o olhar falso e o sorriso insinuador de Pelet, agradeci aos céus por ter aberto minha janela na noite anterior e ter decifrado, sob a luz da lua, o real significado daquele semblante astuto. Sentia-me quase como seu amo, pois agora estava a par de sua verdadeira natureza; podia sorrir e me agradar quanto quisesse, mas agora eu via sua alma hipócrita atrás de seu sorriso e interpretava o verdadeiro sentido de suas agradáveis e traidoras frases.

E quanto a Zoraide Reuter? Sua deserção havia me machucado mais profundamente? Havia cravado sua flecha tão fundo que o conforto da filosofia não conseguiria curar suas lacerações? Claro que não. Passada a febre noturna, procurei também um bálsamo para essa ferida e encontrei um mais próximo que Gileade[93]. Minha médica foi a Razão, que começou sua exposição demonstrando que o prêmio que eu havia perdido era de pouco valor: admitia que, fisicamente, a diretora poderia ter-me agradado, mas afirmava que nossas almas não se harmonizavam e que o fruto da união

[92] Pão belga. (N.T.)

[93] Citado algumas vezes na Bíblia, o termo Gileade pode ter diferentes significados, sendo usado para se referir tanto a pessoas como a regiões bíblicas. No Livro de Jeremias (8:22, 46:11), é mencionado como uma cidade conhecida por suas ervas medicinais. (N.T.)

de nossas mentes teria sido a discórdia; insistiu na supressão dos lamentos e ordenou que me alegrasse por ter escapado de uma cilada. O remédio me fez bem e pude notar seus efeitos fortificantes quando me encontrei com *mademoiselle* Reuter no dia seguinte; sua ação específica nos nervos garantiu que eles não sofressem hesitação ou vacilo, permitindo que eu a olhasse com firmeza e passasse por ela com tranquilidade. Zoraide me ofereceu sua mão, que fingi não ver; recebeu-me com um sorriso encantador, que refletiu em meu coração tal qual uma luz na pedra. Dirigi-me ao tablado com ela em meu encalço, seus olhos fixos no meu rosto, exigindo que cada uma de minhas feições explicasse meus modos mudados e indiferentes. "Vou lhe dar uma resposta", pensei, e, encarando-a, atraí e prendi sua atenção apenas para responder com um olhar que não demonstrava qualquer sinal de respeito, amor, afeição ou galanteio, de onde nem mesmo uma análise mais rigorosa conseguiria extrair mais do que desprezo, insolência e ironia. Obriguei-a a suportar e sentir minha réplica e, apesar de seu semblante ter permanecido impassível, enrubesceu e se aproximou de mim como se estivesse fascinada. Subiu no tablado e ficou em pé ao meu lado; não tinha nada a dizer e eu não queria aliviá-la do fardo da vergonha, então passei a folhear um livro com displicência.

– Espero que esteja completamente recuperado hoje – disse por fim, com uma voz baixa.

– E eu, *mademoiselle*, espero que não tenha se resfriado em seu passeio noturno pelo jardim.

Com sua costumeira rápida compreensão, ela entendeu prontamente. Empalideceu ligeiramente, muito pouco, mas não moveu um só músculo de suas marcadas feições; então, serena e controlada, desceu do tablado, sentou-se tranquilamente não muito longe e começou a costurar uma bolsa. Continuei dando minha aula; tratava-se de uma *composition,* em que eu ditava uma série de perguntas gerais, às quais as alunas deveriam recorrer à memória para responder, pois era proibido consultar livros. Enquanto *mesdemoiselles* Eulalie, Hortense, Caroline e companhia refletiam sobre as questões gramaticais bastante complexas que eu havia feito, tive a oportunidade de ocupar a próxima meia hora observando a diretora. A bolsa de seda verde progredia rapidamente em suas mãos; seus olhos estavam fixos na costura; sua atitude, sentada a dois metros de mim, continuava sendo cautelosa; tudo nela expressava, simultaneamente, vigilância e repouso, uma estranha combinação! Olhando para ela, fui obrigado a admirar involuntariamente o seu bom senso e seu extraordinário autocontrole, como já o havia feito em diversas ocasiões. Ela havia percebido que tinha perdido meu apreço, havia visto o desprezo e a frieza em meu olhar, e para ela, que cobiçava a aprovação de todos ao seu redor, que almejava que todos tivessem uma boa opinião de si, tal descobrimento deveria causar uma dor profunda. Pude testemunhar seu efeito na palidez momentânea de sua face, que não estava acostumada a tal alteração; mas com que rapidez e comedimento recobrou a compostura! Com que pacífica dignidade estava sentada agora, quase ao meu lado, sustentada por sua sensatez e vivacidade; seu lábio superior, um pouco alargado, mas astuto, não tremia, e não se notava nem a sombra de uma vergonha covarde em sua fronte austera.

"Há metal ali", disse a mim mesmo enquanto a contemplava. "Poderia amá-la se também houvesse fogo, um ardor vital que fizesse o ferro arder em brasa."

Logo percebi que ela sabia que eu a estava observando, pois não se mexia e não levantava suas astutas pálpebras; limitava-se a mover os olhos da costura para o seu pequeno pé, que aparecia entre as suaves dobras de seu vestido roxo de merino, e então para suas mãos, brancas como marfim, ligeiramente rodeadas por um babado de renda e em cujo dedo indicador brilhava um anel de granada. Com um movimento quase imperceptível, virava a cabeça, deixando seus cachos castanhos se agitarem graciosamente. Esses sinais sutis me revelaram que o desejo de seu coração, o propósito de seu cérebro, era voltar a atrair a presa que havia espantado. Um pequeno incidente lhe deu a oportunidade de falar comigo novamente.

Enquanto a sala estava em silêncio, exceto pelo farfalhar dos cadernos e das canetas sobre as páginas, abriu-se uma folha da grande porta dobrável que dava para o corredor, dando passagem a uma aluna que, após fazer uma mesura às pressas, se instalou com certa expressão de receio – provavelmente causada por ter chegado atrasada – em um assento livre à mesa mais próxima à porta. Sentada e ainda com um ar de pressa e vergonha, abriu a bolsa para pegar os livros e, enquanto eu aguardava que ela levantasse a cabeça para que pudesse identificá-la – pois, míope como era, não a reconheci quando chegou –, *mademoiselle* Reuter se levantou e se aproximou do tablado.

– *Monsieur Creemsvort* – sussurrou ela, pois sempre que as salas de aula estavam em silêncio a diretora se movia com passos aveludados e falava no tom mais baixo possível, impondo ordem e quietude a partir de seu exemplo e como preceito –, *monsieur Creemsvort,* essa jovem que acabou de entrar deseja ter aulas de inglês com o senhor. Ela não é uma aluna da escola; na verdade, ela é de certo modo uma de nossas professoras, pois ensina a coser remendos e alguns outros trabalhos de costura. Com razão, ela quer se qualificar para um nível mais alto de ensino e me pediu permissão para assistir às suas aulas, a fim de aperfeiçoar seus conhecimentos em inglês, idioma no qual acredito que ela já tenha feito algum progresso; e claro que desejo ajudá-la em seu louvável esforço. *Monsieur* permitirá que ela se beneficie de sua instrução, *n'est ce pas?*[94] – concluiu, erguendo seus olhos para mim de uma forma ao mesmo tempo ingênua, benevolente e suplicante.

– Claro que sim – respondi de forma lacônica, quase brusca.

– Mais uma coisa – disse a diretora em voz baixa. – *Mademoiselle* Henri não recebeu uma educação regular, então talvez seu talento natural não seja muito elevado, mas posso assegurá-lo de suas boas intenções e da amabilidade de seu caráter. Estou segura de que *monsieur* fará a gentileza de ser atencioso com ela no começo e de não expor seu atraso, suas inevitáveis deficiências para as outras jovens que, de certa forma, são suas alunas. *Monsieur Creemsvort* me fará o favor de atender a essa sugestão? – Assenti, e ela continuou com comedida seriedade. – Perdoe-me, *monsieur,* se me atrevo a acrescentar que o que acabo de dizer é importante para a pobre

[94] – … não é? (N.T.)

moça. Ela já tem muita dificuldade em inculcar nessas jovens levianas o devido grau de deferência à sua autoridade, e caso essas dificuldades aumentem por causa de uma nova revelação sobre sua incapacidade, talvez seja muito doloroso para ela continuar ensinando aqui. Pelo bem dela, eu lamentaria muito que isso acontecesse, pois ela não pode dar-se ao luxo de perder sua fonte de renda.

Mademoiselle Reuter possuía muito tato; mas às vezes até o tato mais excelente deixa de surtir efeito por sua falta de sinceridade. Nessa ocasião, quanto mais ela pregava sobre a necessidade de ser indulgente com a aluna-professora, mais exasperado eu ficava em escutá-la. Podia perceber claramente que, apesar de se declarar motivada por seu desejo de ajudar a estúpida mas bem-intencionada *mademoiselle* Henri, seu motivo real era apenas o desejo de me impressionar com sua própria bondade e sua carinhosa consideração. Assim, depois de ter novamente assentido em seus comentários, evitei que os repetisse ao exigir, repentinamente e com aspereza, que as alunas entregassem suas redações; então, desci do tablado e comecei a recolhê-las. Ao passar pela aluna-professora, disse-lhe:

– Você chegou muito atrasada para a aula de hoje. Procure ser mais pontual da próxima vez.

Estava atrás dela, de modo que não pude ver o efeito de minhas duras palavras em seu rosto (possivelmente também não teria me preocupado em fazê-lo mesmo se estivesse a sua frente), mas observei que ela começou a guardar os livros em sua bolsa e, enquanto organizava as redações no tablado, pude ouvir a porta novamente se abrindo e fechando e, ao levantar os olhos, vi seu assento vazio. Pensei: "Ela vai achar que sua primeira tentativa de assistir a uma aula de inglês foi um fracasso", e me perguntei se havia partido de mau humor, se sua estupidez a induzira a interpretar minhas palavras de maneira literal ou ainda se meu tom irritado havia ferido seus sentimentos. Descartei a última possibilidade de imediato, uma vez que, não tendo encontrado qualquer vestígio de sensibilidade em nenhum rosto humano desde que havia chegado à Bélgica, tinha passado a considerá-la quase que uma qualidade mágica. Tampouco saberia dizer se ela estava presente em sua fisionomia, pois sua rápida saída impediu que eu a averiguasse. De fato, eu havia visto a jovem uma ou duas vezes (como acredito já ter mencionado), mas nunca tinha parado para examinar seu rosto nem sua pessoa, de maneira que tinha apenas uma vaga ideia de sua aparência. Assim que terminei de organizar as redações, o sino anunciou as quatro horas; com minha habitual prontidão em obedecer àquele sinal, agarrei meu chapéu e deixei o recinto.

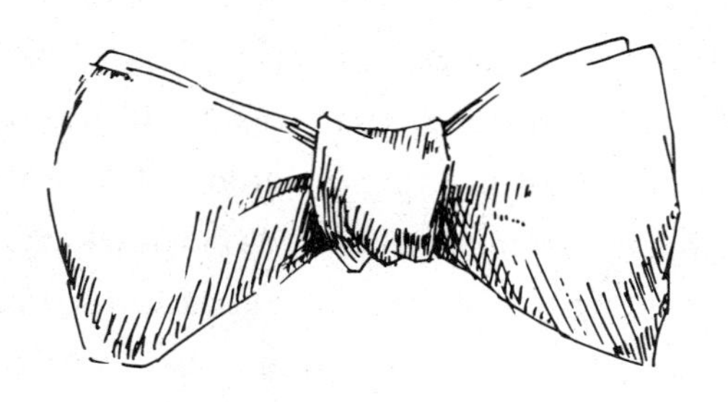

Capítulo 14

Se fui pontual deixando a escola de *mademoiselle* Reuter, fui ao menos igualmente pontual em retornar para ela. No dia seguinte, faltavam cinco para as duas quando cheguei e, ao me aproximar da porta da sala de aula, pude ouvir o murmúrio de vozes atropeladas antes de abri-la, o que me advertiu que a *prière du midi*[95] ainda não tinha terminado. Esperei, portanto, que terminasse, já que seria ímpio impor minha herege presença enquanto rezavam. Como gaguejava e grasnava a pessoa que puxava a oração! Nunca tinha ouvido (nem voltei a ouvir) uma língua pronunciada naquela velocidade de máquina a vapor. *Notre Père qui êtes au ciel* saiu como um disparo, seguido de uma alusão à Maria, *Vierge céleste, reine des anges, maison d'or, tour d'ivoire!*[96] e de uma invocação ao santo do dia; então se sentaram e o rito solene foi encerrado. Entrei abrindo as duas portas e caminhando apressado, como havia me habituado a fazer, pois descobrira que entrar com segurança e subir no tablado de maneira enfática era o grande segredo para garantir o silêncio imediato. As portas

[95] Prece do meio-dia. (N.T.)

[96] "Pai Nosso, que está no céu. [...] Virgem celeste, rainha dos anjos, mansão dourada, torre de marfim!" (N.T.)

que separavam as duas turmas, abertas para a oração, foram prontamente fechadas; uma professora se sentou em sua mesa com seu material de trabalho à mão; imóveis, as alunas esperavam com os livros e canetas à frente delas; minhas três beldades de vanguarda, já bastante humildes graças ao tratamento de indiferença constante dirigido a elas, sentavam-se eretas e com as mãos pousadas calmamente sobre as pernas; haviam renunciado às risadinhas e aos sussurros, e tampouco se arriscavam a proferir discursos atrevidos em minha presença; agora só falavam comigo ocasionalmente com seus olhos, órgãos com os quais ainda podiam, contudo, dizer palavras bastante audaciosas e sedutoras. Se alguma vez o afeto, a bondade, a modéstia ou o autêntico talento tivessem feito daquelas órbitas brilhantes suas intérpretes, não creio que teria conseguido deixar de responder com amabilidade, encorajamento e até com ardor; porém, dadas as circunstâncias, divertia-me respondendo aos olhares vaidosos com outros estoicos. Por mais que muitas de minhas alunas fossem jovens, belas e estonteantes, posso afirmar com toda a honestidade que elas jamais foram tratadas por mim com uma conduta que não fosse a de um tutor austero, mas justo. Caso alguém duvide da exatidão dessa informação, como se eu estivesse proclamando uma abnegação consciente ou um autocontrole *à la* Cipião[97] além daquilo que estão dispostos a me dar crédito, que levem em consideração os seguintes eventos que, mesmo depondo contra meu mérito, justificam minha veracidade.

Saiba, meu incrédulo leitor, que a relação de um professor com uma jovem bonita, frívola e possivelmente ignorante é diferente da relação do parceiro de baile ou do cavalheiro em um passeio. Um professor não vê sua aluna vestida em cetim e musselina, com os cabelos enrolados e perfumados, o colo mal escondido por um véu de renda, os braços alvos e firmes ornados com braceletes e os pés calçados para a dança; sua tarefa

---

[97] Públio Cornélio Cipião Africano foi um dos maiores generais romanos de toda a história; estadista e político, eleito cônsul em 205 e 194 a.C. Diz-se que, ao receber de seus soldados a noiva de um príncipe vencido, Cipião devolveu-a ao amado, pedindo que sua clemência fosse compensada com sua amizade à Roma. Dentre os outros predicativos atribuídos a ele estão a disciplina, a integridade e a subordinação de seus interesses e desejos aos do Estado. (N.T.)

não consiste em guiá-la durante a valsa, cobri-la de elogios ou enaltecer sua beleza com o rubor de uma vaidade satisfeita. Tampouco se encontra com ela em um *boulevard* pavimentado e protegido pelas copas das árvores, em um parque verde e ensolarado para onde ela vai com seu melhor vestido de passeio, o lenço graciosamente colocado sobre os ombros e o pequeno *bonnet* que mal cobre seus cachos, com uma rosa vermelha sob a aba que dá um novo matiz ao rosa pálido de suas bochechas; sua face e seus olhos igualmente iluminados por seu sorriso, talvez tão fugaz como o sol em um dia de gala, mas igualmente brilhante. Não é seu trabalho caminhar ao seu lado, escutar sua conversa animada, carregar sua sombrinha (ligeiramente maior do que uma grande folha de planta), conduzir a guia de seu *Blenheim spaniel* ou de seu galgo italiano. Não, ele a vê na sala de aula, vestida com recato e cercada por livros. Por culpa de sua educação ou de sua natureza, os livros lhe são um aborrecimento e ela os abre com aversão. Mesmo assim, o professor deve instilar o conteúdo desses livros em sua mente, que impõe resistência frente a informações mais sérias, retraindo-se e se mostrando indócil. Transparecem-se, então, os temperamentos ocultos; caretas desfiguram o semblante, arruinando sua simetria; às vezes a graça do porte é substituída por gestos grosseiros e a doçura da voz é profanada por expressões murmuradas entredentes, que revelam sua vulgaridade autêntica e intrínseca. Quando o temperamento é sereno, mas o intelecto é letárgico, um embotamento insuperável se opõe a todo esforço de instruí-lo. Quando há astúcia, mas não há energia, a dissimulação, a falsidade e milhares de esquemas e truques são colocados em prática para fugir da necessidade de aplicá-la. Em suma, para o professor, a juventude feminina e seus encantos são como quadros de tapeçaria, cujo lado errado está sempre voltado para ele; e, mesmo quando consegue ver a superfície externa lisa e agradável, já conhece tão bem os nós, pontos longos e recortes que estão por trás dela que dificilmente se sente tentado a admirar com fervor as formas bem-dispostas e as cores vivas expostas à vista de todos.

Nossos gostos são moldados por nossas circunstâncias. O artista prefere uma paisagem montanhosa porque é pitoresca, já o engenheiro prefere a paisagem plana porque é mais conveniente; o homem libertino gosta do que chama de "mulher refinada", pois ela lhe agrada; o jovem cavalheiro moderno admira a senhorita moderna, que é como ele; o professor, esgotado e seguramente irritadiço, quase cego à beleza e insensível às afetações, valoriza sobretudo certas qualidades intelectuais: dedicação, amor ao conhecimento, talento inato, docilidade, lealdade e agradecimento são os encantos que atraem sua atenção e ganham o seu respeito. São qualidades que busca, mas que raras vezes encontra; e, se por acaso se depara com elas, não hesita em segurá-las para sempre; entretanto, quando é privado delas pela separação, sente como se uma mão desalmada tivesse arrebatado sua única ovelha. Quando esse é o caso, como de fato é, meus leitores hão de convir comigo que não havia nada de meritório ou de extraordinário na integridade e moderação de minha conduta no *pensionnat de demoiselles* de *mademoiselle* Reuter.

A primeira coisa que fiz naquela tarde foi ler a lista de alunas do mês, determinada pela correção das redações feitas no dia anterior. A lista era encabeçada, como de costume, pelo nome de Sylvie (aquela jovem feia e quieta que descrevi anteriormente como uma das melhores e mais feias alunas da escola). Em seguida estava uma certa Leonie Ledru, uma criatura diminuta, de feições angulosas e pele enrugada, agraciada com um intelecto vivo, uma consciência frágil e um coração endurecido; sua aparência de advogado sempre me fazia dizer que, se fosse homem, seria o exemplo perfeito de um procurador esperto e inescrupuloso. Em terceiro estava Eulalie, a beldade orgulhosa, a Juno[98] da escola, que, depois de seis longos anos repetindo a gramática simples da língua inglesa, conseguiu adquirir um conhecimento mecânico da maior parte de suas regras, apesar da rigidez fleumática de seu intelecto.

O rosto monástico e passivo de Sylvie não esboçou nem um sorriso ou satisfação ao escutar seu nome em primeiro lugar. Sempre me entristecia adiante da absoluta apatia da pobre menina em todas as ocasiões, então

[98] Na mitologia romana, Juno é a rainha dos deuses e esposa de Júpiter. (N.T.)

adquiri o hábito de olhá-la ou de me dirigir a ela o mínimo possível. Sua extrema docilidade e assídua perseverança deveriam merecer minha consideração; sua modéstia e inteligência deveriam me induzir a ser mais gentil e afetuoso com ela, apesar da feiura quase medonha de suas feições, da desproporção de suas formas, da falta de animação cadavérica em seu rosto; o que de certo aconteceria se eu não soubesse que cada palavra amiga e cada ação gentil de minha parte seriam relatadas por ela a seu confessor, que as interpretaria mal e as envenenaria. Em uma ocasião, coloquei minha mão em sua cabeça como um gesto de aprovação; pensei que ela iria sorrir, seus olhos apagados quase se iluminaram, mas ela se afastou prontamente; eu era um homem e um herege; ela, coitadinha, estava destinada a ser freira e católica devota; assim, um muro quádruplo se ergueu entre sua mente e a minha. Um sorriso irônico e um olhar duro de triunfo foram o método utilizado por Leonie para demonstrar satisfação; Eulalie parecia mal-humorada e com inveja, pois esperava ser a primeira; Hortense e Caroline trocaram uma careta imprudente ao ouvir seus nomes em algum lugar no fim da lista; a inferioridade intelectual não era considerada vergonhosa por elas, já que baseavam suas expectativas de futuro unicamente em seus atributos pessoais.

Terminada a leitura da lista, a aula prosseguiu normalmente. Durante um breve intervalo em que as alunas pautavam seus cadernos, meus olhos passearam descuidadamente pelos bancos e notei, pela primeira vez, que o assento mais distante da fileira mais distante (que costumava ficar vago) estava ocupado pela nova aluna, a *mademoiselle* Henri tão ostensivamente recomendada pela diretora. Naquele dia eu usava meus óculos, de maneira que não precisei me esforçar para vê-la; sua aparência me foi clara desde o início. Parecia jovem; porém, se me pedissem para determinar sua idade exata, eu ficaria um pouco desconcertado em fazê-lo; a delicadeza de sua figura sugeria 17 anos, mas a expressão ansiosa e preocupada em sua fronte parecia indicar uma idade mais madura. Como as outras, trajava um vestido escuro com gola branca; contudo, suas feições a distinguiam das demais por serem menos infantis e mais definidas, mas não podiam ser consideradas regulares. O formato de sua cabeça também era diferente; a parte superior era consideravelmente mais desenvolvida do que a inferior. À primeira vista, tive certeza de que ela não era belga; sua cútis, seu semblante, seus traços e sua figura eram todos distintos e, sem dúvida, pertenciam a outra raça – uma menos dotada de carnes abundantes e sangue quente, menos agradável, palpável e elaborada. Quando a contemplei pela primeira vez, seus olhos estavam baixos e o queixo estava apoiado na mão, e assim permaneceu até que eu começasse a aula. Nenhuma das jovens belgas teria sustentado uma postura (e ainda por cima uma postura tão reflexiva) durante tanto tempo. Além de ter notado que sua aparência era peculiar por se distinguir de suas companheiras flamengas, não tenho muito mais a acrescentar a respeito. Não posso louvar sua beleza, pois não era bela, nem lamentar sua feiura, pois tampouco era feia; o traço de preocupação em sua testa e o formato correspondente de sua boca me causaram um sentimento que se assemelhava à surpresa, mas essas características provavelmente teriam passado despercebidas por um observador menos caprichoso.

Bem, leitor, apesar de ter dedicado mais de uma página à descrição de *mademoiselle* Henri, sei bem que não gravei em sua imaginação um retrato claro sobre ela; não colori suas feições, olhos e cabelos, e tampouco tracei o contorno de suas formas. Você não saberia dizer se seu nariz era aquilino ou arrebitado, se seu queixo era comprido ou não, se seu rosto era quadrado ou oval; eu também não pude fazê-lo naquele primeiro dia, e não é minha intenção revelar de pronto um conhecimento que adquiri aos poucos.

Passei um breve exercício, que todas anotaram. Percebi que, a princípio, a aluna nova ficou desconcertada com a novidade da forma e da linguagem; uma ou duas vezes ela me olhou com uma espécie de ansiedade dolorosa, como se não compreendesse nada do que eu havia dito; não estava pronta quando as outras estavam e tampouco conseguia escrever suas frases tão rápido quanto elas. Eu não estava disposto a ajudá-la e prossegui implacável. Lançou-me um olhar que dizia claramente "não consigo segui-lo"; desconsiderei seu apelo, recostei-me na cadeira com um ar despreocupado e, olhando de vez em quando pela janela com igual indiferença, passei a ditar um pouco mais rápido. Ao olhá-la novamente, percebi que seu rosto estava nublado de constrangimento, mas ela seguia escrevendo com suma diligência; parei por alguns segundos, e ela usou o intervalo para reler apressadamente o que havia escrito; sua vergonha e seu desconforto ficaram evidentes, sem dúvida por perceber que tinha escrito coisas despropositadas. Após dez minutos, o ditado foi concluído e, depois de conceder um breve intervalo para que o corrigissem, recolhi os cadernos; *mademoiselle* Henri o entregou com a mão relutante, mas, após tê-lo cedido a mim, recobrou a compostura como se, por ora, tivesse decidido ignorar o arrependimento e aceitado ser vista como se fosse irremediavelmente estúpida. Passando os olhos por seu ditado, descobri que várias linhas haviam sido omitidas, mas o que estava escrito continha pouquíssimos erros. Prontamente escrevi *Bon* no fim da página e lhe devolvi o caderno. Ela sorriu, primeiro com incredulidade e depois tranquilizada, mas sem levantar os olhos; ao que parecia, ela conseguia olhar para mim quando estava perplexa e desconcertada, mas não quando estava satisfeita, o que não me pareceu justo.

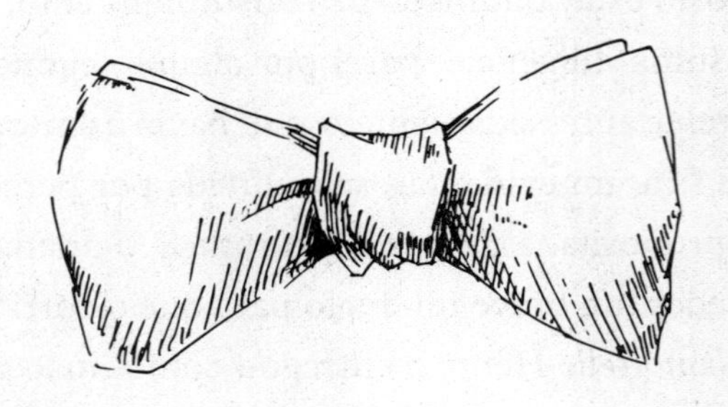

Capítulo 15

Demorou algum tempo até que voltasse a dar aula para a primeira turma; o feriado do Divino Espírito Santo durou três dias, e no quarto, era a vez de a segunda turma assistir às minhas aulas. Ao passar pelo salão vi, como de costume, o grupo de costureiras que cercava *mademoiselle* Henri; eram só uma dúzia, mas faziam tanto barulho que pareciam ser cinquenta. Sua professora não parecia exercer muito domínio sobre elas; três ou quatro a acometiam com pedidos impertinentes; aborrecida, ela pedia que fizessem silêncio, mas em vão. Ela me viu, e pude ler em seus olhos a tristeza de que um estranho testemunhasse a insubordinação de suas alunas; pareceu rezar para que fizessem ordem, mas suas orações foram inúteis. Notei, então, que pressionava seus lábios e franzia o cenho; a expressão em seu semblante, se eu a compreendi corretamente, dizia "Fiz o que pude, mas parece que a culpa é minha, então pode me culpar". Segui caminhando e, ao fechar a porta da sala, ouvi-a dizer abrupta e asperamente para uma das mais velhas e bagunceiras do grupo:

– Amélie Mullenberg, não me faça perguntas e não peça a minha ajuda por uma semana. Durante este período, não falarei com você nem a ajudarei.

Pronunciou essas palavras com ênfase – ou melhor, com veemência –, conseguindo calá-las por alguns momentos. Se o silêncio foi duradouro eu não sei, pois duas portas fechadas me separavam daquele salão.

O dia seguinte foi destinado à primeira turma. Ao chegar, encontrei a diretora sentada em seu costumeiro assento entre os tablados; à sua frente, estava *mademoiselle* Henri em pé, com uma atitude atenta (ao menos foi o que me pareceu), mas um tanto reticente. A diretora costurava e falava ao mesmo tempo. Em meio ao burburinho de vozes em uma sala de aula ampla, era fácil falar ao pé do ouvido de alguém e ser ouvido apenas por aquela pessoa, e assim conversava *mademoiselle* Reuter com a professora. Seu rosto estava ligeiramente ruborizado e deveras perturbado; transparecia uma mortificação cuja causa me era desconhecida, já que a diretora exalava um ar bastante plácido; parecia impossível que estivesse fazendo reprimendas em sussurros tão suaves e com aquele semblante tão tranquilo. Não, logo ficou provado que sua fala era extremamente amistosa, pois escutei o seu desfecho:

– *C'est assez, ma bonne amie, a présent je ne veux pas vous retenir davantage.*[99]

Sem responder, *mademoiselle* Henri se afastou; o descontentamento estava claramente estampado em sua face e, enquanto ocupava seu assento na sala, seus lábios se curvaram em um sorriso leve e breve, mas amargo, desconfiado e, ao que me pareceu, desdenhoso. Foi um sorriso secreto e involuntário que durou apenas um segundo, seguido de um ar depressivo, que foi logo substituído por outro de atenção e interesse quando ordenei às alunas que pegassem seus livros de leitura. Geralmente eu odiava aulas de leitura, tamanha era a tortura imposta aos meus ouvidos pela forma bruta como pronunciavam minha língua materna; e nem um exemplo ou orientação da minha parte pareciam surtir o menor efeito na melhora de seus sotaques. Naquele dia, como de costume, cada aluna em seu tom característico ceceava, gaguejava, balbuciava e dizia coisas sem sentido.

[99] – Por ora é só, minha boa amiga, não quero prendê-la por mais tempo. (N.T.)

Quinze delas, uma depois da outra, já tinham me atormentado, e meu nervo auditivo aguardava resignado pela dissonância da décima-sexta, quando uma voz baixa pronunciou em inglês claro e correto.

– "Em seu caminho para Perth, uma mulher das Highlands foi ao encontro do rei, afirmando ser uma profetisa. Ficou ao lado da balsa na qual ele partiria para o norte, e disse em um tom de voz alto: 'Meu rei, se a sua majestade atravessar essas águas, nunca mais retornará com vida!'" – (ver *History of Scotland*[100]).

Espantado, levantei os olhos; aquela era uma voz de Albião, com a pronúncia pura e cristalina e que, com um pouco mais de firmeza e segurança, poderia passar pela voz de qualquer uma das damas instruídas de Essex ou Middlesex. Contudo quem falava ou lia era ninguém mais, ninguém menos do que *mademoiselle* Henri, em cuja face séria e sem alegria não vi qualquer indício de que soubesse da façanha extraordinária que havia realizado. Tampouco as outras pareceram surpresas. A diretora tricotava com diligência; no entanto, ao final no parágrafo, percebi que ela levantara os olhos e me olhara de canto de olho; parecia não saber quão boa leitora era sua professora, mas percebeu que seu sotaque se diferenciava do das demais e queria averiguar o que eu pensava a respeito; então, mascarei-me com indiferença e ordenei que a aluna seguinte prosseguisse.

No final da aula, aproveitei a confusão da saída para me aproximar de *mademoiselle* Henri. Ela estava parada junto à janela e se afastou quando me viu, julgando que eu gostaria de olhar para fora, e sequer cogitou que eu tivesse algo a dizer. Peguei o caderno de exercícios de suas mãos e, enquanto folhava suas páginas, perguntei:

– Já teve aulas de inglês antes?

– Não, senhor.

– Não! Você lê muito bem. Já esteve na Inglaterra?

– Oh, não! – disse, com alguma animação.

---

[100] A passagem, em tradução livre, foi retirada de *Tales of a Grandfather*, em *History of Scotland* (1829-1830), escrita por Sir Walter Scott (1771-1832), fascinado pela história escocesa e criador do romance histórico. (N.T.)

– Já viveu com famílias inglesas?

A resposta continuou sendo "Não". Naquele momento, meus olhos pousaram sobre a contracapa do caderno, onde li "Frances Evan Henri".

– Seu nome? – perguntei.

– Sim, senhor.

Meu interrogatório foi interrompido quando ouvi um leve farfalhar caminhando em minha direção e vi a diretora se aproximar, fingindo examinar o interior de uma escrivaninha.

– *Mademoiselle* – disse, levantando os olhos ao se dirigir à professora –, faria a gentileza de ir para o corredor enquanto as senhoritas arrumam suas coisas, para tentar impor um pouco de ordem?

A professora obedeceu.

– Que tempo maravilhoso! – comentou animadamente enquanto olhava pela janela. Eu aquiesci e comecei a me afastar, ao que ela acrescentou, em meu encalço: – Que me diz de sua nova aluna, *monsieur?* Fará algum progresso em inglês?

– Não saberia dizer. A pronúncia dela é muito boa, mas ainda não tive oportunidade de formar uma opinião quanto ao seu conhecimento da língua.

– E sua habilidade inata, *monsieur?* Tive minhas dúvidas a respeito. Poderia confirmar ao menos que está na média?

– Não vejo motivo algum para duvidar, *mademoiselle,* mas a verdade é que mal a conheço e que não tive tempo de analisar o calibre de sua capacidade. Desejo que tenha uma boa-tarde.

Ela insistiu em me seguir.

– Observe-a, *monsieur,* e diga-me o que pensa. Prefiro confiar em sua opinião à minha, pois as mulheres não conseguem julgar essas coisas tão bem quanto os homens. Desculpe-me pela persistência, mas é natural que eu me interesse por essa pobre menina *(pauvre petite),* porque ela tem poucos familiares e pode contar apenas com seu esforço pessoal; os conhecimentos que adquirir serão sua única fortuna. Sua situação atual foi a minha de outrora, ou quase, de modo que é natural que sinta simpatia por ela e, às vezes, quando vejo a dificuldade que enfrenta para controlar suas alunas, sinta um grande pesar. Não duvido que faça tudo o que esteja ao seu alcance e que tenha excelentes intenções, mas, *monsieur,* faltam a ela tato e firmeza. Já lhe falei a respeito, mas não sou eloquente e é possível que não tenha me expressado com clareza, já que parece não me compreender. Poderia o senhor lhe dar alguns conselhos sobre o assunto quanto tiver a oportunidade de fazê-lo? Os homens exercem muito mais influência do que as mulheres, seus argumentos são mais lógicos do que os nossos e o senhor, em particular, possui uma assombrosa capacidade para se fazer obedecer. Um único conselho seu poderia trazer benefícios para ela; mesmo que fosse obstinada e teimosa (o que espero que não seja), ela não se negaria a escutá-lo. De minha parte, posso afirmar com toda sinceridade que não teve sequer uma aula da qual não tenha tirado algum proveito ao observar como lidava com suas alunas. Os outros professores são uma contínua fonte de preocupação para mim; eles não conseguem infundir nessas jovens o sentimento de respeito e tampouco reprimir a frivolidade que é própria da juventude. Deposito toda a minha confiança no senhor, *monsieur,* para que tente guiar essa pobre jovem de maneira que aprenda a controlar nossas levianas e espirituosas jovens de Brabante. Porém, *monsieur,* gostaria de acrescentar algo mais: não fira o amor-próprio dela, tenha cuidado para não a machucar. Devo admitir, com certa relutância, que ela é demasiado (e até ridiculamente, diriam alguns) suscetível nesse aspecto. Temo ter colocado o dedo na ferida sem que me desse conta, e parece-me que ela não o esqueceu.

Durante a maior parte dessa ladainha a minha mão esteve sobre a maçaneta da porta da rua; então a girei.

– *Au revoir, mademoiselle* – disse, e então fugi. Percebi que o estoque de palavras da diretora estava longe de terminar. Ela me observou partir, mas adoraria ter-me segurado por mais tempo. Seus modos comigo haviam mudado desde que comecei a tratá-la com dureza e indiferença: ela praticamente se submetia a mim em todas as ocasiões, consultava meu semblante incessantemente e me cercava com inúmeros cuidados inoportunos. A servidão cria déspotas. Aquela vassalagem incondicional, em vez de abrandar meu coração, serviu apenas para avivar o que nele havia de severo e exigente. O próprio fato de ela pairar ao meu redor como um pássaro fascinado pareceu transformar-me em uma rígida coluna de pedra. Sua bajulação estimulava o meu desprezo, suas lisonjas afirmavam minha reserva. Às vezes me perguntava por que se esforçava tanto para me conquistar, sendo que o rentável Pelet já tinha caído em sua rede; além disso, ela sabia que eu estava ciente de seu segredo, pois não tive escrúpulos de dizê-lo. A verdade é que sua natureza fazia com que duvidasse da realidade e menosprezasse o valor da modéstia, do afeto e da generosidade, as quais considerava como fraquezas de caráter, ao passo que via o orgulho, a dureza e o egoísmo como provas de sua força. Ela pisaria no pescoço da humildade e se ajoelharia aos pés do desdém; receberia carinho com um desprezo secreto e cortejaria a indiferença com inflexível diligência; a benevolência, a devoção e o entusiasmo lhe eram hostis; preferia a dissimulação e o interesse próprio, porque, para ela, eram a verdadeira sabedoria; aceitava a degradação física e moral, a inferioridade corporal e mental com indulgência, pois poderiam ser usados para realçar seus dotes. Sucumbia à violência, à injustiça e à tirania, seus mestres naturais, pois não estava propensa a odiá-los, não sentia o impulso de resistir a eles; a indignação que despertavam em alguns corações lhe era desconhecida. Por tudo isso, os falsos e egoístas a chamavam de sábia; os vulgares e corruptos apelidaram-na de generosa; os insolentes e injustos a consideravam amável; e, em geral, os escrupulosos e benévolos aceitavam, a princípio, que ela se proclamasse uma dos seus, mas tão logo o verniz se desgastava e deixava aparecer o que havia por baixo, eles a deixavam de lado como uma fraude.

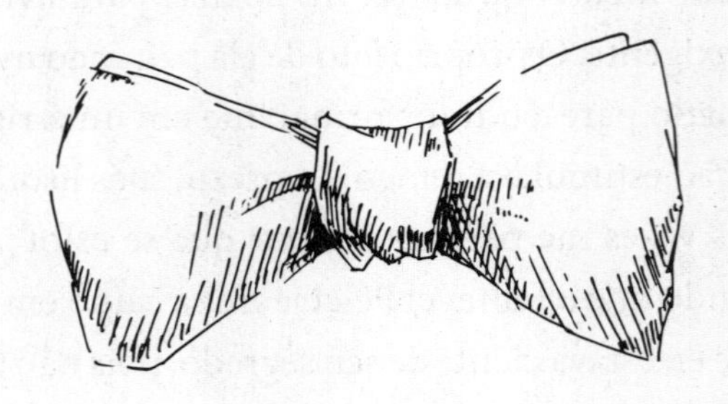

Capítulo 16

Nas duas semanas que se seguiram, vi o suficiente de Frances Evans Henri para formar uma opinião definitiva sobre seu caráter. Descobri que ela possuía em um nível acima do comum pelo menos dois aspectos, a saber, perseverança e senso de responsabilidade; descobri também que era muito capaz de se dedicar aos estudos e lidar com as dificuldades. A princípio, ofereci a ela a mesma ajuda que sempre foi necessária às outras, afrouxando cada nó para que ela o desfizesse, mas logo percebi que tal auxílio era visto por ela como degradante; ela se esquivava com certa impaciência orgulhosa. Em seguida, comecei a lhe passar tarefas longas, deixando que solucionasse sozinha as confusões que pudessem surgir. Ela se dedicava às tarefas com ardor e as concluía rapidamente, demandava outras com ansiedade. Basta sobre sua perseverança. Agora, sobre seu senso de responsabilidade. Ele se fazia evidente da seguinte maneira: ela gostava de aprender, mas odiava ensinar; seu progresso como aluna dependia de si mesma, e notei que, sobre si, conseguia fazer cálculos precisos. Seu sucesso como professora, contudo, dependia, em parte – e talvez principalmente – da vontade das demais; era-lhe extremamente penoso entrar em conflito com aquela vontade estrangeira e se esforçar para submetê-la à sua, já que, no que concernia aos outros, inumeráveis escrúpulos impediam sua força de vontade, que era tão desimpedida e forte no que tangia a si mesma. A qualquer momento, podia submeter as próprias inclinações à sua vontade, caso fossem compatíveis com seus princípios; contudo, quando precisava lutar contra as propensões, os hábitos e os defeitos dos outros – especialmente crianças, que são surdas à razão e, geralmente, insensíveis à persuasão –, às vezes sua vontade se negava a agir; entrava em cena, então, seu senso de responsabilidade, que forçava sua relutante vontade de trabalhar. Frequentemente, a consequência era um desperdício de energia e de esforço. Frances trabalhava como uma escrava por e com suas alunas, mas ainda tardaria muito para que seu empenho fosse recompensado com alguma docilidade; as alunas percebiam que sempre teriam poder sobre ela enquanto resistissem às suas dolorosas tentativas de convencer, persuadir e controlar, e que poderiam lhe causar um sofrimento ímpar ao forçá-la a aplicar medidas coercitivas. Seres humanos – crianças humanas, em especial – dificilmente renunciam ao prazer de exercer um poder que sabem possuir, mesmo que esse poder consista unicamente na capacidade de tornar os outros miseráveis. O professor, mesmo que possua nervos mais fortes e mais força física, está em desvantagem em relação ao aluno cujas sensações estejam mais embotadas; essa vantagem costuma ser usada implacavelmente, posto que os muito jovens, muito saudáveis e muito inconsequentes desconhecem a compaixão. Temo que Frances sofria muito; um peso constante parecia esmagar seu humor. Já mencionei que ela não vivia no internato; não saberia dizer se em sua casa – onde quer que fosse – tinha o mesmo ar preocupado, triste, pesaroso e resignado que sempre nublava seu rosto na escola de *mademoiselle* Reuter.

Um dia, como *devoir,* pedi que escrevessem uma redação sobre a anedota de Alfredo cuidando dos pães na cabana do pastor.[101] A maioria das alunas tratou-o como uma tarefa singular, na qual a brevidade imperava; boa

[101] Referência a Alfredo, o Grande, rei dos anglo-saxões de 886 a 899 e conhecido por ter protegido a Inglaterra da ameaça dos vikings. (N.T.)

parte das narrativas era completamente ininteligível, apenas as de Sylvie e de Leonie Ledru demonstravam algum grau de compreensão e coerência. Eulalie, por sua vez, utilizou-se de um recurso inteligente para assegurar a exatidão e ao mesmo tempo poupar trabalho: de alguma maneira, teve acesso a uma história resumida da Inglaterra e transcreveu a anedota, palavra por palavra. Na margem de sua redação, escrevi: "Estúpido e desonesto", e logo a rasguei ao meio.

No final de uma pilha de redações de apenas uma página, encontrei uma com várias folhas, perfeitamente escrita e costurada. Conhecia a letra e mal precisei olhar a assinatura, que dizia: "Frances Evans Henri", para confirmar minhas conjecturas sobre a identidade de sua autora.

Costumava corrigir os *devoirs* durante a noite, e meu quarto era o cenário usual para essa tarefa – realmente árdua até então; e me pareceu estranho sentir que crescia em mim um interesse incipiente enquanto apagava a vela e me dedicava à leitura do manuscrito da pobre professora.

"Agora", pensei, "poderei vislumbrar quem ela é realmente; terei uma ideia da medida e da natureza de seu intelecto. Não que espere que se expresse bem em um idioma estrangeiro, mas, se for minimamente inteligente, isso será revelado aqui."

A narrativa começava com uma descrição da cabana do camponês saxão, situada nos confins de uma extensa floresta desfolhada no inverno; representava uma noite de dezembro em que caíam flocos de neve. Prevendo uma forte tempestade, o pastor chama sua mulher para que o ajude a reunir o rebanho que vaga longe, nas margens pastorais de Thone, e a avisa que tardarão a voltar para casa. A boa mulher reluta em abandonar sua ocupação, pois está preparando pães para o jantar; porém, reconhecendo que é mais importante proteger o rebanho, veste seu manto de pele de ovelha e se dirige ao estranho, que descansa meio recostado sobre uma cama de juncos perto do fogo, pedindo a ele que cuide do pão até que ela volte.

"– Tenha cuidado, meu jovem – ela continua –, de fechar bem a porta depois que sairmos e, acima de tudo, de não a abrir para ninguém durante a nossa ausência. Independentemente do que ouça, não se mexa nem olhe para fora. Logo cairá a noite, esta floresta é muito selvagem e solitária, e é comum escutar barulhos estranhos vindos dela depois do pôr do sol. Lobos assombram estas clareiras, e guerreiros dinamarqueses infestam o campo. Mas se fala de coisas ainda piores. Pode ser que ouça algo como o choro de uma criança e, ao abrir a porta para acudi-la, entre correndo um grande touro negro ou um cachorro duende escuro. Ou, ainda mais terrível, seria ouvir o bater de asas contra a treliça, anunciado a entrada de um corvo ou de uma pomba branca, que pousaria junto ao fogo. Tal visita seria um mau presságio para esta casa; portanto, ouça meu conselho e não mova o ferrolho da porta para nada.

"O marido a chama e ambos partem. O estranho é deixado sozinho e escuta, por um período, o som do vento, abafado pela neve, e do rio, caudaloso e distante; e logo fala.

"– É véspera de Natal – diz ele –, marquei a data. Aqui estou, sentado sozinho em uma dura cama de juncos, resguardado pelo teto de palha da cabana de um pastor. Eu, que herdei um reino, devo meu abrigo desta noite a um pobre servo. Meu trono foi usurpado, minha coroa cobre a testa de um invasor. Não tenho amigos; minhas tropas vagueiam dispersas pelas ruínas de Gales; bandidos temerários assolam meu país; meus súditos jazem prostrados, seus peitos esmagados pelo pé do cruel dinamarquês. Destino, fizeste o teu pior, e agora estás de pé diante de mim apoiando a tua mão na tua lâmina cega. Sim, vejo teus olhos confrontando os meus e perguntando por que ainda estou vivo, por que ainda tenho esperança. Demônio pagão, não creio em tua onipotência, então não posso sucumbir ao teu poder. Meu Deus, cujo Filho, como nesta noite, assumiu a forma de um homem e, por eles, prometeu sofrer e sangrar, controla tua mão para que não possa desferir um golpe sem a tua ordem. Meu Deus não conhece o pecado, É eterno e onisciente; é Nele que deposito minha confiança; e mesmo que tenha me despojado de tudo, mesmo estando despido, desolado e sem recursos, não me desesperarei, não posso me desesperar. Mesmo que a lança de Guthrum[102] estivesse banhada em meu sangue, ainda assim não me desesperaria. Vigio, trabalho, espero e rezo; Jeová, em seu próprio tempo, proverá."

Não é necessário que continue a citação, pois todo o *devoir* seguia a mesma linha. Havia erros de ortografia, expressões estrangeiras, algumas falhas de construção e verbos irregulares transformados em regulares; era composta, como o excerto acima demonstra, de frases curtas e um tanto rudes, e o estilo precisava de polimento e de uma dignidade que o sustentasse. Contudo, mesmo com seus defeitos, eu não havia visto nada igual no curso de minha experiência como professor. A mente da jovem havia concebido a imagem da cabana, dos dois camponeses e do rei sem coroa; ela havia imaginado a floresta de inverno e evocado as antigas histórias de fantasmas saxões; havia compreendido a coragem de Alfredo em seu infortúnio, havia se lembrado de sua criação cristã para mostrá-lo como a enraizada confiança daqueles tempos primitivos, confiando que o Jeová das Escrituras o ajudaria a lutar contra o destino mitológico. Fez tudo isso sem que eu o indicasse; eu havia proposto o tema, mas não disse nada a respeito de como deveriam tratá-lo.

"Encontrarei, ou criarei, uma oportunidade para falar com ela", disse para mim mesmo, enrolando o *devoir*. "Descobrirei o que tem de inglesa além do nome Frances Evans. É evidente que conhece o idioma; porém disse-me que nunca esteve na Inglaterra, que nunca teve aulas de inglês e que tampouco viveu com famílias inglesas."

Durante a aula seguinte, fiz um informe sobre os *devoirs* e distribuí, como de costume, pequenas parcelas de elogios e reprovações, pois não seria proveitoso repreendê-las com severidade e porque grandes louvores eram raramente merecidos. Não disse nada sobre a redação de *mademoiselle* Henri e, com os óculos a postos, arrisquei-me a decifrar a expressão em seu semblante e os sentimentos produzidos por tal omissão. Queria descobrir se tinha consciência do próprio talento. "Se ela crê ter escrito uma

---

[102] Rei dos dinamarqueses que invadiu a Inglaterra e foi, posteriormente, derrotado pelo rei Alfredo. (N.T.)

narrativa inteligente, agora se sentirá mortificada", pensei. Como sempre, seu rosto estava grave, quase sombrio, e como sempre fitava o *cahier* aberto sobre a escrivaninha. Pareceu-me notar certa expectativa em seus modos quando concluí com uma rápida revisão do último *devoir;* e quando os deixei de lado, esfreguei minhas mãos e pedi que pegassem suas gramáticas, percebi uma ligeira alteração em seus modos e em seu semblante, como se renunciasse a uma débil perspectiva de emoções agradáveis. Ela estava esperando que algo que lhe interessasse fosse dito; como isso não ocorreu, sua expectativa recuou, encolhida e pesarosa, mas sua atenção preencheu prontamente o vazio, ajustando em um momento o fugaz colapso de suas feições. Ainda assim, durante o resto da aula, senti, mais do que vi, que a esperança lhe havia sido arrancada e que, se não demonstrou sua angústia, era apenas porque não queria.

Às quatro, quando o sino tocou e a sala se tornou um tumulto, em vez de pegar meu chapéu e sair do tablado, permaneci sentado por um momento. Olhei para Frances, que guardava seus livros na bolsa. Depois de fechá-la, levantou sua cabeça e, ao encontrar meu olhar, fez uma mesura serena e respeitosa, como se me desejasse boa tarde, e se virou para sair.

– Venha aqui – disse, gesticulando com um dedo ao mesmo tempo.

Ela hesitou, pois não podia me escutar em meio ao barulho que agora dominava as duas salas de aula. Repeti o gesto e ela se aproximou. Novamente, parou quando estava a meio metro do tablado com uma expressão tímida e vacilante, como se pudesse ter-me compreendido mal.

– Suba – disse, decidido. É a única forma de lidar com pessoas tímidas e que se envergonham facilmente, e com um breve gesto consegui que se colocasse exatamente onde eu queria, isto é, entre a minha mesa e a janela, onde ela estaria protegida do tumulto da segunda turma e onde ninguém poderia se esgueirar por trás dela para ouvir.

– Sente-se – disse, puxando um banquinho para ela. Sabia que o que estava fazendo poderia ser considerado muito estranho, mas não me importava. Frances também sabia e, por sua agitação e tremor, temo que ela sim se importava, e muito. Tirei do bolso o *devoir* enrolado.

– Suponho que isso seja seu – falei em inglês, pois agora estava certo de que ela falava o idioma.

– Sim – respondeu ela claramente; e quando desenrolei as folhas e as coloquei sobre a mesa diante dela, com a mão sobre o exercício e um lápis em punho, vi que se emocionou, como se tivesse despertado; sua depressão se iluminou como uma nuvem na frente do sol.

– Este *devoir* tem inúmeros erros – disse. – Precisará de alguns anos de dedicação aos estudos antes que consiga escrever em inglês com absoluta exatidão. Espere, vou apontar os problemas principais – e passei a analisar a redação lentamente; indicando todos os erros e demonstrando por que o eram, bem como certas palavras ou frases deveriam ter sido escritas. Ao longo desse processo minucioso, ela se acalmou. Eu prossegui:

– Quanto ao conteúdo do seu *devoir, mademoiselle* Henri, devo dizer que fiquei surpreso. Eu o li com prazer, pois vi nele provas de bom-gosto e de fantasia; esses não são os talentos mais elevados do intelecto humano, mas de qualquer forma, a senhorita os possui; provavelmente, não em um grau supremo, mas em um grau que certamente vai além do que a maioria pode se orgulhar. Então, tenha coragem e cultive as faculdades que Deus e a natureza lhe concederam; e quando sofrer por uma crise ou se sentir pressionada por alguma injustiça, não hesite em se consolar livremente com a consciência da força e singularidade de seus dons.

"Força e raridade!", repeti para mim mesmo. Sim, possivelmente sejam essas as palavras certas, porque, ao levantar os olhos, vi que o sol tinha se apartado da nuvem e que, em seu semblante transfigurado, um sorriso quase triunfante brilhava em seus olhos, parecendo dizer: "Fico feliz que você tenha sido forçado a descobrir tanto sobre minha natureza; não precisa moderar sua linguagem tão cuidadosamente. Acha que não me conheço? Isso que me diz de modo tão competente, sei com certeza desde a infância".

Disse isso com toda a clareza que permitia um olhar franco e fugaz; mas, em seguida, o brilho em sua tez e o resplendor de seu semblante se apagaram. Se tinha plena consciência de seus talentos, estava igualmente ciente de seus perturbadores defeitos, e a lembrança deles, esquecidos por um instante, agora retornava com força repentina e apagava de imediato os traços demasiados vívidos com os quais havia expressado a consciência de sua capacidade. Tão rápida foi a inversão dos sentimentos que não tive tempo de contestar seu triunfo com uma reprovação; antes que pudesse franzir o cenho, ela já estava séria e parecia quase triste.

– Obrigada, senhor – disse, levantando-se. Havia gratidão tanto em sua voz como no olhar que a acompanhou. De fato, já era hora de nossa conversa terminar, pois, quando olhei ao redor, vi que todas as internas (as alunas diurnas já haviam partido) estavam reunidas a um ou dois metros da minha mesa, olhando-nos boquiabertas; as três *maîtresses* cochichavam entre si em um canto; e, ao meu lado, estava a diretora sentada em uma cadeira baixa, aparando tranquilamente as franjas da bolsa terminada.

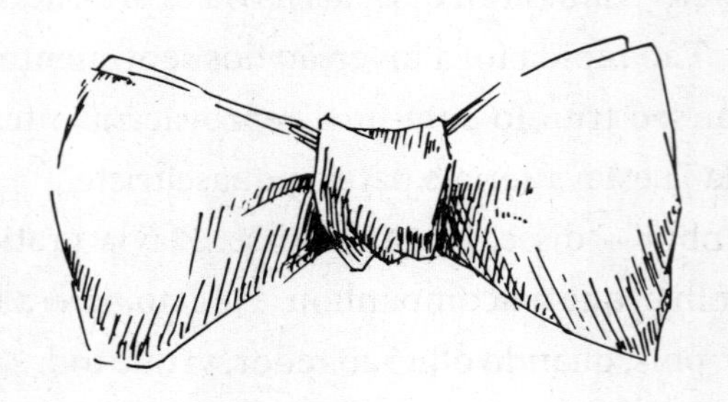

Capítulo 17

No fim das contas, não aproveitei como gostaria a oportunidade de falar com *mademoiselle* Henri, obtida com tanta audácia. Intencionava perguntar a ela sobre a origem de seus dois nomes ingleses, Frances e Evans, além de seu sobrenome francês, e como havia adquirido uma pronúncia tão boa. Esqueci ambos os assuntos; ou melhor, nossa conversa foi tão breve que não tive tempo para trazê-los à tona; além disso, não testei completamente suas habilidades de se expressar em inglês, pois tudo que arranquei dela nesse idioma foram as palavras "sim" e "obrigada, senhor". "Não importa", pensei, "outro dia resolveremos essas pendências." Tampouco deixei de cumprir a promessa que havia feito a mim mesmo. Era difícil travar uma conversa particular, ainda que brevíssima, com uma aluna no meio de tantas outras; contudo, como diz o ditado, "querer é poder", e eu sempre encontrava uma oportunidade para trocar algumas palavras com a aluna nova, independentemente dos olhares invejosos e dos comentários maldosos emitidos quando me aproximava dela.

– Dê-me seu caderno um instante – pedia, iniciando aqueles breves diálogos sempre logo após o término da aula. Fazia sinal para que se levantasse e me sentava em seu assento, permitindo que ela ficasse em pé ao meu lado com deferência, porque, em seu caso, parecia-me sensato e oportuno reforçar estritamente todas as formalidades costumeiras entre professor e aluna. Também o fazia porque percebia que, conforme meus modos se tornavam mais austeros e profissionais, mais sua atitude ficava segura e desenvolta – uma contradição curiosa, sem dúvida, já que o efeito provocado costuma ser o oposto, mas assim era.

– O lápis – dizia, estendendo a mão sem olhar para ela. (Agora vou traçar um breve esboço da primeira dessas conversas.) Deu-me um lápis e, enquanto eu sublinhava alguns erros em seu exercício de gramática, comentei: – A senhorita não é natural da Bélgica, certo?

– Não.

– Nem na França?

– Não.

– Então onde nasceu?

– Nasci em Genebra.

– Presumo que não diria que Frances e Evans sejam nomes suíços.

– Não, senhor, são ingleses.

– Exato. E é costume de todos os suíços batizar suas crianças com nomes ingleses?

– *Non, monsieur, mais...*

– Em inglês, por favor.

– *Mais...*

– Em inglês.

– Mas... – disse lenta e envergonhadamente. – Meus pais não eram ambos os dois de Genebra.

– Diga apenas "ambos" em vez de "ambos os dois", *mademoiselle.*

– Não eram ambos suíços. Minha mãe era inglesa.

– Ah! De descendência inglesa?

– Sim, todos os seus ancestrais eram ingleses.

– E seu pai?

– Ele era suíço.

– Que mais? Qual era sua profissão?

– Clérigo, pastor. Tinha uma paróquia.

– Considerando que sua mãe era inglesa, por que a senhorita não fala o idioma com mais fluidez?

– *Maman est morte... il y a dix ans.*[103]

– E honra a memória dela esquecendo seu idioma? Faça a gentileza de tirar o francês da sua mente enquanto fala comigo. Atenha-se ao inglês.

– *C'est si difficile, monsieur, quand on n'en a plus l'habitude.*[104]

– Suponho que tinha esse hábito anteriormente, não? Agora me responda na língua de sua mãe.

– Sim, senhor, falava mais inglês do que francês quando era criança.

– E por que não fala agora?

– Porque não tenho amigos ingleses.

– Vive com seu pai, não?

– Meu pai morreu.

– Tem irmãos ou irmãs?

– Ninguém.

– Vive sozinha?

– Não, tenho uma tia. *Ma tante* Julienne.

– Irmã do seu pai?

– *Justement, monsieur.*

– Isso é inglês?

– Não, tinha esquecido...

– Sem dúvida, *mademoiselle,* seria castigada por isso se fosse criança, mas na sua idade... presumo que tenha 22, 23 anos?

– *Pas encore, monsieur, en un mois j'aurai dix-neuf ans.*[105]

– Bem, 19 anos já é uma idade adulta e, completando-a, deveria estar preocupada com o seu desenvolvimento, de forma que um professor não precisasse lembrá-la duas vezes da conveniência de falar em inglês sempre que possível.

---

[103] – Minha mãe faleceu há dez anos. (N.T.)

[104] – É difícil, *monsieur*, quando se perdeu o hábito. (N.T.)

[105] – Ainda não, *monsieur*. Completarei dezenove anos em um mês. (N.T.)

Meu discurso ficou sem resposta, e quando levantei os olhos vi minha aluna sorrindo para si mesma de maneira significativa, mas não muito alegre, que parecia dizer: "Não sabe do que fala". Isso era tão evidente que me empenhei em conseguir mais informações sobre o aspecto em que minha ignorância parecia ser tacitamente afirmada.

– A senhorita se preocupa com o seu desenvolvimento?

– Deveras.

– E como pode prová-lo, *mademoiselle?*

Foi uma pergunta estranha, mas direta, que deu lugar a um segundo sorriso.

– Bem, *monsieur,* não sou distraída, sou? Aprendo bem o conteúdo...

– Ah, até uma criança poderia fazer isso. Que mais a senhorita faz?

– E o que mais poderia fazer?

– Não muito, certamente. Mas também é professora além de aluna?

– Sim.

– Ensina a coser remendos?

– Sim.

– Uma atividade estúpida e aborrecida. A senhorita gosta?

– Não, é tedioso.

– E por que continua fazendo isso? Por que não ensina História, Geografia, Gramática ou até mesmo Aritmética?

– E *monsieur* está seguro de que eu tenho conhecimento suficiente nessas disciplinas?

– Não sei. Com a sua idade, deveria ter.

– Mas nunca fui à escola, *monsieur.*

– De fato! Em que estavam pensando sua família, sua tia? Ela é a maior culpada.

– Não, *monsieur,* não. Minha tia é boa, não devo culpá-la. Ela faz o que pode, me abriga e me alimenta. (Cito as palavras de *mademoiselle* Henri literalmente, e era como se as traduzisse o que pensava em francês.) – Ela não é rica, tem apenas uma renda anual de mil e duzentos francos e seria impossível que me mandasse para a escola.

"Bem provável", pensei ao ouvir isso, mas prossegui no tom dogmático que havia adotado:

– Entretanto é uma lástima que tenha crescido ignorando as disciplinas mais corriqueiras da educação. Se soubesse algo de História ou Gramática, a senhorita poderia abandonar, paulatinamente, o trabalho ingrato de coser remendos para melhorar sua situação.

– É o que pretendo.

– Como? Sabendo apenas inglês? Isso não é o suficiente. Nenhuma família respeitável receberá uma governanta cujo conhecimento se restrinja à familiaridade com uma língua estrangeira.

– Também sei outras coisas, *monsieur.*

– Sim, sim, a senhorita pode trabalhar com lãs berlinenses e bordar lenços e golas. Isso não lhe servirá para muita coisa.

Mademoiselle Henri abriu os lábios para responder, mas se conteve, como se concluísse que já havia discutido o suficiente, e optou pelo silêncio.

– Fale! – continuei, impaciente. – Jamais gostei de que aparentem concordar comigo, quando a realidade é outra, e a senhorita estava prestes a me contradizer.

– *Monsieur,* tive muitas aulas de Gramática, História, Geografia e Aritmética. Fiz um curso de cada disciplina.

– Bravo! Mas como fez, já que sua tia não podia arcar com seus estudos?

– Cosendo remendos, essa atividade que tanto despreza.

– Realmente! E agora, *mademoiselle,* será um bom exercício me explicar em inglês como obteve tal resultado por esse meio.

– *Monsieur,* implorei à minha tia para que me levasse para aprender a coser remendos pouco depois de chegarmos a Bruxelas, porque sabia que era um *métier,* um ofício que se aprendia com facilidade e com o qual poderia ganhar dinheiro com rapidez. Aprendi em poucos dias e logo consegui trabalho, porque todas as senhoras de Bruxelas têm rendas muito antigas e valiosas, que precisam ser cerzidas sempre que são lavadas. Ganhei um pouco de dinheiro, que usei para pagar essas aulas das quais lhe falei. Outra parte dele foi gasta com livros, especialmente livros em inglês. Em breve, quando souber escrever e falar bem em inglês, buscarei trabalho como governanta ou professora; porém sei que será difícil, porque aqueles que sabem do meu ofício como costureira me desprezarão, como as alunas daqui me desprezam. *Pourtant j'ai mon projet*[106] – acrescentou em voz baixa.

– E qual é?

– Viverei na Inglaterra, onde ensinarei francês.

As palavras foram pronunciadas com ênfase. Ela disse "Inglaterra" tal qual um israelita da época de Moisés diria "Canaã".

– Deseja conhecer a Inglaterra?

– Sim, tenho o desejo e a intenção de fazê-lo.

Naquele momento, fomos interrompidos pela voz da diretora.

– *Mademoiselle Henri, je crois qu'il va pleuvoir; vous feriez bien, ma bonne amie, de retourner chez vous tout de suite.*[107]

Em silêncio, sem proferir uma palavra de agradecimento pelo aviso desnecessário, a professora recolheu seus livros. Em uma mesura, inclinou-se respeitosamente para mim e tentou fazer o mesmo com sua empregadora – em uma tentativa quase fracassada, pois sua cabeça não parecia querer se inclinar – e partiu.

Quando há ao menos um grão de perseverança ou de força de vontade, até obstáculos insignificantes servem como estímulo, e não como desencorajamento. *Mademoiselle* Reuter poderia ter-se poupado do trabalho de fazer aquela advertência a respeito do tempo (a propósito, a realidade desmentiu sua previsão, pois não choveu naquela noite). No final da aula seguinte, voltei à escrivaninha de *mademoiselle* Henri e a abordei assim:

– Que ideia tem sobre a Inglaterra, *mademoiselle*? Por que deseja ir para lá?

Já acostumada com a calculada brusquidão de meus modos, não mais se perturbava ou se surpreendia, e respondia apenas com uma mínima

---

106 – [...] Contudo tenho um plano. (N.T.)

107 – *Mademoiselle* Henri, acho que vai chover. Faria bem, minha boa amiga, de voltar a sua casa quanto antes. (N.T.)

hesitação, inevitável em consequência da dificuldade que experimentava ao improvisar a tradução de seus pensamentos do francês para o inglês.

– Pelo que li e ouvi, a Inglaterra é algo único. Meu conhecimento sobre o país é vago e quero conhecê-lo para ter uma ideia mais clara e precisa.

– Hum. E quanto acha que poderia ver da Inglaterra se fosse lá para trabalhar como professora? A senhorita deve ter uma estranha noção sobre como ter uma ideia clara e precisa de um país! O único que veria da Grã-Bretanha seria o interior de uma escola ou, quando muito, uma ou duas residências particulares.

– A escola e a residência seriam inglesas.

– Sem dúvida, mas e aí? Qual seria o valor de uma observação em uma escala tão limitada?

– *Monsieur,* não poderia aprender algo por analogia? Um... *échantillon*... ahn... uma, uma amostra que serve para dar a ideia do todo. Além disso, limitado e amplo são comparativos, não? Minha vida toda pode parecer limitada a seus olhos, como a vida de uma... daquele animal subterrâneo, *une taupe... comment dit-on?*

– Toupeira.

– Sim, uma toupeira que vive debaixo da terra pareceria limitada até para mim.

– Bem, *mademoiselle,* e então? Prossiga.

– *Mais, monsieur, vous me comprenez.*[108]

– Em absoluto. Faça a gentileza de explicar.

– Ora, *monsieur,* é justamente isso. Na Suíça, fiz pouco, aprendi pouco e vi menos ainda. Minha vida era como um círculo, e eu fazia a mesma volta todos os dias, sem conseguir sair dele. Se tivesse me acomodado e ficado lá até morrer, ainda assim não o aumentaria, porque sou pobre e sem capacitação, não tenho muito conhecimento. Quando fiquei farta daquele círculo, implorei à minha tia que viéssemos para Bruxelas. Minha existência aqui não é mais ampla, porque não sou mais rica nem tenho

[108] – Mas, *monsieur,* o senhor já me compreende. (N.T.)

uma posição mais elevada; meus limites são igualmente pequenos, mas o cenário mudou, e mudaria de novo se eu fosse para a Inglaterra. Conheci um pouco da burguesia de Genebra, agora conheço um pouco da burguesia de Bruxelas e, se fosse para Londres, conheceria um pouco da burguesia de lá. Pode compreender o que digo, *monsieur,* ou está confuso?

– Compreendo, compreendo. Agora passemos a outro assunto. A senhorita planeja dedicar sua vida ao professorado, mas, enquanto professora, é bastante malsucedida e não consegue manter suas alunas em ordem.

Um rubor de dolorosa perturbação foi o resultado desse cruel comentário. Abaixou sua cabeça, mas logo a levantou e disse:

– *Monsieur,* não sou uma professora habilidosa, é verdade, mas melhora com a prática. Além disso, trabalho em circunstâncias difíceis. Aqui ensino apenas costura, em que não posso demonstrar poder algum e nenhuma superioridade; é uma arte menor. Não tenho amigas na escola, estou isolada; também sou uma herege, o que me priva de influência.

– E na Inglaterra seria uma estrangeira, o que também a privaria de influência e acabaria lhe apartando daqueles ao seu redor. Lá teria tão poucas relações e tão escassa importância quanto aqui.

– Mas estaria aprendendo alguma coisa. Quanto ao resto, provavelmente há dificuldades para pessoas como eu em todos os lugares, e se devo lutar e talvez ser vencida, prefiro me submeter ao orgulho inglês do que à grosseria flamenga. Além disso, *monsieur...* – fez uma pausa, claramente não pela falta de palavras com as quais se expressar, mas porque sua discrição parecia dizer que já havia dito o suficiente.

– Conclua sua frase – encorajei.

– Além disso, *monsieur,* desejo voltar a viver entre protestantes; são mais honestos do que os católicos. Uma escola católica é um edifício com paredes porosas, piso oco e teto falso. Cada cômodo desta casa, *monsieur,* tem olhos e ouvidos, e, tal como a casa, seus habitantes são muito traiçoeiros. Todos acham que é legítimo mentir, todos dizem que é cortesia manifestar amizade quando o que sentem é ódio.

– Todos? – perguntei. – A senhorita se refere às alunas, ainda crianças, criaturas inexperientes e levianas que não aprenderam a distinguir entre o bem e o mal?

– Ao contrário, *monsieur.* As crianças são as mais sinceras; ainda não tiveram tempo para praticar a falsidade. Mentem, mas não o fazem com naturalidade, então sabemos que estão mentindo. Mas os adultos são muito falsos, enganam a estranhos e uns aos outros… – naquele momento, entrou uma criada.

– *Mademoiselle Henri, mademoiselle Reuter vous prie de vouloir bien conduire la petite de Dorlodot chez elle, elle vous attend dans le cabinet de Rosalie, la portière. C'est que sa bonne n'est pas venue la chercher, voyez-vous.*

– *Eh bien! Est-ce que je suis sa bonne, moi?*[109] – perguntou *mademoiselle* Henri. Então, esboçando o mesmo sorriso amargo e desdenhoso que eu já havia visto em seus lábios, levantou-se apressadamente e saiu.

---

[109] – *Mademoiselle* Henri, *mademoiselle* Reuter solicita que faça a gentileza de levar a pequena Dorlodot à sua casa. Ela a espera no quarto de Rosalie, a porteira. É que sua criada não veio buscá-la, entende?

– Ah, claro. E eu sou a criada dela? (N.T.)

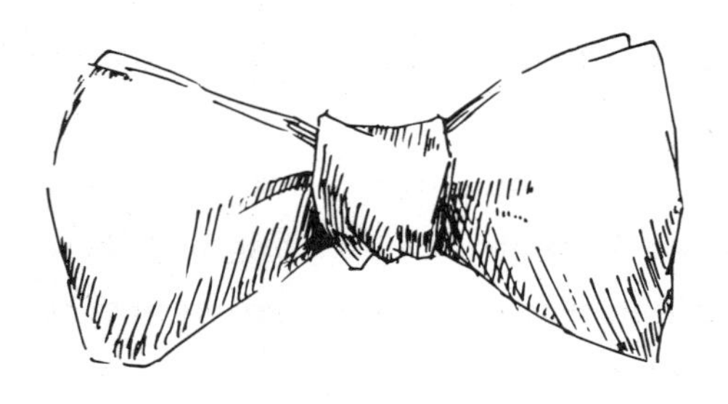

Capítulo 18

Era óbvio que a jovem anglo-suíça desfrutava e se beneficiava do estudo de sua língua materna. Ao ensiná-la, naturalmente, não me limitei à rotina escolar cotidiana; usava a orientação do inglês como veículo para o ensino de literatura, impondo-lhe uma série de leituras. Ela tinha uma pequena coleção de clássicos ingleses, alguns dos quais havia herdado de sua mãe e outros que comprara com seu ordenado. Emprestei-lhe algumas obras modernas, que leu com avidez; depois, entregou-me um resumo de cada uma delas. Também desfrutava das redações, tarefa que parecia ser como o próprio ar que respirava, e logo melhorou tanto que me vi obrigado a reconhecer que suas qualidades, que dantes havia chamado de fantasia e bom gosto, deviam na verdade ser nomeadas imaginação e discernimento. Quando manifestei tal reconhecimento, da costumeira forma seca e contida, busquei pelo sorriso radiante e exultante que meu elogio havia provocado outrora, mas Frances corou. Se ela sorriu, fê-lo de maneira muito suave e tímida, e em vez de me lançar um sorriso de triunfo fitou minha mão, que, passando por cima de seu ombro, escrevia algumas orientações na margem de seu caderno.

– Bem, está feliz por eu estar satisfeito com o seu progresso? – perguntei.

– Sim – respondeu lentamente e com a voz baixa, e o rubor de antes, que já havia quase desaparecido, voltou a aparecer.

– Suponho que não o diga com frequência – continuei. – Meus elogios são muito frios?

Ela não respondeu, e me pareceu um pouco triste. Adivinhei seus pensamentos e gostaria muito de tê-los respondido, se fosse conveniente fazê-lo. Não era minha admiração que desejava, nem estava especialmente ansiosa para me deslumbrar; um pouco de afeto – o mínimo que fosse – a agradava mais do que todos os panegíricos do mundo. Dando-me conta disso, permaneci por um longo tempo atrás dela, escrevendo na margem de seu caderno. Pareceu-me impossível abandonar aquela posição e aquela atividade. Algo me prendia inclinado ali, com a cabeça próxima da dela e minha mão também perto da dela, mas a margem de um caderno não é um espaço ilimitado. Sem dúvida a diretora pensou o mesmo e aproveitou a oportunidade para passar por nós, a fim de averiguar com que arte prolongava de forma tão desproporcional o tempo para preencher tal espaço. Fui obrigado a me afastar. Desagradável o esforço que nos obriga a abandonar o que mais gostamos.

Frances não perdeu a cor nem as forças por causa de sua atividade sedentária. Talvez o estímulo que transmitia ao seu cérebro contrabalanceasse a inação que impunha ao seu corpo. Ela mudou, de fato, de maneira rápida e evidente, mas foi para melhor. Quando a vi pela primeira vez, sua expressão era abatida, e sua tez, sem cor; parecia que não tinha nenhuma fonte de prazer, nenhuma reserva de felicidade no mundo inteiro. Agora a nuvem que toldava seu semblante havia se dissipado, dando espaço para o alvorecer da esperança e do interesse, e esses sentimentos surgiram como uma manhã límpida, animando o que estava deprimido e tingindo o que estava sem cor. Seus olhos, cuja cor a princípio me passara despercebida, embaçados por lágrimas contidas e sombreados por um desânimo contínuo, eram agora iluminados por um raio de sol que alegrava seu coração, revelando um tom de avelã brilhante em suas íris grandes e redondas, escondidas sob longos cílios, e por suas pupilas vivas. Desapareceu o ar descorado da magreza que a ansiedade ou o desânimo costumam transmitir a um rosto fino e reflexivo, mais longo do que redondo; a transparência de sua pele, quase saudável, e certa robustez, quase farta, suavizaram as linhas decididas de seus traços. Sua figura também compartilhou dessa mudança benéfica, tornando-se mais corpulenta; e como a harmonia de sua forma era completa e era de graciosa estatura média, não se podia lamentar (ao menos eu não lamentava) a ausência de curvas em seu contorno, ainda suave, embora compacto, elegante e flexível. O requintado movimento de cintura, punho, mãos, pés e tornozelos satisfazia completamente as minhas noções de simetria e permitia uma ligeireza e liberdade de movimentos compatíveis com minha ideia de graça.

Com essa melhora, com esse despertar para a vida, *mademoiselle* Henri passou a ocupar uma nova posição na escola. Sua capacidade intelectual se manifestava gradualmente, porém de forma constante, e em pouco tempo foi reconhecida até pelas invejosas; e quando as alunas perceberam que ela podia se mover com vivacidade e sorrir e conversar alegremente, viram nela uma semelhante, jovem e saudável, e passaram a tolerá-la como se fosse uma delas.

Para ser sincero, observei essa mudança como um jardineiro observa o crescimento de uma planta preciosa, e também contribuí para isso, tal qual o jardineiro contribui para o crescimento de sua favorita. Não me custou muito para descobrir a melhor maneira de instruir a minha aluna, alimentar suas famintas emoções e induzir a manifestação externa daquela energia interior que não havia tido a oportunidade de se expandir até então, impedida por uma seca abrasadora e um vento desolador. Atenção constante e amabilidade muda, mas vigilante, sempre ao seu lado, envolta no rude traje da austeridade, deixando transparecer sua verdadeira natureza apenas por um raro olhar de interesse, ou uma palavra cordial e gentil; sincero respeito mascarado por um aparente autoritarismo, dirigindo, instigando suas ações, mas também a ajudando, e com devoto esmero – esses foram os meios que usei, pois eram os que mais convinham aos sentimentos de

Frances, tão suscetíveis e arraigados em uma natureza ao mesmo tempo orgulhosa e tímida.

Os benefícios de minha metodologia também se fizeram notar em sua mudança como professora; agora ocupava seu lugar entre as alunas com um ar de domínio e firmeza, que lhes informava de imediato que ela não toleraria ser desobedecida; e obedeciam-na, pois sentiram que haviam perdido o poder que antes exerciam sobre ela. Se alguma menina se rebelasse, já não tomaria sua atitude como algo pessoal; consolava-se com uma fonte que elas não poderiam secar e apoiava-se em um pilar que não poderiam derrubar. Antigamente chorava quando era insultada; agora apenas sorria.

A leitura pública de um de seus *devoirs* permitiu que seu talento fosse revelado a todas, sem exceção. Lembro-me do tema: a carta de um emigrante aos amigos que havia deixado em seu país natal. Ela começava com simplicidade; alguns traços descritivos descortinavam para o leitor o lugar onde a epístola fora supostamente redigida: uma mata virgem e um longo rio no Novo Mundo, ainda não navegado. As dificuldades e os perigos que acompanhavam a vida de um colono eram apenas insinuados, e em poucas palavras ditas sobre o tema *mademoiselle* Henri havia conseguido tornar audível a voz da resolução, da paciência e do empenho. Aludiu aos desastres que o levaram a abandonar seu país natal: honra imaculada, independência irredutível e dignidade indestrutível tomavam a palavra; falou dos dias passados, da dor da separação, dos arrependimentos da ausência. Em cada frase respirava-se com eloquência a emoção, preciosa e contundente. No final, o consolo foi sugerido: a fé religiosa tomou a fala e falou bem.

O *devoir* foi escrito com força e convicção, em uma linguagem ao mesmo tempo sóbria e cuidadosamente escolhida, em um estilo pautado no vigor e adornado com harmonia.

Mademoiselle Reuter estava suficientemente familiarizada com o inglês para entendê-lo quando era lido ou falado em sua presença; contudo não sabia falar nem escrever no idioma. Durante a leitura desse *devoir,* continuou com sua plácida atividade, ocupando seus dedos e olhos na criação de uma *rivière,* uma bainha aberta em volta de um lenço de cambraia; não disse nada, e seu rosto, oculto por uma máscara de expressão puramente negativa, emitia tão poucos comentários quanto seus lábios. Seu semblante não manifestou surpresa, prazer, aprovação ou interesse, e tampouco desdém, inveja, aborrecimento ou fastio. Se aquele rosto inescrutável dizia algo, era simplesmente: "Essa questão é muito trivial para sugerir uma emoção ou suscitar qualquer opinião". Logo que terminei, elevou-se o volume da turma e várias alunas rodearam *mademoiselle* Henri para cumprimentá-la. Ouviu-se então a voz serena da diretora:

– Senhoritas, as que têm capas e guarda-chuvas devem se apressar em voltar para casa antes que a chuva fique mais forte (vale dizer que estava apenas chuviscando). As demais devem esperar que suas respectivas criadas venham buscá-las.

E todas se dispersaram, pois eram quatro horas.

– *Monsieur*, uma palavra – disse *mademoiselle* Reuter, subindo no tablado e fazendo um gesto para que deixasse, por um instante, o gorro de pele que eu tinha nas mãos.

– Estou à sua disposição, *mademoiselle*.

– *Monsieur*, sem dúvida é uma excelente ideia encorajar o esforço das jovens destacando o progresso de uma aluna especialmente aplicada. Entretanto, não acha que, neste caso, *mademoiselle* Henri dificilmente pode ser comparada às demais? Ela é mais velha do que a maioria das outras e tem vantagens particulares para aprender inglês. De outro lado, sua posição social é ligeiramente inferior. Em tais circunstâncias, conferir a ela uma distinção pública pode suscitar comparações e estimular sentimentos que estariam longe de ser benéficos para a pessoa a quem fossem dirigidos. O interesse que nutro pelo bem-estar de *mademoiselle* Henri faz com que deseje protegê-la de aborrecimentos desse tipo. Além disso, *monsieur*, como mencionei em outra ocasião, o sentimento de *amour-propre* tem uma preponderância um tanto marcada em seu caráter. A celebridade tende a fomentar esse sentimento, que nela deveria ser reprimido; em vez de ser exposta, ela deveria ser mantida em segundo plano. E também, *monsieur*, penso que a ambição, especialmente a ambição literária, não é um sentimento a ser nutrido pela mente de uma mulher. *Mademoiselle* Henri não ficaria mais segura e feliz se fosse ensinada a acreditar que sua real vocação consiste no cumprimento silencioso dos deveres sociais, do que estimulada a aspirar aplausos e reconhecimento público? Pode ser que nunca se case; escassos como são seus recursos, insignificantes como são suas relações, incerta como é sua saúde (pois acho que é tísica, sua mãe morreu dessa enfermidade), é mais do que provável que nunca o fará. Não vejo como ela pode chegar a uma posição em que tal passo seria possível; e, mesmo no celibato, seria melhor que conservasse o caráter e os hábitos de uma mulher respeitável e decorosa.

– Indiscutivelmente, *mademoiselle* – respondi. – Sua opinião não admite dúvidas – acrescentei e, temendo que a arenga prosseguisse, retirei-me com aquela cordial frase de concordância.

Duas semanas após o pequeno incidente relatado acima, noto em meu diário um hiato na frequência geralmente regular de *mademoiselle* Henri às aulas. Nos primeiros dois dias fiquei surpreso com sua ausência, mas não quis pedir explicações. Na verdade, pensei que um comentário casual talvez me desse a informação que desejava obter, sem que corresse o risco de suscitar sorrisinhos bobos e mexericos por tê-lo perguntado. Contudo, quando se passou uma semana e o assento perto da porta continuava vazio, e vendo que nenhuma das alunas fazia alusão ao fato – ao contrário, todas pareciam guardar um silêncio acusador, resolvi, *coûte qui coûte*[110], romper com aquela reserva estúpida.

– *Où donc est mademoiselle Henri?* – perguntei um dia, ao devolver um caderno depois de examiná-lo.

– *Elle est partie, monsieur.*

– *Partie? Et pour combien de temps? Quand reviendra-t-elle?*

– *Elle est partie pour toujours, monsieur. Elle ne reviendra plus.*

Ah! – exclamei involuntariamente. Depois de uma pausa, insisti: – *En êtes-vous bien sûre, Sylvie?*

[110] Custasse o que custasse. (N.T.)

Oui, oui, monsieur. Mademoiselle la directrice nous l'a dit elle-même il y a deux ou trois jours.[111]

Não pude prosseguir com o interrogatório; o momento, o lugar e as circunstâncias me proibiam de acrescentar qualquer palavra a mais. Não podia comentar o que ela tinha dito nem exigir mais detalhes. Quase perguntei sobre o motivo da saída da professora, se tinha sido voluntária ou não, mas me contive; estava cercado por ouvintes. Uma hora mais tarde, passei por Sylvie enquanto ela colocava seu *bonnet;* detive-me abruptamente e perguntei:

– Sylvie, saberia me informar o endereço de *mademoiselle* Henri? Fiquei com alguns livros dela – acrescentei, sem muita importância – e gostaria de enviá-los de volta.

– Não, *monsieur* – respondeu Sylvie –, mas talvez Rosalie, a porteira, possa lhe dar essa informação.

A sala de Rosalie estava ali perto, de maneira que entrei e repeti a pergunta. A esperta *grisette*[112] francesa levantou os olhos de seu trabalho com um sorriso de cumplicidade, precisamente o tipo de sorriso que desejava tanto evitar. Sua resposta era preparada; não sabia e nunca soube qual era o endereço de *mademoiselle* Henri. Virei as costas exasperado, convencido de que mentia e de que estava sendo paga para mentir, e quase derrubei outra pessoa que havia se aproximado por trás de mim: a diretora. Meu movimento brusco a fez recuar dois ou três passos. Tive que me desculpar, o que fiz de maneira mais concisa do que educada. Nem um homem gosta de ser seguido e, no estado de ânimo irritado em que me encontrava, a visão de *mademoiselle* Reuter me enfureceu profundamente. No momento em que me virei, seu semblante parecia duro, sombrio e inquisitivo, e me fitava

---

[111] – E onde está *mademoiselle* Henri?

– Ela foi embora, *monsieur*

– Foi embora? E por quanto tempo? Quando retorna?

– Foi embora para sempre, *monsieur*. Não retornará.

– Ah! [...] Tem certeza, Sylvie?

– Sim, sim, monsieur. A senhorita diretora nos comunicou pessoalmente, há dois ou três dias. (N.T.)

[112] Moça da classe trabalhadora. (N.T.)

com uma ávida expressão de curiosidade; mal pude perceber essa fase de sua fisionomia antes que ela desaparecesse; um sorriso insosso brincou em suas feições, e minhas desculpas ásperas foram recebidas com bom humor.

– Não se preocupe, *monsieur*. Seu cotovelo só encostou no meu cabelo. Não é nada grave, só me despenteou um pouco – disse, jogando os cachos para trás e passando os dedos por eles, soltando-os em inúmeras ondas esvoaçantes. Então prosseguiu com vivacidade: – Rosalie, vim para pedir-lhe que feche prontamente as janelas do salão. O vento está ficando mais forte e as cortinas de musselina ficarão cobertas de pó.

Rosalie saiu. "Ela não me engana!", pensei. "*Mademoiselle* Reuter pensa que disfarça sua mesquinhez em escutar às escondidas com sua arte de criar pretextos, mas essas cortinas de musselina de que fala não são mais transparentes que sua própria desculpa." Senti o impulso de afastar esse frágil véu e confrontar sua astúcia com ousadia, dizendo-lhe algumas verdades. "O pé áspero pisa com mais firmeza no solo escorregadio", pensei, então disse:

– *Mademoiselle* Henri deixou a escola. Suponho que tenha sido despedida.

– Ah, eu desejava ter uma breve conversa com você, *monsieur* – replicou a diretora, no tom mais natural e afável do mundo –, mas não podemos falar com tranquilidade aqui. Poderia me acompanhar até o jardim por um momento? – perguntou, enquanto passava pela porta de vidro que mencionei anteriormente.

– Pronto – disse ela, quando chegamos ao meio do caminho principal, rodeado pela densa folhagem dos arbustos e das árvores em seu esplendor de verão, que bloqueava a vista da casa e transmitia uma sensação de reclusão até mesmo nesse pequeno pedaço de terra no centro de uma capital. – Bem, que paz e liberdade podemos sentir quando estamos cercados apenas por pereiras e roseiras. Ouso dizer, *monsieur*, que, assim como eu, você também às vezes se cansa de estar eternamente no turbilhão da vida, de estar constantemente rodeado por pessoas, de ter sempre olhos cravados em você e vozes soando em seus ouvidos. Estou certa de que muitas vezes deseja intensamente a liberdade de passar um mês inteiro no campo, em alguma casinha de fazenda, *bien gentille, bien propre, tout entourée de champs et de bois. Quelle vie charmante que la vie champêtre! N'est-ce pas, monsieur?*

– *Cela dépend, mademoiselle.*

– *Que le vent est bon et frais!*[113] – prosseguiu a diretora, e tinha razão, pois o vento que soprava do sul era suave e doce. Levava meu chapéu na mão, e a brisa suave, ao passar por meu cabelo, acalmou minhas têmporas como um bálsamo. Seu efeito refrescante, entretanto, não penetrou além da superfície; caminhando ao lado de *mademoiselle* Reuter, ainda podia sentir o sangue correndo quente nas veias e, mesmo enquanto meditava, o fogo seguia queimando. Então fui enfático:

– Soube que *mademoiselle* Henri deixou a escola e não voltará mais, estou certo?

– Ah, verdade! Faz dias que quero falar com você sobre isso, mas ando tão ocupada que não consigo fazer nem metade das coisas que gostaria. *Monsieur* já passou por isso alguma vez, de descobrir que as doze horas do dia não bastam para realizar suas numerosas tarefas?

– Não com frequência. Suponho que a partida de *mademoiselle* Henri não tenha sido voluntária. Se fosse, ela certamente teria me comunicado, já que era minha aluna.

– Ah, ela não contou? Que estranho. Da minha parte, esqueci-me por completo de comentar. Quando alguém tem tantas coisas para fazer, acaba se esquecendo dos pequenos incidentes sem importância.

– Considera a demissão de *mademoiselle* Henri um evento bastante insignificante?

– Demissão? Não, ela não foi mandada embora. Para dizer a verdade, *monsieur,* desde que me tornei a diretora deste estabelecimento, nenhum professor ou professora foi demitido.

---

[113] – [...], bonita e limpa, cercada por campos e bosques. Como é encantadora a vida no campo! Não concorda, *monsieur?*

– Depende, *mademoiselle.*

– Que vento agradável e fresco! (N.T.)

– E mesmo assim alguns o deixaram, *mademoiselle?*

– Muitos. Descobri que é necessário mudar com frequência, pois uma mudança de professor costuma ser benéfica para os interesses de escolas; dá vida e variedade aos procedimentos, entretém as alunas e dá aos pais a ideia de esforço e progresso.

– No entanto, quando se cansa deles, *mademoiselle* tem escrúpulos de demitir um professor ou *maîtresse?*

– Não há necessidade de recorrer a medidas tão extremas, eu garanto. *Allons, monsieur le professeur, asseyons-nous. Je vais vous donner une petite leçon dans votre état d'instituteur*[114]. (Quisera conseguir transcrever tudo o que me disse em francês, pois muito do significado se perde ao ser traduzido para o inglês.)

Tínhamos chegado à fatídica cadeira do jardim. A diretora se sentou e gesticulou para que me sentasse ao seu lado, mas apenas descansei o joelho no assento e apoiei a cabeça e o braço no galho de um enorme laburno cujas flores douradas, mescladas com o verde-escuro de um arbusto de lilases, formavam um arco misto de sombra e sol sobre aquele retiro. *Mademoiselle* Reuter ficou em silêncio por um instante. Era evidente que pensava nos próximos movimentos, os quais revelaram sua natureza em sua fronte astuta; estava contemplando alguma *chef-d'oeuvre*[115] da política. Convencida, depois de vários meses de experiência, de que não conseguiria me enganar fingindo possuir virtudes que não as tinha; consciente de que eu havia descoberto sua verdadeira natureza e que não acreditaria em nada que pretendesse me apresentar como sendo seu, decidiu, por fim, testar uma nova chave, para ver se encaixava na fechadura do meu coração: um pouco de audácia, uma conversa sincera, um vislumbre da realidade. "Sim, vou tentar", resolveu internamente, e então seus olhos azuis se voltaram para mim; não brilhavam; não havia nenhuma chama naquela luz amena.

[114] – [...] Vamos, *monsieur* professor, vamos nos sentar. Vou lhe dar uma pequena lição sobre sua condição de professor. (N.T.)

[115] Obra-prima. (N.T.)

– *Monsieur* está com medo de se sentar ao meu lado? – perguntou em tom de brincadeira.

– Não tenho o menor desejo de usurpar o lugar de Pelet – repliquei; tinha adquirido o hábito de falar com ela com franqueza; um costume a princípio motivado pela raiva, mas que mantive ao perceber que, em vez de ofendê-la, a fascinava. Ela baixou a vista e fechou os olhos, emitindo um suspiro inquieto. Virou-se em um gesto ansioso, como se quisesse dar a impressão de um pássaro que bate as asas na gaiola e que voaria, de bom grado, fugindo de sua prisão e de seu carcereiro em busca de seu companheiro natural e de um ninho agradável.

– Bem, e qual é a sua lição? – perguntei secamente.

– Ah! – exclamou, recobrando a compostura. – Você é tão jovem, sincero e destemido, tão talentoso e impaciente com imbecilidades, tão desdenhoso da vulgaridade, que merece uma lição. Pois ei-la: neste mundo chega-se mais longe com habilidade do que com força, mas talvez já soubesse disso, pois seu caráter é forte, mas também é delicado; é político, além de orgulhoso?

– Continue – disse, sem conseguir conter um sorriso frente àquela lisonja tão atrevida e bem elaborada. Ela notou o sorriso proibido, embora eu tenha levado a mão ao rosto na tentativa de escondê-lo, e novamente abriu espaço para que me sentasse a seu lado. Balancei a cabeça em negativa, embora a tentação naquele momento fosse profunda, e pedi mais uma vez para que continuasse.

– Pois bem, se alguma vez estiver à frente de um grande estabelecimento, não demita ninguém. Para ser honesta, *monsieur,* e o serei com você, desprezo aqueles que estão constantemente discutindo, vangloriando-se, expulsando um e outro e apressando as circunstâncias. Vou lhe dizer o que prefiro fazer, *monsieur* – disse, levantando seus olhos, agora em um olhar bem-ajustado, com mais astúcia, deferência, uma pitada picante de coquetismo, uma consciência desvelada de sua capacidade.

Assenti. Tratava-me como um grande magnata, então tornei-me um no que lhe dizia respeito.

– Eu gosto, *monsieur*, de pegar minha costura nas mãos e me acomodar calmamente em minha cadeira; as circunstâncias desfilam em minha frente e me limito a olhá-las; contanto que sigam o rumo que desejo, não digo nem faço nada; não bato palmas nem grito: "Bravo! Como tenho sorte!" para atrair a atenção ou a inveja de meus vizinhos; sou completamente passiva. Entretanto, quando as circunstâncias se tornam adversas, observo-as com muita vigilância. Sigo ocupada com minha costura e ainda fico em silêncio, mas de vez em quando, *monsieur,* estico um pouco a ponta do pé, assim, e dou um pontapé sutil e disfarçado nessas circunstâncias rebeldes, sem fazer qualquer estardalhaço, colocando-as no caminho que desejo que tomem, com sucesso e de maneira que ninguém perceba a minha interferência. Então, quando algum professor se torna problemático e ineficiente; quando, em suma, os interesses da escola poderiam ser prejudicados caso fosse mantido em seu posto, ocupo-me de minha costura, os acontecimentos se desenrolam, e as circunstâncias vão passando até que vejo uma que, se receber um leve empurrão que a desvie apenas um pouco de seu curso, tornará insustentável o posto que desejo desocupar. Pronto, está feito. Removi uma pedra do caminho sem que ninguém me visse; não fiz inimigo algum e me livrei de um fardo.

Há poucos segundos, tinha me sentido atraído pela diretora; porém, concluído seu discurso, senti apenas repulsa.

– Típico – respondi com frieza. – Foi dessa maneira que expulsou *mademoiselle* Henri? Queria seu posto, então tornou sua manutenção insuportável para ela?

– De forma alguma, *monsieur*. Estava apenas preocupada com a saúde de *mademoiselle* Henri. Sua visão moral é clara e penetrante, mas neste ponto falhou em ver a verdade. Sempre me interessei genuinamente pelo bem-estar dela e cuidava para que não se expusesse a intempéries climáticas; por isso, julguei que seria mais vantajoso para ela que assumisse um emprego permanente. Além disso, já a considero qualificada para ensinar algo mais do que costura. Conversamos e expus meus argumentos, mas deixei que tomasse a decisão por si mesma; ela compreendeu meu ponto de vista e concordou com ele.

– Excelente! Agora, *mademoiselle,* faria a bondade de me informar o seu endereço?

– Seu endereço! – uma mudança sombria e pétrea se operou no semblante da diretora. – Seu endereço, hein? Bem, gostaria de lhe fazer este agrado, *monsieur,* mas não posso, e explicarei por quê. Sempre que fazia esta pergunta a ela, furtava-se a responder. Posso estar enganada, mas pensei que o motivo para que agisse dessa forma se devesse a uma relutância natural, embora equivocada, de me revelar uma moradia muito humilde. Seus recursos são escassos, e sua origem, obscura. Certamente vive em algum lugar da *basse ville.*[116]

– Não gostaria de perder minha aluna de vista – repliquei –, nem se fosse filha de mendigos e vivesse em um sótão. De resto, é um absurdo que me venha com ladainhas a respeito de suas origens. Sei que era filha, nem mais nem menos, de um clérigo suíço. Quanto a seus parcos recursos, não me importa que sua bolsa esteja vazia desde que seu coração transborde riqueza.

– Seus sentimentos são perfeitamente nobres, *monsieur* – disse ela, fingindo reprimir um bocejo.

Sua vivacidade já havia se extinguido, sua sinceridade temporária já se calara. A flâmula vermelha do audaz pirata, que permitira voar por alguns instantes, foi enrolada e guardada; em seu lugar, hasteou a sóbria bandeira da dissimulação sobre a cidadela. Não me agradava quando se portava dessa forma, de maneira que interrompi o *tête-à-tête*[117] e parti.

---

[116] A "cidade baixa" de Bruxelas é a parte mais antiga da cidade. (N.T.)

[117] Conversa particular. (N.T.)

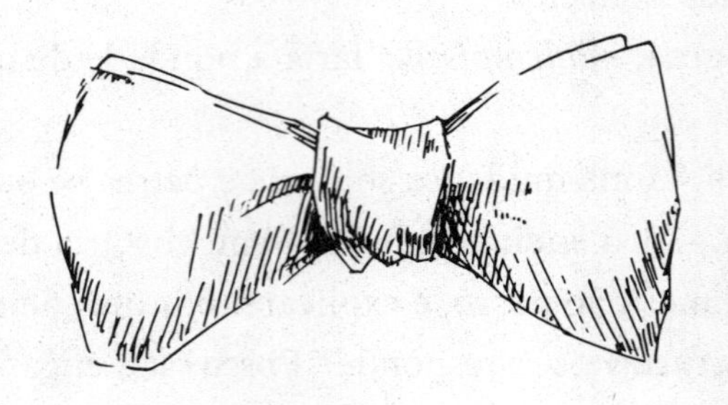

Capítulo 19

Escritores jamais deveriam se cansar do estudo da vida real. Se cumprissem esse dever conscienciosamente, ofereceriam ao leitor menos retratos marcados com vívidos contrastes de luz e sombra, pouco elevariam seus heróis ou heroínas ao auge do arrebatamento e, ainda mais raramente, os afundaria nas profundezas do desespero; pois, se apenas ocasionalmente desfrutamos das alegrias da vida em toda a sua plenitude, menos ainda saboreamos o fel da angústia sem esperanças. A não ser que, de fato, tenhamos mergulhado como animais nas satisfações sensuais, que tenhamos abusado de nossas faculdades para o prazer, levando-as ao limite, estimulando-as e novamente as fatigando até, por fim, destruí-las; então realmente nos encontraremos sem apoio e privados de esperança. Nossa agonia é grande, e como pode acabar? Esgotamos o manancial de nossas faculdades; a vida é feita apenas de sofrimento, demasiado frágil para conceber a fé; a morte há de ser a escuridão – Deus, espírito e religião não têm lugar em mentes derrocadas, onde ficaram apenas memórias hediondas e infectadas do vício; o tempo nos leva até a beira da nossa cova, e a imoralidade nos empurra para dentro, como um trapo esfarrapado pela doença, retorcido pela dor, estampado contra o chão do cemitério pelo salto inexorável do desespero.

Mas o homem de vida normal e mente racional nunca se desespera, nem quando perde suas posses, nem quando sofre um forte golpe e vacila por um momento; ainda assim, estimulado pela dor, recobra suas energias e sai em busca de um remédio, atividade que logo mitiga sua aflição. Afetado por uma enfermidade, arma-se de paciência e suporta aquilo que não pode curar. Uma dor bastante intensa o atormenta, seus membros retorcidos não encontram descanso, e mesmo assim se ancora na esperança. Quando a morte ceifa aqueles que ama, é com violência que ele arranca, desde a raiz, o talo em torno do qual se entrelaçavam seus afetos. É uma época escura e sombria, com uma tristeza avassaladora, mas em determinada manhã a religião lança um raio de sol para sua casa desolada e diz que, em outro mundo, em outra vida, ele reencontrará aqueles que ama. A religião conta que aquele mundo é um lugar que desconhece o pecado, que aquela vida é estranha à dor do sofrimento, e intensifica poderosamente seu consolo, associando-o a duas ideias que os mortais não podem compreendem, mas às quais gostam de se apegar: a eternidade e a imortalidade. A mente daquele que chora seus mortos, então, é preenchida com uma imagem vaga, mas gloriosa, de colinas celestiais onde tudo é luz e paz, de um espírito que lá descansa em êxtase, de um dia em que seu espírito também pousará ali, livre e imaterial, de um reencontro aperfeiçoado pelo amor e livre do medo. O homem recobra a coragem e trabalha para satisfazer suas necessidades e cumprir com os deveres da vida; e, embora a tristeza talvez nunca o deixe, a esperança o ajudará a suportá-la.

Bem, e o que tudo isso sugere? Que conclusão pode ser tirada do que foi dito? O que sugere é que minha melhor aluna, meu tesouro, foi arrancada de minhas mãos e afastada de mim. O que se pode concluir é que, sendo eu um homem equilibrado e sensato, não permiti que o ressentimento, a decepção e o pesar que surgiram em minha mente pelo trágico incidente chegassem a tomar proporções monstruosas, nem que monopolizassem todo o espaço do meu coração; ao contrário, reprimi-os, fechando-os em um recanto pequeno e secreto. Durante o dia, também, enquanto estava cumprindo com minhas obrigações, impunha-lhes silêncio. Era só depois de fechar a porta do meu quarto à noite que relaxava um pouco a minha severidade em relação àquelas criaturas mimadas e taciturnas, permitindo que desabafassem em sua linguagem de murmúrios; então, como vingança, sentavam-se em meu travesseiro, assombravam meu leito e me mantinham acordado com seu longo choro noturno.

Transcorreu uma semana. Não disse mais nada a *mademoiselle* Reuter; comportei-me serenamente com ela, embora fosse frio e duro como uma pedra. Quando a fitava, era com um olhar consciente que se dirige a alguém cujo conselheiro é o ciúme, e o instrumento, a traição; um olhar de silencioso desdém e de profunda desconfiança. No sábado à noite, antes de sair da escola, entrei na *salle à manger*, em que estava sozinha e, colocando-me diante dela, perguntei, no mesmo tom calmo e da mesma maneira na qual abordei o assunto pela primeira vez:

– *Mademoiselle,* faria a gentileza de me dar o endereço de Frances Evans Henri?

Um pouco surpresa, porém não desconcertada, sorriu e afirmou que não possuía tal informação, acrescentando:

– *Monsieur* talvez tenha esquecido o que expliquei sobre este assunto, há uma semana?

– *Mademoiselle* – prossegui –, estaria me fazendo um imenso favor se me informasse a respeito da moradia dessa jovem.

Ela pareceu um tanto perplexa, mas por fim levantou os olhos, com um ar de ingenuidade admiravelmente falso, e perguntou:

– *Monsieur* acha que não estou sendo sincera?

Ainda evitando dar-lhe uma resposta direta, comentei:

– Não gostaria de me agradar com essa informação, *mademoiselle?*

– Mas, *monsieur,* como posso dizer o que não sei?

– Pois bem, compreendo perfeitamente, *mademoiselle,* e agora tenho algo a acrescentar. Esta é a última semana de julho; em um mês começará o período de férias. Pois faça a gentileza de aproveitar o tempo livre para procurar outro professor de inglês. No fim de agosto terei de renunciar ao meu posto em seu estabelecimento.

Não esperei seus comentários sobre minha declaração, apenas maneei a cabeça e saí em seguida.

Naquela mesma noite, logo após o jantar, uma criada me trouxe um pequeno pacote. O endereço estava escrito em uma letra que logo reconheci, mas que tinha perdido as esperanças de rever. Estava sozinho no quarto, de maneira que nada me impediu que abrisse o pacote imediatamente. Continha quatro moedas de cinco francos e um bilhete em inglês.

Monsieur,

Fui à escola de mademoiselle *Reuter ontem, na hora em que sabia que o senhor estaria terminando a aula, e pedi para entrar na sala e lhe falar.* Mademoiselle *Reuter veio ao meu encontro e disse-me que o senhor já tinha partido; como ainda não eram quatro horas, achei que tivesse se enganado, mas concluí que seria inútil retornar outro dia com o mesmo propósito. De certa forma, esta nota bastará; servirá para enviar os vinte francos, o valor das aulas que me deu; e caso não consiga expressar plenamente todo o meu agradecimento, nem dizer, como eu gostaria de fazê-lo, o quanto lamento por provavelmente nunca mais voltar a vê-lo, bem, então as palavras faladas dificilmente teriam sido mais adequadas. Se o tivesse encontrado, possivelmente teria murmurado alguma besteira insatisfatória, algo que iria contradizer meus sentimentos em vez de explicá-los, então talvez tenha sido melhor que não me permitiu vê-lo. O senhor observou com frequência,* monsieur, *que meus* devoirs *tratavam especialmente da coragem de suportar a dor; disse que eu abordava o tema recorrentemente. De fato, acho mais fácil escrever sobre um dever atroz do que realizá-lo, pois me sinto oprimida quando vejo e sinto o revés da fortuna que me condenou. O senhor foi gentil comigo, muito gentil. Estou aflita e de coração partido por estar longe do senhor, e logo não terei amigo algum no mundo. Mas é inútil incomodá-lo com minhas angústias. Que direito eu tenho para pedir sua compaixão? Nenhum. Por isso, não direi mais nada.*

Adeus, monsieur, *F. E. HENRI*

Guardei o bilhete em minha carteira e os cinco francos na bolsa, e então caminhei por meu pequeno quarto.

"*Mademoiselle* Reuter me falou de sua pobreza", disse para mim mesmo, "e ela é pobre; ainda assim, paga suas dívidas e até mais. Não cheguei a completar um quarto das aulas que combinamos, mas ela pagou por um quarto. Imagino do que tenha se privado para conseguir juntar os vinte francos, imagino o lugar em que tenha de viver, o tipo de mulher que é sua tia e se ela conseguirá encontrar um emprego para compensar o que perdeu. Sem dúvida, terá de peregrinar de escola em escola, perguntando aqui e se candidatando acolá, sendo rejeitada por uma e ficando decepcionada com outra. Por muitas noites, irá se deitar cansada e sem emprego. E a diretora não deixou que se despedisse de mim? Não me deu a oportunidade de trocar algumas palavras pela janela da sala de aula para descobrir onde mora, para usar isso da maneira que me fosse conveniente? O bilhete não tem remetente", acrescentei, tirando-o da carteira e examinando os dois lados de ambas as folhas."Mulheres são mulheres, isso é evidente, e sempre fazem as coisas à sua maneira. Os homens escrevem a data e o endereço em suas missivas. E essas moedas de cinco francos?", disse, tirando-as da bolsa. "Se as tivesse me dado pessoalmente em vez de embrulhá-las em um pacote liliputiano[118] de seda verde, teria tido a chance de colocá-las novamente em suas mãos e fechar seus dedos pequenos e finos sobre elas, assim..., obrigando sua vergonha, seu orgulho e sua timidez a cederem a um pouco de vontade determinada. Agora, onde está? Como posso encontrá-la?"

[118] Termo relativo a Lilipute ou ao habitante diminuto, de apenas seis polegadas, de tal ilha imaginária no romance *As viagens de Gulliver*, escrito em 1726 pelo inglês Jonathan Swift. (N.T.)

Abri a porta do quarto e fui à cozinha.

– Quem trouxe o pacote? – perguntei à criada que o entregou para mim.

– *Un petit commissionaire, monsieur.*

– Ele disse alguma coisa?

– *Rien.*[119]

Subi as escadas de volta para o quarto, espantosamente mais sábio para minhas perguntas.

"Não importa", pensei, fechando novamente a porta. "Não importa, vou procurá-la por toda a cidade."

E foi o que eu fiz. Procurei por ela dia após dia, sempre que tinha algum tempo livre, durante quatro semanas. Passava o domingo inteiro tentando encontrá-la. Procurei nos *boulevards,* na Allee Verte[120], no parque, em Santa Gudula e em Saint Jacques.[121] Fui também a duas capelas protestantes e assisti aos serviços em alemão, francês e inglês, certo de que a encontraria em alguma delas. Todas as minhas buscas foram absolutamente infrutíferas, e a certeza de que a veria em uma dessas capelas se provou tão infundada como meus outros cálculos. Depois de cada serviço, ficava na porta da capela até que o último devoto saísse, examinando todos os vestidos que envolviam uma forma esguia, espiando sob cada *bonnet* que cobria uma jovem cabeça. Em vão. Vi figuras juvenis que passavam por mim puxando seus lenços negros sobre seus ombros caídos, mas nenhuma delas tinha o ar ou o estilo de *mademoiselle* Henri. Vi rostos pálidos e pensativos *encadrés*[122] por cabelos castanhos, mas nunca encontrei sua testa, seus olhos, suas sobrancelhas. Todas as feições de todos os rostos que via pareciam desperdiçadas, porque meus olhos não conseguiam reconhecer as peculiaridades

[119] – Um menino de recados, *monsieur.*
[...]
– Nada. (N.T.)

[120] Avenida na região norte da cidade. (N.T.)

[121] Igreja neoclássica de Saint-Jacques-sur-Coudenberg, localizada no centro de Bruxelas, foi construída no local em que havia um mosteiro medieval, demolido durante a expansão holandesa em 1731. Durante a Revolução Francesa, o local foi convertido no Templo da Razão e, posteriormente, no Templo da Lei, voltando ao controle da Igreja Católica em 1802. (N.T.)

[122] Emoldurados. (N.T.)

que buscavam: uma fronte ampla e grandes olhos escuros e sérios, e sobre eles as linhas finas e decididas de suas sobrancelhas.

"Provavelmente já deixou a cidade. Talvez já tenha ido para a Inglaterra, como disse que o faria", ruminei em meus pensamentos na tarde do quarto domingo, ao virar as costas para a Chapel Royal[123], cuja porta tinha sido recém-fechada e trancada pelo porteiro, e seguir os últimos devotos, que já se dispersavam pela praça. Logo já havia ultrapassado os casais formados por damas e cavalheiros ingleses. (Por Deus! Por que não se vestem melhor? Ainda estão registradas em meus olhos as imagens de vestidos desalinhados e amarrotados, feitos com caras peças de seda e cetim, com onerosas golas altas e inadequadas de renda e repletos de babados, de casacos mal cortados e de calças de molde estranho que enchiam, semanalmente, a Chapel Royal nas missas em inglês e que, ao seu final, saíam para a praça apenas para contrastar terrivelmente com os estrangeiros bem-vestidos e limpos que se apressavam para receber o sacramento na igreja de Coburg.[124]) Passei pelos casais britânicos, pelo grupo de belas crianças britânicas, com seus lacaios e criadas igualmente britânicos; atravessei a Praça Royale e entrei na Rua Royale, onde tomei a Rua de Louvain, uma rua antiga e calma. Lembro-me que senti um pouco de fome, mas como não queria voltar e comer minha cota de *goûter* no refeitório de Pelet (a saber, *pistolets*[125] e água), entrei em uma padaria e me refresquei com um *couc*[126] – palavra flamenga que não sei escrever – *à Corinthe*, um pão com passas de Corinto, e uma xícara de café, e logo segui caminhando até a Porte de Louvain. Em pouco tempo já estava fora dos limites da cidade e subia lentamente por uma colina que começava no Porte de Louvain; não me apressei, pois, embora a tarde estivesse nublada, o clima estava abafado e não tinha uma

[123] Igreja protestante localizada no centro de Bruxelas, construída em 1760. Durante sua permanência na cidade, em 1842, Charlotte Bronte frequentava o local com assiduidade. (N.T.)

[124] Provável referência à igreja católica de Saint Jacques-sur-Coudenberg, que fica a poucos passos da Chapel Royal. (N.T.)

[125] Sanduíches. (N.T.)

[126] Em flamengo, *koek*. (N.T.) Receita típica dos Países Baixos, é um bolinho amanteigado com um recheio doce. (N.R.)

mísera brisa para refrescar o ar. Os habitantes de Bruxelas não precisam ir muito longe em busca de solidão; ao se afastarem meia légua da cidade, já a encontrarão, meditando quieta e inexpressiva pelos campos abertos e monótonos, embora muito férteis, que se estendem pela paisagem inexplorada e descampada que circunda a capital de Brabante. Uma vez no topo da colina, após ter contemplado por um longo tempo os campos cultivados, porém sem vida, senti um impulso de abandonar a estrada principal, que havia percorrido até então, e entrar naqueles campos cultivados, férteis como os canteiros de uma horta de Brobdingnag[127], que se estendia por todos os lados até os limites do horizonte, onde a distância mudava o tom do verde-escuro para um azul triste e confundia suas cores com as do céu, lívido e tempestuoso. Dessa maneira, peguei um atalho para a direita e, como imaginava, não tardou muito para que chegasse às áreas de cultivo; entre elas, bem à minha frente, elevava-se um muro branco extenso e alto que abrigava um recanto; pela folhagem que o cobria, parecia um denso jardim de teixos e ciprestes, pois eram dessas espécies os ramos que decoravam os pálidos parapeitos e se aglomeravam sombriamente em torno de uma enorme cruz, colocada sem dúvida em um ponto central e cujos braços abertos de mármore negro pairavam sobre a copa daquelas árvores sinistras. Aproximei-me, imaginando a que casa esse jardim tão bem protegido pertencia; rodeei o canto do muro, esperando ver uma imponente mansão, e me aproximei de grandes portões de ferro; perto dali notei uma cabana que servia como guarita, mas não precisei pedir as chaves, pois os portões estavam abertos. Empurrei um deles; a chuva havia oxidado suas dobradiças, que soltaram um triste gemido com o movimento. Uma plantação densa protegia a entrada. Caminhando pela entrada principal, vi objetos por todos os lados que, em sua linguagem muda de inscrição e sinais, explicavam de maneira clara o tipo de morada em que havia entrado, a mansão a que todos os seres vivos estão destinados: cruzes, monumentos

[127] Em uma nova menção à obra de Jonathan Swift, o narrador se refere aqui à terra de gigantes, visitada por Gulliver após deixar Liliput. (N.T.)

funerários e coroas de sempre-vivas anunciavam "O cemitério protestante, fora do portão de Louvain".

O local era grande o suficiente para que fosse possível passear durante ao menos meia hora sem a monotonia de seguir sempre o mesmo caminho; e, para os aficionados em ler as inscrições dos túmulos, havia à disposição uma variedade tamanha de escritos capazes de ocupá-los pelo dobro ou triplo do tempo. Pessoas de todas as classes, línguas e nacionalidades haviam levado seus mortos para lá, onde, em lápides de pedra, mármore ou latão, estavam nomes, datas e últimas homenagens de pompa ou de amor em inglês, francês, alemão e latim. Em um canto, um inglês havia erigido um monumento de mármore sobre os restos de sua Mary Smith ou de sua Jane Brown, gravado apenas com o seu nome; em outro, uma viúva francesa havia plantado um belo roseiral ao redor da tumba de seu Emire ou seu Celestine, em meio ao qual despontava uma pequena lápide com um testemunho igualmente belo de suas inúmeras virtudes. Cada nação, tribo ou família chorava por seus mortos à sua maneira, e como eram mudos os lamentos coletivos! Meus passos, ainda que andassem lentamente por caminhos bem assentados, causavam certo sobressalto, porque eram os únicos sons que ousavam romper o completo silêncio. Até o vento e o ar caprichoso e errante pareciam ter decidido, de comum acordo, repousar em seus respectivos abrigos; o norte estava calado, o sul fazia silêncio, o leste não soluçava e o oeste não sussurrava. As nuvens no céu estavam carregadas e escuras, mas pareciam imóveis. Sob as árvores daquele cemitério aninhava-se uma cálida e densa penumbra, da qual se erguiam os ciprestes altos e mudos, e os salgueiros se mantinham baixos e imóveis; onde as flores, letárgicas e belas, aguardavam indiferentes pelo orvalho noturno ou pela tempestade; onde as tumbas e aqueles que elas abrigavam jaziam impassíveis ao calor e ao frio, à chuva ou à seca.

Incomodado com o ruído dos meus passos, resolvi andar sobre a grama e avancei lentamente até um bosque de teixos. Vi algo se movendo e achei que pudesse ser um galho quebrado balançando, já que meus olhos míopes não observaram nenhuma forma, apenas perceberam o movimento;

mas a sombra escura passou, aparecendo e desaparecendo nos clarões do caminho principal. Logo concluí que era um ser vivo, um ser humano, e ao me aproximar notei que era uma mulher, andando de um lado para outro; evidentemente, pensava que estava sozinha, da mesma maneira que eu o pensei, e meditava tal como eu o fizera. Após um momento, voltou a se sentar no lugar de onde apenas tinha se levantado (creio, pois caso contrário eu a teria visto). Era um refúgio protegido por algumas árvores; à frente dela estava o muro branco e, encostado nele, havia uma pequena lápide e a terra recém-mexida de um novo túmulo. Coloquei meus óculos e passei silenciosamente perto dela; observando a inscrição na lápide, li "Julienne Henri, morta em Bruxelas aos 60 anos, 10-8-18". Ao ver a inscrição, olhei para a pessoa sentada, inclinada e pensativa à minha frente, que não se dera conta da aproximação de alguém; era uma figura esbelta e juvenil vestindo modestos trajes de luto, com um singelo *bonnet* preto. Senti, da mesma forma que vi, quem era; não mexi nenhum músculo para poder desfrutar da certeza dessa convicção por alguns instantes. Procurei-a por um mês sem encontrar qualquer vestígio que me permitisse nutrir alguma esperança, sem nenhuma oportunidade de encontrá-la. Fui obrigado a renunciar a qualquer expectativa e, havia menos de uma hora, havia me entregado à triste ideia de que o fluxo da vida e o impulso do destino a tinham levado definitivamente para longe de mim; e agora, para minha surpresa, enquanto me curvava sob o peso da melancolia, enquanto observava o caminho da tristeza traçado ao redor de um túmulo, lá estava a minha joia perdida, caída sobre a relva regada por lágrimas, aninhando-se nas raízes tortuosas e bolorentas dos teixos.

Frances estava sentada em silêncio, com o cotovelo apoiado no joelho e a cabeça sobre a mão, em uma postura contemplativa que sabia que poderia ser mantida em completa imobilidade por um bom tempo. Finalmente, caiu uma lágrima; estava olhando para o nome na lápide, e de que seu coração experimentou uma daquelas angústias que dolorosamente assolam os seres desolados que choram seus mortos. Muitas outras lágrimas se seguiram, as quais ela secou repetidamente com seu lenço; deixou escapar alguns soluços angustiados e então, findo esse paroxismo, seguiu imóvel como antes. Toquei seu ombro gentilmente; não havia necessidade de prepará-la, pois não estava histérica nem propensa a desmaios; de fato, uma pressão repentina poderia tê-la assustado, mas o contato do meu toque silencioso apenas despertou a atenção que eu almejava; e embora ela tenha se virado rapidamente, é tão veloz o pensamento, especialmente em algumas mentes, em que a dúvida sobre o que era, a consciência de quem era a pessoa que a furtava de sua solidão, passaram por sua cabeça e chegaram ao seu coração antes mesmo que fizesse aquele rápido movimento; mal o espanto passou, ela abriu seus olhos, levantando-os até os meus, e o reconhecimento deu a eles um brilho eloquente. O nervosismo da surpresa mal tinha perturbado suas feições quando um sentimento da mais intensa alegria brilhou límpido e caloroso em todo o seu semblante. Apenas tive tempo de observar que estava exausta e pálida, e já senti um prazer que respondia ao prazer absoluto e delicioso que a fizera ruborizar e que resplandecia na luz crescente, agora difusa, pela face da minha pupila. Era o sol quente brilhando após uma forte chuva de verão; e há fertilizante mais rápido do que esse feixe de luz que queima quase como o fogo?

Abomino a audácia, a ousadia da vulgaridade e da insensatez, mas admiro a coragem de um coração nobre e o fervor da generosidade. Amei com paixão a luz dos claros olhos de avelã de Frances Evans quando não hesitou em olhar diretamente nos meus, adorei o tom com que disse as palavras:

– *Mon maître! Mon maître!*

Amei o gesto que fez ao confiar sua mão à minha; amei-a como ela era, sem dinheiro e sem família. Para um sensualista, ela carecia de charme, mas para mim era um tesouro; objeto de toda minha simpatia, que pensava o que eu pensava e sentia o que eu sentia; o santuário ideal no qual poderia depositar todas as minhas reservas de amor; a personificação da discrição e da reflexão, da diligência e da perseverança, da abnegação e da disciplina, leais guardiões do dom que desejava entregar a ela, o dom de todas as minhas afeições; modelo de sinceridade e honra, de independência e consciência que refinam e sustentam uma vida honesta; dona silenciosa de um manancial de ternura, de uma chama gentil e tranquila, pura e insaciável, de sentimentos e paixões naturais, fontes de renovação e consolo no santuário do lar. Sabia com que calma e profundidade esse manancial borbulhava em seu coração; sabia como a chama mais perigosa ardia em segurança sob o atento olho da razão; já havia visto essa chama se elevar em altas labaredas, o calor acelerado perturbar a corrente de sua vida em curso; já havia visto a razão reduzir tal rebeldia, transformando suas humildes faíscas em brasa. Confiava em Frances Evans, respeitava--a, e quando tomei seu braço e a guiei para fora do cemitério percebi um sentimento tão forte quanto a confiança, tão firme quanto o respeito e mais ardente que ambos: o amor.

– Bem, minha aluna – disse, quando o portão se fechou com um som sinistro a nossas costas. – Bem, eu a encontrei novamente. Um mês de busca pareceu longo, e não imaginei que encontraria minha ovelha perdida vagando entre os túmulos.

Nunca tinha me dirigido a ela sem chamá-la de *mademoiselle*, e ao fazê-lo adotei um novo tom, tanto para ela como para mim. Sua resposta me indicou que isso não contrariava nenhum de seus sentimentos nem produzia discordância alguma em seu coração.

– *Mon maître* – disse –, você se deu ao trabalho de me procurar? Não imaginei que se preocuparia com minha ausência, mas sofri amargamente por ter sido afastada de você. Lamentei essa circunstância, quando problemas mais angustiantes deveriam ter feito com que eu a esquecesse.

– Sua tia faleceu?

– Sim, há duas semanas, e com um pesar que não consegui afastar de seus pensamentos. Não parava de repetir, inclusive durante sua última noite entre nós: "Frances, você ficará sozinha e sem família depois que eu partir". Também desejava ser enterrada na Suíça, e fui eu quem a convenci a deixar as margens do Rio Leman, apesar de sua idade avançada, e vir para cá apenas para morrer, como parece ser o caso, nesta região plana de Flandres. Adoraria ter realizado sua última vontade e trasladado seu corpo para o nosso país, mas foi impossível, e fui obrigada a enterrá-la aqui.

– Suponho que tenha se adoentado há pouco tempo.

– Há apenas três semanas. Quando começou a piorar, pedi a *mademoiselle* Reuter que me concedesse uma licença para ficar em casa e cuidar dela, o que fez de bom grado.

– Então retornará ao internato? – perguntei avidamente.

– *Monsieur*, após uma semana que estava em casa, *mademoiselle* Reuter veio me visitar uma noite, depois que tinha colocado minha tia na cama. Entrou em seu quarto para vê-la e foi extremamente cortês e afável, como sempre. Depois, sentou-se comigo por um longo tempo, e assim que se levantou para ir embora disse: "*Mademoiselle,* lamento muito a sua partida do internato, mas de fato ensinou tão bem às suas alunas que elas realizam com muita habilidade as pequenas tarefas que você domina tão bem, que não necessitam de mais aulas. Minha segunda professora assumirá seu posto futuramente, ensinando às alunas mais novas da melhor maneira que consiga, apesar de ser claramente uma artista inferior a você. Sem dúvida, agora poderá ocupar uma posição mais alta e seguir a sua vocação. Estou certa de que encontrará diversas escolas e famílias dispostas a se beneficiar de seus talentos". E então me pagou o salário referente ao último trimestre. Perguntei, de uma maneira que ela sem dúvida considerou muito direta, se tinha a intenção de me demitir. Ela sorriu frente à falta de elegância de minhas palavras e respondeu que nossa relação como patroa e empregada tinha certamente terminado, mas que esperava conservar o prazer de minha amizade, porque a alegraria poder sempre me considerar como sua amiga, e então falou algo a respeito do excelente estado das ruas e de como durava o clima agradável, e partiu muito alegre.

Eu ri por dentro. Tudo aquilo era tão característico da diretora, tão parecido com a conduta que esperava dela e que tinha adivinhado; e lá estava a prova de que mentia, relatada por Frances sem que o soubesse: "Tinha perguntado o endereço a *mademoiselle* Henri por diversas vezes, ela sempre se furtou a dá-lo, etc., etc., etc.", e agora descobri que visitara a mesma casa cuja localidade havia jurado ignorar.

Quaisquer comentários que pudesse ter aventado fazer a respeito daquele relato foram interrompidos por gordas gotas de chuva, que salpicavam nosso rosto e caíam no caminho principal, e pelo murmúrio de uma tempestade distante que se aproximava. A clara ameaça implícita no ar estagnado e no céu cinza-escuro já havia me persuadido a tomar a estrada de volta para Bruxelas; apertei meu passo e o de minha companheira, e como íamos ladeira abaixo descemos rapidamente. Houve um intervalo depois que caíram os primeiros pingos, antes que a chuva pesada de fato começasse; ele nos deu o tempo necessário para que atravessássemos a Porte de Louvain e retornássemos à cidade.

– Onde mora? – perguntei. – Vou acompanhá-la até em casa.

– Rua Notre Dame aux Neiges – respondeu Frances. Não era longe da Rua de Louvain, de forma que chegamos aos degraus da entrada da casa antes que as nuvens, despedaçadas por grandes estrondos e cataratas de raios, se esvaziassem furiosas em uma forte tempestade.

– Entre! Entre! – disse Frances quando, após entrar, percebeu que vacilei em segui-la, mas suas palavras me fizeram decidir. Atravessei o umbral, fechei a porta para a tempestade, que desaguava e relampejava, e subi as escadas até seus aposentos. Nem ela nem eu estávamos molhados; o ressalto que existia sobre a porta havia nos protegido da chuva torrencial que desabava, de maneira que só as primeiras gotas nos atingiram – mais um minuto e não teria sobrado sequer um fio de cabelo seco.

Ao pisar em um pequeno tapete de lã verde, encontrei-me em um apartamento pequeno, com o piso pintado e um tapete verde quadrado no centro. Tinha poucos móveis, mas todos brilhavam e estavam extremamente limpos. A ordem reinava naqueles limites estreitos, uma ordem tamanha que tranquilizava minha alma meticulosa. E eu havia hesitado em entrar em sua casa, porque, apesar de tudo, suspeitava que o comentário de *mademoiselle* Reuter sobre sua extrema pobreza tivesse fundamento, e temia envergonhar a costureira entrando em sua casa inadvertidamente. O lugar poderia ser pobre, como na verdade o era, mas sua limpeza era melhor do que refinamento, e se houvesse apenas um pequeno fogo queimando naquela lareira bem-cuidada eu o consideraria mais atraente do que um palácio. Entretanto não havia fogo, e tampouco algum combustível para acendê-lo; a costureira não poderia se permitir a esse luxo, especialmente agora que, privada pela morte de sua única parente, dependia exclusivamente dos próprios recursos. Frances entrou em uma sala privada para tirar seu *bonnet*; quando voltou, era um modelo de esmero frugal, com seu vestido negro perfeitamente ajustado, delineando seu busto elegante e sua cintura fina, com seu colarinho alvo e imaculado ao redor de seu pescoço claro e bem formado, com seu abundante cabelo castanho repartido e penteado em faixas lisas ao lado das têmporas e presos atrás em uma trança grega; não usava nenhum adereço, nem broche, nem brinco nem fita; não necessitava deles; a perfeição de sua beleza, as proporções de sua figura e a graça em seus modos tomavam seu lugar com prazer. Ao retornar para a pequena sala de estar, seus olhos buscaram os meus, que, naquele momento, se detinham na lareira; soube que compreendeu imediatamente a tristeza e a dor complacente que o vazio gélido daquela lareira despertou em minha alma. Rápida para perceber, para decidir e ainda mais para colocar em prática, em um instante amarrou um avental holandês em sua cintura; então desapareceu, e voltou com uma cesta coberta; descobriu-a e retirou dali lenha e carvão, os quais arrumou habilmente em uma pilha compacta na lareira. "São suas únicas reservas, e vai esgotá-las por causa de sua hospitalidade", pensei.

– Que vai fazer? – perguntei. – Não me diga que vai acender o fogo em uma noite quente como esta? Eu vou sufocar.

– Acontece, *monsieur,* que estou com bastante frio desde que a chuva começou. Além disso, devo ferver água para o chá, pois tomo chá aos domingos, então o senhor será obrigado a tentar suportar o calor.

Pôs fogo em uma acendalha; a lenha logo começou a queimar. De fato, comparado com a escuridão e o violento tumulto da tempestade do lado de fora, aquela chama pacífica que começou a irradiar da lareira me pareceu muito encorajadora. O ronronar baixo vindo de algum canto anunciou que outro ser estava igualmente satisfeito com a mudança. Um gato preto, despertado de seu sono em um escabelo acolchoado, aproximou-se e esfregou a cabeça no vestido de Frances, que se abaixava; ela o acariciou, dizendo que ele era o favorito de sua *pauvre tante*[128] *Julienne.*

Com o fogo aceso, a lareira limpa e uma pequena chaleira de padrão muito antiquada, como me lembrei de ter visto em casas de fazenda muito antigas na Inglaterra, colocada sobre as chamas avermelhadas, Frances lavou as mãos e tirou o avental com rapidez; então abriu um armário e tirou dele uma bandeja, na qual logo dispôs um jogo de chá de porcelana, cujo padrão, forma e tamanho pareciam bem antigos; colocou uma pequena colher de prata igualmente antiquada em cada pires e um açucareiro. Também tirou do armário uma minúscula leiteira de prata, do tamanho de uma casca de ovo. Enquanto fazia esses preparativos, por acaso levantou os olhos e, percebendo a curiosidade em meu olhar, sorriu e perguntou:

– É como fazem na Inglaterra, *monsieur?*

– Como na Inglaterra há cem anos – respondi.

– Mesmo? Bem, tudo nesta bandeja tem pelo menos cem anos. Estas xícaras, estas colheres, esta leiteira são heranças de família. Minha bisavó deixou para minha avó, que, por sua vez, as deixou para minha mãe. Ela, então, as levou da Inglaterra para a Suíça e as deixou para mim. Desde pequena, penso que gostaria de levá-las de volta para a Inglaterra, de onde vieram.

Ela colocou alguns *pistolets* na mesa e preparou o chá como os estrangeiros o fazem, ou seja, na proporção de uma colher de chá para cada seis xícaras. Então, indicou-me uma cadeira e, depois que me acomodei, perguntou com uma espécie de exaltação:

– Isso fará com que se sinta em casa por alguns instantes?

– Se tivesse um lar na Inglaterra, acredito que sim – respondi; e, de fato, havia uma espécie de ilusão em ver aquela bela jovem de tez clara e aparência inglesa servindo o chá e falando em inglês.

– Então não tem uma casa? – comentou.

---

[128] Pobre tia. (N.T.)

– Não, nunca tive. Se em algum momento chegar a ter casa, deverá ser por meus meios, e essa tarefa ainda está para começar. – Enquanto falava, uma pontada, nova para mim, atingiu-me o coração. Era uma pontada de mortificação pela humildade da minha situação e pela insuficiência de meus recursos; com ela, surgiu também um desejo intenso de fazer mais, ganhar mais, ser mais, possuir mais; e, entre as novas posses, meu espírito inflamado e ansioso suspirava para incluir o lar que nunca tivera e a esposa que anteriormente havia prometido a mim mesmo que conquistaria.

O chá de Frances não era mais do que água quente, açúcar e leite; seus *pistolets,* com os quais não podia me oferecer manteiga, eram doces como maná para o meu paladar.

Terminado o chá, lavou e guardou seus preciosos objetos de prata e porcelana, limpou a mesa para que ficasse ainda mais lustrosa, alimentou *le chat de ma tante Julienne*[129] em um prato que era só dele e varreu da lareira as cinzas e alguma fuligem que tinha se espalhado. Por fim, sentou-se de frente para mim e demonstrou, pela primeira vez, certo constrangimento; não era de se admirar, pois, sem que me desse conta, de fato a tinha observado com intensa atenção, acompanhando todos os seus passos e movimentos com excessiva insistência, hipnotizado com a graça e vivacidade de suas ações, com a habilidade, limpeza e até efeito decorativo que resultava de cada toque de seus dedos longos e finos. Quando finalmente se aquietou, a inteligência de seu rosto pareceu-me bela e fixei-me nele. Entretanto, notei que se ruborizara em vez de se restabelecer com o repouso, pois seus olhos permaneceram baixos, embora eu continuasse esperando que os levantasse para que pudesse me aquecer no raio daquela luz que amava – uma luz em que o fogo se abrandava, em que o afeto amenizava o discernimento, em que, ao menos naquele momento, o prazer se entretinha com a reflexão. Como tais expectativas não foram atendidas, passei a suspeitar de que provavelmente era eu o culpado por minha decepção; precisava parar de fitá-la e começar a falar se quisesse quebrar o feitiço que a mantinha imóvel

[129] O gato da minha tia Julienne. (N.T.)

em seu assento. Então, recordando do efeito tranquilizador que meus tom e modos autoritários haviam produzido nela disse:

– Vá buscar seus livros de inglês, *mademoiselle*, pois a chuva ainda está forte e é possível que me prenda aqui por mais meia hora.

Liberada e aliviada, ela se levantou, pegou o livro e aceitou prontamente a cadeira que coloquei para ela ao meu lado. Escolheu o *Paraíso perdido*[130] em sua estante de clássicos, pensando, suponho, que o caráter religioso da obra seria mais adequado para um domingo. Pedi que começasse pelo início, e enquanto ela lia a invocação de Milton à musa celestial, que "do Orebe ou do Sinai no oculto cimo" ensinou o pastor hebreu sobre como, no ventre do caos, a concepção de um mundo se originou e amadureceu, eu desfrutei, impassível, do triplo prazer de tê-la perto de mim, de escutar sua voz (doce e agradável aos meus ouvidos) e de contemplar seu rosto de vez em quando. Deste último privilégio tirava proveito especialmente quando percebia falhas de entonação, pausa ou ênfase; desde que agisse de forma dogmática, também poderia olhá-la sem que ruborizasse.

– Já basta – eu disse, após a leitura de uma dúzia de páginas (uma tarefa laboriosa para ela, que lia devagar e pausava com frequência para perguntar alguma informação) –, já basta. Está parando de chover e logo devo partir.

De fato, olhei pela janela naquele momento e vi o céu límpido. As nuvens carregadas já tinham se dissipado e os raios do pôr do sol de agosto refletiam-se na treliça como rubis. Levantei e calcei as luvas.

– Não encontrou nenhum outro emprego depois que *mademoiselle* Reuter a despediu?

– Não, *monsieur*. Fui a inúmeros lugares, mas todos pedem minhas referências e, para ser sincera, não gostaria de pedi-las à diretora, porque acho que não agiu de maneira justa nem honrada comigo. Usou de meios escusos para colocar minhas alunas contra mim, tornando minha vida

[130] A obra canônica *Paraíso perdido (Paradise Lost)*, escrita por John Milton, foi publicada em 1667 em dez cantos. Trata-se de um poema épico sobre os anjos expulsos do Paraíso após provarem do fruto proibido; e aborda, portanto, os temas da origem humana segundo a cristandade, a rebelião e a queda dos anjos, a criação de Adão e Eva e os eventos que os levaram a ser expulsos do Paraíso e a promessa de uma redenção futura. (N.T.)

impossível durante o período em que trabalhei na escola, e finalmente me despediu com uma manobra hipócrita e dissimulada, fingindo que agia para o meu bem, quando, na verdade, tirava meu sustento em um momento de crise, no qual não apenas a minha vida, mas também a de outra pessoa, dependia do meu trabalho. Nunca voltarei a lhe pedir nenhum favor.

– E como pretende seguir adiante? Do que está vivendo?

– Ainda tenho meu ofício de costureira, que, tomando os cuidados necessários, evitará que eu morra de fome. E não duvido que, com algum esforço, encontrarei um emprego melhor. Faz apenas duas semanas que comecei a procurar; minha coragem e esperança ainda não se esgotaram.

– E se conseguir o que deseja, o que acontecerá? Qual é o seu objetivo final?

– Guardar o suficiente para cruzar o Canal da Mancha. A Inglaterra sempre foi minha Canaã.

– Bem, bem. Em breve a visitarei novamente. Boa noite – disse, e a deixei de maneira abrupta, pois lutava contra o impulso de me despedir de forma mais calorosa e expressiva. Haveria algo mais natural do que envolvê-la por um instante em um abraço apertado para dar um beijo em sua bochecha ou em sua testa? Eu não pedia demais, isso era tudo que queria fazer. Satisfeito, poderia ir embora contente; mas a razão me negou até mesmo essa alegria, ordenando-me que desviasse os olhos de sua face e os pés de sua casa, despedindo-me dela com a mesma aspereza e indiferença com que havia me despedido da velha madame Pelet. Obedeci, mas jurei com rancor que me vingaria. "Vou ganhar o direito de fazer o que quiser a respeito deste assunto ou morrerei tentando. Agora tenho apenas um objetivo: fazer com que aquela jovem de Genebra seja minha esposa, e ela será. Claro, desde que sinta por seu professor ao menos metade do apreço que ele sente por ela. E ela seria tão dócil, sorridente e feliz sob minhas instruções se não sentisse? Sentar-se-ia ao meu lado quando dito ou corrijo algo com um semblante tão plácido, satisfeito e tranquilo?" Porque já tinha observado que, por mais triste ou perturbada que parecesse estar quando eu entrava em uma sala, sempre que me aproximava, dirigia-lhe algumas palavras, dava-lhe algumas instruções ou a repreendia, ela prontamente se aconchegava em um poço de felicidade e levantava o olhar, serena e revitalizada. As reprovações eram as que surtiam mais efeito; enquanto eu a repreendia, apontava o lápis ou a caneta com um canivete, um pouco impaciente e irritada, defendendo-se com monossílabos, e quando a privava da caneta ou do lápis, temendo que acabasse com eles, e a proibia até da defesa monossilábica, visando aumentar um pouco mais sua exígua animação, ela por fim levantava os olhos e me olhava com uma doce alegria e um ar desafiante que, para ser sincero, despertava sentimentos totalmente novos para mim, e de certa forma (ainda que felizmente ela não o soubesse) me tornavam seu súdito ou até seu escravo. Depois de tais incidentes, conservava seu estado de ânimo por horas e, como já mencionei, deles adquiria seu sustento e vigor que, antes do falecimento de sua tia e de sua demissão, haviam mudado quase todo o seu ser.

Demorei um tempo considerável para escrever estas últimas frases, mas já tinha pensado em seu sentido geral no breve intervalo que levei para descer as escadas do apartamento de Frances. Só lembrei dos vinte francos que não havia devolvido quando abri a porta da rua, então me detive; era impossível levá-los comigo e difícil obrigá-la a aceitá-los. Já a tinha visto em sua humilde moradia, tinha testemunhado a dignidade de sua pobreza, o orgulho de sua ordem, o meticuloso cuidado de conservação, evidente na disposição e economia de seu pequeno lar. Estava certo de que não permitiria que suas dívidas fossem perdoadas, estava convencido de que não aceitaria esse perdão de ninguém, talvez menos ainda de mim. No entanto, aquelas quatro moedas de cinco francos eram um fardo para o meu amor-próprio, e precisava me livrar delas. Ocorreu-me um modo, desajeitado sem dúvida, mas o melhor que consegui pensar naquela situação. Corri escada acima, bati à porta e voltei a entrar no apartamento como se estivesse apressado.

– *Mademoiselle*, esqueci uma de minhas luvas. Devo tê-la deixado aqui.

Ela se levantou no mesmo instante para procurá-la. Quando se virou de costas para mim, eu, que já estava junto da lareira, levantei, sem fazer qualquer ruído, um pequeno vaso de um conjunto de enfeites de porcelana, tão antiquados como as xícaras de chá, coloquei as moedas debaixo dele e disse:

– Ah, aqui está a luva! Deixei-a cair no guarda-lume. Boa noite, *mademoiselle* – e parti pela segunda vez.

Por mais breve que tenha sido meu retorno improvisado, tive tempo suficiente para sentir um aperto no coração, pois notei que Frances já havia retirado as brasas de seu alegre fogo; forçada a calcular cada item, a economizar em cada detalhe, tão logo eu saí ela retirou um luxo caro demais para ser desfrutado sozinha.

"Que bom que ainda não é inverno", pensei, "mas em dois meses virão os ventos e as chuvas de novembro. Queira Deus que antes desta data eu já tenha conquistado o direito e a capacidade de alimentar essa lareira com carvão *ad libitum*[131]*!*"

O pavimento da rua já estava secando; uma brisa fresca e amena agitava o ar, purificado pelos raios. Senti o oeste atrás de mim, onde o céu se entendia como uma opala de azul-celeste e carmesim; o sol, ampliado em toda a glória do matiz púrpura de Tiro[132], já se perdia no horizonte. Andando para o leste, tinha à minha frente um aglomerado de nuvens, mas também um arco-íris perfeito, alto, amplo, brilhante. Contemplei por algum tempo; meus olhos apreciaram a cena, e suponho que meu cérebro deve tê-la absorvido, pois naquela noite, depois de passar muito tempo com uma febre agradável, observando os relâmpagos silenciosos que ainda brincavam entre as nuvens em retirada e que lançavam faíscas prateadas sobre as estrelas, finalmente adormeci, reproduzindo em meu sonho o sol poente, a massa de nuvens, o imponente arco-íris. Estava em um terraço, acho, e inclinei-me sobre o parapeito; debaixo de mim havia um abismo insondável, mas ao ouvir o rumor incessante das ondas, pareceu-me que era o mar, um mar que se estendia até o horizonte, de oscilações de verde

---

131 À vontade, a bel-prazer. (N.T.)

132 Cidade da antiga Fenícia, hoje Sur, no Líbano. Em poética, tom púrpura. (N.R.)

e azul intenso. Tudo era borrado pela distância, velado por uma fumaça. Uma centelha de ouro brilhou na linha entre a água e o ar, flutuou até mim, aumentando e mudando; o objeto ficou pendurado entre o céu e a terra, sob o arco-íris; as nuvens suaves, porém escuras, espalhadas ao fundo. Ele pairava como se tivesse asas; o ar perolado, felpudo e cintilante fluía ao seu redor como um vestido; a luz, tingida de rosa vivo, dava cor ao que parecia ser um rosto e membros; uma grande estrela reluzia com o brilho constante na fronte de um anjo; um braço e uma mão erguidos, resplandecentes como um raio, apontavam para o arco-íris acima, e uma voz em meu coração sussurrou:

"A esperança favorece aquele que se esforça!"

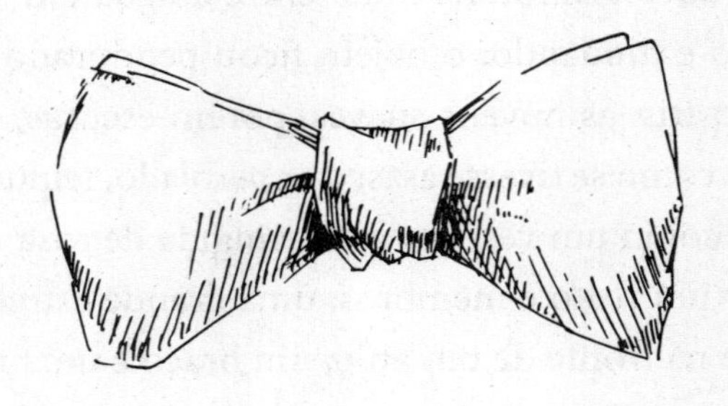

Capítulo 20

Meios de subsistência eram o que eu queria; era esse o meu objetivo, que estava decidido a alcançar, mas do qual nunca estive mais longe. Com agosto terminou o ano letivo *(l'année scolaire)*, concluíram-se os exames, entregaram-se os prêmios, os alunos se dispersaram, e as portas de todas as escolas e internatos se fecharam para serem reabertas apenas no início ou em meados de outubro. O último dia de agosto estava chegando, e qual era a minha situação? Tinha avançado minimamente desde o último trimestre? Ao contrário, havia retrocedido. Ao renunciar ao meu posto como professor de inglês no internato de *mademoiselle* Reuter, havia abdicado voluntariamente de vinte libras em minha renda anual, reduzindo-a de sessenta para quarenta libras por ano, e mesmo essa soma dependia de um emprego muito precário.

Já faz algum tempo que não faço qualquer menção a *monsieur* Pelet. Creio que o passeio ao luar foi o último incidente registrado nesta narrativa em que aquele cavalheiro teve um papel relevante. O fato é que, desde aquele evento, se operou uma mudança na natureza de nossa relação. Na verdade, ignorando que o silêncio da noite, a lua sem nuvens e uma janela aberta haviam me revelado o segredo de seu amor egoísta e de sua falsa amizade, ele continuava complacente e rasteiro como sempre. Eu, entretanto, tornei-me espinhoso como um porco-espinho e inflexível como uma clava de abrunheiro; não ria de suas bravatas, nunca tinha tempo para lhe fazer companhia; recusava invariavelmente seus convites para tomar café em seu gabinete, e o fazia com um tom sério e áspero; escutava suas alusões zombeteiras à diretora (que ele continuava fazendo) com uma calma severa, muito diferente do prazer petulante que elas costumavam provocar. Por um longo tempo, Pelet suportou meu comportamento reservado com muita paciência e até aumentou suas atenções; porém, percebendo que nem sua cortesia servil conseguia me abrandar ou comover, ele também mudou e esfriou. Seus convites cessaram, seu semblante se tornou desconfiado e sombrio, e li, no aspecto perplexo porém taciturno de sua fronte, o exame constante e a comparação de premissas, e o inquieto esforço para extrair dali conclusões que as explicassem. Creio que não demorou muito para fazê-lo, porque não lhe faltava sagacidade, e talvez *mademoiselle* Zoraide o tenha ajudado a solucionar o enigma. De qualquer forma, logo percebi que a incerteza da dúvida havia desaparecido de seus modos; renunciando a qualquer pretensão de amizade e cordialidade, ele adotou uma atitude reservada e formal, mas ainda escrupulosamente educada. Aquele era o ponto para o qual eu desejava levá-lo, e voltei a me sentir relativamente à vontade. É verdade que não gostava de minha posição em sua casa, mas, tendo me livrado do engodo de suas falsas manifestações e jogo duplo, pude suportá-la, especialmente porque nenhum sentimento heroico de ódio ou ciúme do diretor perturbou minha alma filosófica. Descobri que não tinha me ferido em um ponto muito sensível, pois a ferida cicatrizou com rapidez e de forma radical, deixando apenas um sentimento de desprezo pela forma traiçoeira com que me foi infligida e uma desconfiança permanente da mão que havia tentado me apunhalar pelas costas.

Essa situação continuou até meados de julho, e então houve uma pequena mudança. Uma noite, Pelet voltou para casa uma hora mais tarde do que seu horário habitual, em um estado de inequívoca embriaguez, o que era incomum, pois, se ele tinha alguns dos piores defeitos de seus conterrâneos, tinha também pelo menos uma de suas virtudes, a sobriedade. Entretanto estava tão bêbado naquela ocasião que, depois de ter acordado todos da casa (exceto os alunos, cujo dormitório ficava sobre as salas de aula em um edifício distinto da casa e, portanto, estavam a salvo de qualquer perturbação) ao tocar a campainha do salão com violência e ordenar que o almoço fosse trazido imediatamente, acreditando que era meio-dia apesar de os sinos da cidade terem acabado de anunciar meia-noite; depois de ter repreendido furiosamente as criadas pela falta de pontualidade e de estar prestes a ralhar com sua pobre e idosa mãe, que o aconselhou a ir para a cama, ele começou a esbravejar terrivelmente sobre *le maudit anglais, Creemsvort.*[133] Ainda não tinha me deitado, alguns livros alemães me mantiveram acordado até tarde; escutei o alvoroço no andar de baixo e pude distinguir a voz do diretor, exaltada de uma maneira igualmente terrível e inusitada. Entreabri a porta do meu quarto e ouvi que exigia que me levassem à sua presença, para que pudesse me cortar o pescoço sobre a mesa do salão e lavar a sua honra manchada, segundo ele, pelo infernal sangue britânico. "Está louco ou bêbado", pensei. "De qualquer modo, a velha e as criadas precisarão da ajuda de um homem." Então desci para o salão, onde o encontrei cambaleando e movendo os olhos de maneira frenética. Que bela imagem ele oferecia, um meio-termo exato entre a imbecilidade e a loucura.

– Venha, *monsieur* Pelet, é melhor que vá se deitar – disse, e segurei-o pelo braço. Sua excitação, claro, aumentou ao ver e ser tocado pelo indivíduo cujo sangue acabava de pedir. Lutou e golpeou com fúria, mas um homem bêbado não é páreo para um sóbrio; e mesmo que estivesse em seu estado normal, sua constituição frágil não teria chances contra a minha, mais saudável. Levei-o para cima e, após algum tempo, coloquei-o na cama. Durante todo esse processo, ele não deixou de proferir ameaças sobre a punição divina que, embora entrecortadas, faziam algum sentido; enquanto me estigmatizava como o protegido traiçoeiro de um país pérfido,

[133] O maldito inglês, Crimsworth. (N.T.)

anatematizava Zoraide Reuter, chamando-a de *femme sotte et vicieuse*[134] e dizendo que, em um acesso de capricho lascivo, ela havia se jogado nos braços de um aventureiro sem princípios, apelativo dirigido a mim em um furioso golpe oblíquo. Deixei-o enquanto pulava com agilidade da cama em que eu o havia colocado, mas, como havia tomado a precaução de trancar a porta depois que saí, retirei-me para meu quarto, convencido de teria sua custódia até a manhã seguinte e livre para tirar minhas conclusões a respeito da cena que acabara de presenciar.

A questão é que, mais ou menos naquela época, a diretora, incomodada com minha frieza, enfeitiçada por meu desprezo e exaltada pela preferência que suspeitava que eu sentia por outra, havia caído em sua própria armadilha e acabara presa nas redes da paixão com que tinha tentado me prender. Consciente de seus sentimentos, deduzi, pelo estado em que vi meu senhor, que sua amada havia lhe revelado a natureza de seu afeto – ou melhor, de sua inclinação, pois afeto é uma palavra demasiado calorosa e pura para ela –, deixando que visse que a cavidade de seu coração oco, esvaziada de sua imagem, era agora ocupada pela de seu professor. Não foi sem alguma surpresa que me vi obrigado a aceitar esse ponto de vista, posto que Pelet, com sua renomada escola, era um partido muito conveniente e proveitoso, e Zoraide, uma mulher tão calculista e interesseira que me perguntei se sua preferência pessoal teria sido capaz de se sobrepor, ao menos por um momento, aos seus interesses mundanos. Contudo, pelo que disse Pelet, era evidente que não apenas o tinha rejeitado, como também deixou escapar uma ou outra expressão que demonstrava sua predileção por mim. Uma de suas exclamações ébrias foi: "E essa mulherzinha está apaixonada pela sua juventude, seu idiota lerdo! E fala de seu porte nobre, como chama sua maldita formalidade inglesa, e de sua moral pura, francamente! *Des moeurs de Caton a-t-elle dit. Sotte!*[135]". Pensei que a diretora

[134] Mulher tola e perversa. (N.T.)

[135] Dos costumes de Catão*, ela disse. Estúpida!

* Referência ao político romano Marco Pórcio Catão Uticense (95 a.C. a 46 a.C.), também chamado de Catão, o Jovem, ou Catão de Útica, conhecido por sua inflexibilidade e integridade moral. (N.T.)

deveria ter uma alma curiosa que, apesar de uma forte tendência natural a apreciar as vantagens da posição social e da riqueza, foi marcada mais profundamente pelo desdém sardônico de um subordinado sem fortuna do que pelas lisonjas frequentes de um próspero *chef d'institution.* Sorri para mim mesmo; e é estranho dizer que, embora toda aquela conquista tenha suscitado emoções que não eram de todo desagradáveis para o meu amor-próprio, meus sentimentos mais elevados permaneceram intocados. No dia seguinte, quando vi *mademoiselle* Reuter procurando uma desculpa para me encontrar no corredor, querendo chamar minha atenção com uma expressão e comportamento de humildade e servilismo hilota[136], não pude sentir afeto e mal consegui me apiedar. Tudo que pude fazer foi responder rápida e secamente a alguma pergunta obsequiosa sobre a minha saúde e seguir caminhando com uma reverência severa. Sua presença e seus modos exerciam, como já o faziam e seguiriam fazendo por algum tempo, um efeito singular sobre mim: selavam tudo que era bom e provocavam tudo que era nocivo em minha natureza; algumas vezes debilitavam meus sentidos, mas sempre endureciam meu coração. Eu tinha consciência do prejuízo causado e debatia comigo mesmo por uma mudança. Sempre detestei os tiranos, e eis que a posse de uma escrava abnegada quase me transformou naquilo que eu mais abominava! Ao mesmo tempo, sentia uma espécie de vil satisfação por receber tal homenagem de uma adoradora atraente e ainda jovem, e uma sensação irritante de degradação no prazer dessa experiência. Quando me seguia com os passos silenciosos de uma escrava, sentia-me bárbaro e sensual como um paxá. Ora suportava sua homenagem, ora a rejeitava. Minha indiferença ou aspereza contribuíram na mesma proporção para aumentar o mal que eu desejava reprimir.

– *Que le dédain lui sied bien!* – ouvi a diretora dizer para uma mãe em certa ocasião. – *Il est beau comme Apollon quand il sourit de son air hautain.*[137]

---

[136] Escravos espartanos. (N.T.)

[137] – O desdém lhe cai bem! [...] É lindo como Apolo quando sorri com seu ar altivo. (N.T.)

A velha jovial deu risada e disse que achava que sua filha estava enfeitiçada, pois não via nenhuma beleza em mim além da minha postura ereta e do fato de eu não ter deformidades.

– *Pour moi* – acrescentou –, *il me fait tout l'effet d'un chant-huant, avec ses besicles.*[138]

Que velha digna! Teria sido capaz de beijá-la ali mesmo, se ela não fosse um tanto velha, gorda e vermelha demais. Suas palavras sensatas e verdadeiras pareciam tão moralmente sãs em comparação às mórbidas ilusões de sua filha.

Quando Pelet acordou na manhã seguinte ao seu ataque de fúria, não se lembrava de nada do que havia ocorrido na véspera e, por sorte, sua mãe foi discreta o suficiente para se abster de lhe contar que eu havia testemunhado sua degradação. Não voltou a afogar suas mágoas no vinho; porém, mesmo na sobriedade, mostrou que o ferrão do ciúme havia envenenado a sua alma. Como em qualquer francês, a natureza não havia omitido a característica nacional da ferocidade ao combinar os ingredientes de seu caráter; ela apareceu primeiro em seu ataque de fúria ébria, com demonstrações realmente diabólicas de ódio contra mim; depois, eram reveladas de forma velada, por contrações momentâneas em suas feições e pelas faíscas de fúria emitidas por seus olhos azuis, quando nossos olhares por acaso se cruzavam. Evitava falar comigo sempre que podia; fui poupado até de sua falsa cortesia. No estado em que estava nossa relação, minha alma se rebelava, às vezes, quase incontrolavelmente, contra ter de viver naquela casa e trabalhar para aquele homem, mas quem está livre das restrições impostas pelas circunstâncias? À época, eu não estava. Costumava me levantar todas as manhãs, impaciente para me livrar de seu jugo e partir com meu baú debaixo do braço – ainda que fosse um mendigo, seria um homem livre. No fim da tarde, quando voltei do *pensionnat de demoiselles,* certa voz agradável aos meus ouvidos; certo rosto tão inteligente e dócil, tão pensativo e suave, aos meus olhos; certo tipo de caráter ao mesmo tempo

[138] – Para mim [...] parece uma coruja com esses óculos. (N.T.)

orgulhoso e flexível, sensível e sagaz, sério e ardente, à minha cabeça; uma certa classe de sentimentos, fervorosos e modestos, refinados e práticos, puros e intensos, que deliciavam e perturbavam minha memória; visões de novos vínculos que desejava contrair, de novos deveres que ansiava cumprir, eliminavam o andarilho rebelde que havia em mim e mostravam a perseverança com que deveria suportar minha odiada sorte à luz de uma virtude espartana.

Mas a fúria de Pelet arrefeceu; duas semanas bastaram para que ela surgisse, aumentasse e se extinguisse. No mesmo período, haviam demitido a detestada professora da escola vizinha; nesse mesmo período eu havia declarado minha intenção de encontrar minha aluna e, depois de se negarem a me informar seu endereço, renunciei sumariamente ao meu próprio emprego. Esse último ato pareceu fazer com que *mademoiselle* Reuter recobrasse a razão; sua sagacidade e seu juízo, por tanto tempo enganados por uma ilusão que a tinha fascinado, retomaram o caminho certo assim que a ilusão desapareceu. Por caminho certo não me refiro à estrada íngreme e difícil do princípio, pois ela jamais a trilhou, e sim àquela estrada simples do bom senso, da qual havia se distanciado muito ultimamente. Uma vez nela, procurou cuidadosamente o rastro de seu antigo pretendente, *monsieur* Pelet, e, encontrando-o, seguiu-o com diligência. Ela logo o alcançou. De quais artifícios a diretora lançou mão para acalmá-lo e cegá-lo eu não sei, mas conseguiu aplacar sua ira e enganar seu discernimento, o que foi demonstrado pela alteração em seu semblante e em sua atitude. Ela deve ter conseguido convencê-lo de que eu não era, nem nunca tinha sido, seu rival, pois o período de sua fúria contra mim terminou em um acesso de extrema afabilidade e gentileza, mesclada com um toque de exultante autocomplacência, que era mais ridícula do que irritante. Pelet havia levado sua vida de solteiro no melhor estilo francês, com o devido desdém por limitações morais, e imaginei que sua vida de casado prometia ser igualmente francesa. Com frequência gabava-se do terror que havia causado a vários maridos de seu círculo de amizades; percebi que não seria difícil que o fizessem pagar na mesma moeda.

A crise seguiu seu curso. Tão logo começaram as férias, os preparativos para um evento importantíssimo se fizeram presentes por toda a casa: pintores, polidores e tapeceiros começaram a trabalhar imediatamente, e ouvia-se falar de *la chambre de madame* e *le salon de madame.*[139] Considerando pouco provável que a velha senhora que detinha tal título na casa naquele momento tivesse inspirado em seu filho um arroubo de devoção filial capaz de induzi-lo a reformar aqueles aposentos expressamente para seu uso, concluí, com o apoio da cozinheira, das duas criadas e da copeira, que uma nova e mais jovem madame estava destinada a ser a ocupante daqueles alegres aposentos.

Em pouco tempo foi feito o anúncio oficial do acontecimento: na outra semana, *monsieur* François Pelet, *directeur,* e *mademoiselle* Reuter, *directrice,* iriam se casar. *Monsieur* me comunicou do evento pessoalmente e, ao final, expressou o amável desejo de que continuasse, como era até então, seu ajudante mais capaz e amigo mais confiável, e me propôs um aumento salarial de duzentos francos ao ano. Eu agradeci, sem dar nenhuma resposta definitiva, e depois que ele saiu tirei o blusão, coloquei o casaco e saí para uma longa caminhada além da Porte de Flandre, para, disse a mim mesmo, recobrar o sangue-frio, acalmar os nervos e colocar meus pensamentos em ordem. Na verdade, acabara de receber o que era praticamente minha demissão. Não podia esconder, não desejava esconder de mim mesmo a convicção de que, estando confirmado que *mademoiselle* Reuter iria se tornar madame Pelet, eu não poderia continuar morando como subordinado na casa que logo seria dela. Naquela época, não faltava dignidade nem decoro em seu comportamento em relação a mim; mas eu sabia que seus antigos sentimentos não haviam mudado. O decoro os reprimia e a estratégia os mascarava, mas a oportunidade seria muito forte, e a tentação estremeceria suas restrições.

Eu não era nenhum santo, não podia me vangloriar de ser infalível. Em resumo, se eu ficasse, a probabilidade era de que, em três meses, a trama de

[139] O quarto de madame e o salão de madame. (N.T.)

um romance francês moderno estaria em curso sob o teto do desavisado Pelet. E romances franceses modernos não me agradam, nem na teoria nem na prática. Por mais limitada que tivesse sido minha experiência de vida até então, em uma ocasião havia tido a oportunidade de observar de perto um exemplo dos resultados que poderiam ser produzidos por uma interessante e romântica traição doméstica. Não havia nem um halo dourado de ficção em torno daquele exemplo; eu o vi como realmente era, e era execrável. Vi um espírito degradado pela prática do subterfúgio vil, pelo hábito do engano pérfido, e um corpo depravado pela influência contagiosa da alma corrompida pelo vício. Eu já tinha sofrido muito ao testemunhar forçada e prolongadamente tal espetáculo, mas não lamentava aquele sofrimento, pois sua mera lembrança era o melhor antídoto contra a tentação; ele gravara em minha mente a convicção de que o prazer ilegítimo, que viola o direito das outras pessoas, é ilusório e peçonhento: seu vazio o decepciona no ato, seu veneno o atormenta cruelmente depois, e seus efeitos o corrompem para sempre.

Considerando tudo isso, cheguei à conclusão de que devo deixar Pelet, e logo. "Mas", disse a prudência, "não sabe para onde ir nem do que viver"; e então o sonho do amor verdadeiro se apossou de mim: Frances Henri parecia estar ao meu lado, com sua esbelta cintura convidando meu braço e sua mão cortejando a minha. Senti que sua mão foi feita para se aninhar na minha; não podia abdicar do direito a ela, nem podia afastar meus olhos dos seus, onde via tanta felicidade, tanta correspondência entre cada coração, em cuja expressão eu exercia tanta influência, que podia atiçar a bem-aventurança, infundir admiração, produzir um profundo deleite, despertar um espírito cintilante e, às vezes, infundir um temor prazeroso. Minhas esperanças de querer e possuir, minha determinação de trabalhar e ascender, voltaram-se contra mim, e cá estava eu, prestes a me lançar no abismo da mais absoluta miséria. "E tudo isso", sugeriu minha voz interior, "por que você teme um mal que pode nunca chegar a acontecer!" "Isso vai acontecer, você sabe que vai!", respondeu aquela guardiã teimosa chamada consciência. "Faça o que achar certo; obedeça-me, e mesmo na penúria eu construirei para você um alicerce sólido." E então, enquanto caminhava apressado pela rua, surgiu dentro de mim a estranha ideia de um Ser Superior, invisível, mas onipresente, que em sua benevolência desejava apenas o meu bem-estar, e agora observava a luta que o bem contra o mal travavam em meu coração, esperando para ver se eu obedeceria a sua voz, presente nos sussurros de minha consciência, ou se daria ouvidos aos sofismas com os quais Seu inimigo e o meu – o Espírito do Mal – queria me desencaminhar. Turbulento e íngreme era o caminho indicado pela sugestão divina, enquanto o caminho verde pelo qual a tentação espalhou suas flores era uma descida coberta de musgo; mas pensei que, assim como a divindade do amor, amiga de tudo que existe, sorriria satisfeita se eu me preparasse para a luta e enfrentasse a subida árdua, a chama de triunfo na testa do demônio que odeia os homens e desafia Deus brilharia a cada tentativa de descer aquela encosta aveludada. Detive-me em seco e dei meia-volta; refiz meus passos rapidamente, e em meia hora estava uma vez mais na casa de *monsieur* Pelet. Procurei por ele em seu gabinete; uma negociação breve e uma explicação concisa bastaram; minha atitude demonstrava que estava decidido; talvez, no fundo, ele aprovasse minha decisão. Após vinte minutos de conversa, voltei ao meu quarto, privado por mim mesmo de meu meio de subsistência, condenado por mim mesmo a abandonar a casa em que vivia e com o curto prazo de uma semana para encontrar outra.

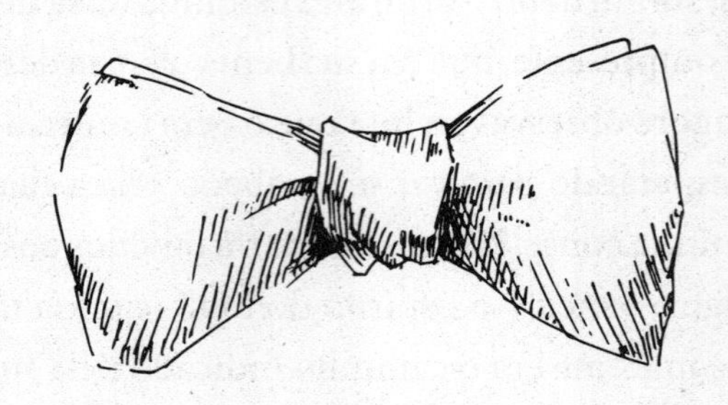

Capítulo 21

Tão logo fechei a porta do quarto, vi duas cartas sobre a mesa. Pensei que poderiam ser convites de familiares de alguns de meus alunos; já havia recebido tais demonstrações de atenção em outras ocasiões e, como não tinha amigos, outras correspondências mais interessantes eram impensáveis, de maneira que a chegada do carteiro nunca despertou meu interesse desde que havia chegado a Bruxelas. Coloquei minha mão sobre os papéis com indiferença e, olhando-os fria e lentamente, preparei-me para romper os lacres; então meus olhos e minhas mãos se detiveram; vi algo que me animou muito, como se tivesse encontrado uma imagem vívida quando esperava me deparar apenas com uma página em branco: um dos envelopes trazia um selo inglês e o outro, a letra clara e elegante de uma dama, que abri primeiro:

Monsieur,

Descobri o que você fez na manhã seguinte à sua visita. Seguramente, imaginou que eu tirava o pó das porcelanas todos os dias; e, como ninguém além do senhor esteve em minha casa naquela semana, e como aqui em Bruxelas as fadas não costumam deixar dinheiro por aí, não resta nenhuma dúvida sobre quem poderia ter deixado os vinte francos sobre a lareira. Pensei tê-lo ouvido mexer no vaso quando me abaixei para procurar a luva debaixo da mesa, e me perguntei se o senhor realmente achava que ela poderia estar em um recipiente tão pequeno. Bem, monsieur, *o dinheiro não é meu, e não ficarei com ele. Não o enviarei neste bilhete, pois pode se perder e, além disso, é pesado, mas irei devolvê-lo tão logo o veja novamente, e o senhor não deve impor qualquer dificuldade para recebê-lo, porque, em primeiro lugar, estou convencida de que pode compreender que as pessoas gostam de pagar suas dívidas, que é gratificante não dever nada a ninguém; e, em segundo lugar, agora posso me permitir o luxo de ser honesta, pois encontrei um emprego. Esta última circunstância é, na verdade, a razão de eu te escrever, pois é agradável comunicar boas notícias, e atualmente tenho apenas o meu professor para contar as coisas.*

Há uma semana, monsieur, *uma tal senhora Wharton, uma dama inglesa, enviou-me um recado para que fosse visitá-la; sua filha mais velha ia se casar, e um familiar rico havia lhe dado de presente um véu e um vestido de renda antiga e cara, tão valiosa como joias, segundo disseram, mas um pouco desgastada pelo tempo; então, encarregaram--me de cerzi-la. Tive de fazer o trabalho na casa dela e, além disso, deram-me alguns bordados para terminar, de modo que levei quase uma semana para concluir tudo. Enquanto trabalhava, a senhorita Wharton costumava entrar na sala e se sentar comigo, assim como a senhora Wharton. Faziam-me conversar em inglês, queriam saber onde aprendi a falar tão bem o idioma; logo perguntaram o que mais eu sabia, que livros tinha lido; em pouco tempo pareciam maravilhadas comigo, sem dúvida me considerando uma* grisette *erudita. Uma tarde, a senhora Wharton trouxe uma senhora parisiense para comprovar o nível dos meus conhecimentos de francês; o resultado foi que – provavelmente por causa do bom humor da mãe e da filha em consequência do casamento iminente, elas estavam inclinadas a fazer boas ações, e em parte, acho eu, porque são naturalmente boas pessoas – decidiram que o desejo que eu tinha manifestado, de fazer algo mais do que cerzir, era muito legítimo, e naquele mesmo dia me levaram em sua carruagem para ver a senhora D., que é a diretora da primeira escola inglesa de Bruxelas. Ao que parece, ela estava procurando uma senhorita francesa para dar aulas de Geografia, História, Gramática e Redação em francês. A senhora Wharton me recomendou efusivamente, e como duas de suas filhas mais novas são alunas da escola, seu apoio me garantiu o emprego. Ficou acordado que eu disponibilizaria de seis horas do dia (pois, felizmente, não era obrigatório que eu morasse na casa; eu certamente lamentaria ter de deixar meu apartamento) e, em troca, a senhora D. me pagará mil e duzentos francos ao ano.*

Portanto, como pode ver, monsieur, *agora sou rica, quase mais rica do que esperava ser. Sinto-me grata por isso, especialmente porque minha visão estava começando a ser prejudicada pelo trabalho constante com rendas finas, e eu também estava ficando cansada de ficar acordada até tarde da noite e, ainda assim, nunca ter tempo para ler ou estudar. Começava a temer que acabaria ficando doente e que não conseguiria pagar as contas; agora boa parte deste medo desapareceu; e na verdade,* monsieur, *dou graças a Deus por este alívio e sinto a necessidade de falar de minha felicidade para alguém que seja bondoso o suficiente para se alegrar com a felicidade dos outros. Por isso, não pude resistir à tentação de lhe escrever; disse para mim mesma que me seria muito agradável fazê-lo, e que para o senhor não seria exatamente doloroso lê-lo, ainda que possa ser cansativo. Não se zangue muito com minha circunlocução e a falta de elegância de minhas expressões, e acredite em mim.*

Sua afetuosa aluna,

F. R. Henri

Depois de ler essa carta, refleti alguns instantes sobre o seu conteúdo (posteriormente comentarei se os sentimentos suscitados foram agradáveis ou não) e então peguei a outra carta. Dirigia-se a mim em uma letra que não conhecia, pequena e bastante limpa, nem masculina nem exatamente feminina; o selo mostrava um brasão, e tudo que pude distinguir era que não pertencia à família Seacombe, o que significava que a epístola não poderia ser de nenhum de meus parentes aristocratas, os quais havia praticamente esquecido e que, sem dúvida, já haviam me esquecido por completo. De quem era, então? Tirei do envelope a carta dobrada, que dizia o seguinte:

Não tenho a menor dúvida de que está ótimo nessa Flandres gordurenta, provavelmente vivendo à custa desse untuoso país, sentado como um israelita de cabelos negros, pele morena e nariz longo perto dos potes de carne do Egito, ou como um filho malandro de Levi, perto dos caldeirões de bronze do santuário, onde de vez em quando mergulha o gancho consagrado para tirar do mar de caldo a capa de filé mais gorda ou o peito mais carnudo. Sei disso porque você nunca escreve para ninguém da Inglaterra. Ingrato! Graças à eficácia soberana de minha recomendação, consegui para você o lugar em que agora vive com tranquilidade, e nem assim recebo uma palavra de gratidão, nem sequer um reconhecimento. Porém logo vou visitá-lo, e nem imagina, com seu confuso cérebro aristocrático, o tipo de questão moral que já guardei em minha bolsa para lhe dar assim que chegar.

Enquanto isso, estou a par de todos os seus negócios, e acabo de saber, pela última carta de Brown, que está perto de contrair um vantajoso matrimônio com uma endinheirada professora belga, uma tal mademoiselle *Zenobia, ou algo assim. Vou dar uma bela olhada nela quando chegar! E pode ter certeza de que, se ela me agradar, se achar que vale a pena de um ponto de vista pecuniário, vou lançar-me sobre sua presa e levá-la triunfantemente, mesmo que você rosne para mim. Contudo não gosto de mulheres robustas, e Brown disse que ela é baixa e corpulenta; a mulher ideal para um sujeito magro e com cara de morto de fome como você. "Vigiai, pois, pois não sabeis o dia, tampouco a hora em que o...*"[140] *(não quero blasfemar, então vou parar aqui).*

Seu humilde servo,

Hunsden Yorke Hunsden

– Hum! – bufei enquanto abaixava a carta. Voltei a olhar para a caligrafia pequena e elegante, que não se parecia em nada com a de um homem mercantil e, a bem da verdade, com a de ninguém exceto do próprio Hunsden. Fala-se de semelhanças entre a letra e o caráter de uma pessoa. Quais semelhanças existiam aqui? Lembrei-me do rosto peculiar do remetente e de certos traços que suspeitava serem próprios de seu caráter, apesar de não poder afirmá-los com certeza, e respondi: – Muitas.

Então Hunsden estava vindo a Bruxelas, e eu não sabia quando; vinha com a expectativa de me encontrar no auge da prosperidade, prestes a me casar, a entrar em um ninho aquecido, a me deitar confortavelmente ao lado de uma parceira miúda e bem alimentada. "Espero que desfrute do retrato nada parecido com o que pintou", pensei. "O que dirá quando, em vez de um par de rolas roliças namorando carinhosamente em um caramanchão de rosas, encontrar um único e esquálido corvo-marinho no desolado pico da pobreza, sem companheira e sem abrigo? Maldito seja! Que venha e que ria do contraste entre o boato e o fato. Nem se ele fosse o diabo em pessoa, em vez de ser apenas parecido com ele, eu me rebaixaria a ponto de evitá-lo ou de fingir um sorriso ou uma palavra alegre para me esquivar de seu sarcasmo."

Voltei então para a outra carta, aquela que atingiu um acorde sensível cujo som não podia abafar nem tampando os ouvidos, pois vibrava dentro de mim e, embora sua melodia pudesse ser de uma música requintada, sua cadência era um gemido.

Fiquei muito feliz por saber que Frances deixou de ser pressionada pela necessidade e que foi liberada da maldição do excesso de trabalho; o

[140] Mateus 25:13 (trad. Bíblia do Rei James). (N.T.)

fato de que seu primeiro pensamento na prosperidade fora aumentar sua alegria compartilhando-a comigo satisfez o desejo de meu coração. Assim, dois dos efeitos provocados pela carta foram agradáveis, doces como dois goles de néctar; mas, ao levar o copo aos lábios pela terceira vez, eles foram escoriados como se tivessem tocado vinagre e fel.

Duas pessoas com desejos moderados podem viver bem o bastante em Bruxelas com uma renda que seria suficiente para manter, com alguma dificuldade, apenas uma pessoa em Londres; isso não está relacionado ao fato de as necessidades básicas serem muito mais caras nesta capital, ou de os impostos serem muito mais altos na outra, mas sim porque os ingleses superam em insensatez todas as outras nações desta Terra de Deus, e são escravos mais abjetos dos costumes, das opiniões e do desejo de manter as aparências do que os italianos do clero, os franceses da vanglória, os russos do czar e os alemães de sua cerveja preta. Notei certo sentido na modesta disposição de uma acolhedora casa belga que poderia causar vergonha a uma centena de distintas mansões inglesas por sua elegância, seus excessos, seus luxos e seu forçado refinamento. Na Bélgica, desde que se ganhe dinheiro, é possível economizá-lo, o que dificilmente acontece na Inglaterra; lá, esbanja-se em um mês o que se ganha em um ano. Que vergonha para todas as classes sociais de um país tão pródigo e miserável essa submissão servil à moda; poderia escrever mais de um capítulo sobre esse assunto, mas devo me abster, ao menos por enquanto. Se tivesse preservado minhas sessenta libras anuais, agora que Frances teria outras cinquenta, iria vê-la naquela mesma noite para dizer as palavras reprimidas que atormentavam meu coração; juntando nossas rendas e administrando-as como já fazíamos, teríamos o suficiente para subsistir, já que vivíamos em um país onde economia não era confundida com mesquinhez, onde a frugalidade no vestir, na alimentação e nos móveis não era sinônimo de vulgaridade. Mas o professor sem abrigo, desprovido de recursos e do apoio de pessoas influentes, não deveria nem pensar nisso; um sentimento como o amor e uma palavra como o casamento não tinham lugar em seu coração e em seus lábios. Pela primeira vez eu realmente soube o que era ser pobre, e o sacrifício que fizera ao rejeitar meus meios de subsistência ganhou um novo aspecto: em vez de um ato correto, justo e honrado, pareceu-me apenas frívolo e fanático. Andei em círculos no quarto, ardendo no mais pungente remorso; foram quinze minutos da parede até a janela; e, na janela, a autocensura parecia me encarar; na parede, o autodesprezo. De repente, a consciência se manifestou:

"Afastem-se, estúpidos torturadores!", gritou. "Este homem cumpriu com seu dever; não devem acossá-lo desta forma com pensamentos sobre o que poderia ter sido. Ele renunciou a um bem temporário e contingente para evitar um mal certo e permanente, e fez bem. Agora deixem-no refletir, e quando baixar a poeira do rastro de vocês dois, e o seu zumbido ensurdecedor se extinguir, ele descobrirá o caminho."

Sentei-me e apoiei a testa nas mãos; pensei por uma, duas horas... em vão. Eu era como um indivíduo preso em uma catacumba subterrânea, que contempla a escuridão absoluta – uma escuridão causada por muros de pedra com um metro de espessura e diversas construções acima – esperando que a luz atravesse o granito e o cimento, tão duro como o granito. Mas mesmo na construção mais bem feita há, ou pode haver, fendas; e também em minha cela cavernosa havia uma, pois finalmente eu vi, ou parecia ver, um raio – pálido, é verdade, e frio e vacilante –, mas ainda assim um raio, que me mostrou o caminho estreito que a consciência havia prometido; após passar duas ou três horas exaustivamente investigando meu cérebro e minha memória, desenterrei certos vestígios de circunstâncias e concebi a esperança de que, colocando-os juntos, formaria um recurso e encontraria um remédio. Resumidamente, as circunstâncias encontradas foram estas:

Há cerca de três meses, por causa de sua festa, *monsieur* Pelet fez um agrado aos alunos, convidando-os para uma excursão a um balneário público nas cercanias de Bruxelas, cujo nome não me lembro neste momento, mas havia vários lagos pequenos ao redor dele, conhecidos como *étangs;* e havia um *étang,* maior que os demais, onde as pessoas costumavam se divertir nas férias remando em pequenos botes. Depois de ingerir uma quantidade ilimitada de *gaufres*[141] e de tomar várias garrafas de cerveja de Louvain entre as sombras de um jardim feito para tais aglomerações, os meninos pediram permissão ao diretor para remar no bote. A autorização foi concedida à meia dúzia dos mais velhos, e eu fui encarregado de acompanhá-los e vigiá-los. Entre eles estava certo Jean Baptiste Vandenhuten, um jovem flamengo extremamente chato; não era alto, mas aos 16 anos já tinha o porte e a corpulência de um autêntico exemplar nacional. Por acaso, Jean foi o primeiro rapaz a entrar no bote; tropeçou e rolou para o lado; a embarcação se inclinou com o seu peso e emborcou. Vandenhuten afundou como pedra, emergiu e afundou de novo. Em um instante tirei o casaco e o colete; não em vão, fui criado em Eton, onde havia remado e nadado por dez anos, de modo que pular para resgatá-lo foi um ato natural, um simples reflexo. Os rapazes e o barqueiro gritaram, pensando que haveria duas mortes por afogamento em vez de uma; porém, quando Jean emergiu pela terceira vez, agarrei-o pela perna e pelo colarinho e em três minutos nós dois estávamos sãos e salvos na margem do lago. Com toda sinceridade, meu mérito nessa ocorrência foi realmente pequeno, pois não corri nenhum risco nem sequer me resfriei depois. Mas quando *monsieur* e madame Vandenhuten, de quem Jean Baptiste era o único filho, souberam da façanha, pareceram pensar que eu demonstrara tamanha bravura e devoção pelos quais nunca conseguiriam me agradecer o suficiente. Madame, em particular, estava "certa de que devia gostar muito de seu adorado filho, ou não teria arriscado a própria vida para salvar a dele". *Monsieur,* um homem de aparência honrada e fleumática, falava muito pouco, mas não permitiu que eu me retirasse sem antes prometer que recorreria a ele caso precisasse de ajuda, para que tivesse a chance de pagar a dívida que, segundo afirmou, havia contraído comigo. Essas palavras foram meu raio de luz e nelas encontrei minha única saída, mas é verdade que, embora aquela luz fria tenha me animado, não me alegrou; tampouco me atraiu a saída que me ofereceram. Não tinha nem um direito aos bons ofícios de

[141] *Waffles*. (N.T.)

monsieur Vandenhuten, não podia recorrer a ele pelos meus méritos; não, teria que ser por necessidade: estava desempregado, queria trabalhar e a melhor oportunidade de conseguir emprego era obtendo sua recomendação. Sabia que poderia consegui-la se pedisse; e se não o fizesse, seria porque tal atitude repugnava meu orgulho e ia contra meus hábitos, estaria me submetendo a escrúpulos falsos, fastidiosos e indolentes. Poderia me arrepender de tal omissão até o fim da vida; e não quis carregar essa culpa.

Naquela mesma noite fui à casa de *monsieur* Vandenhuten; contudo, havia puxado o arco e ajustado a flecha em vão, e a corda se rompeu. Toquei a campainha da grande porta (era uma bela mansão em uma zona abastada da cidade); um criado abriu, e perguntei por seu senhor; *monsieur* Vandenhuten e família estavam fora da cidade, tinham ido a Ostende e não sabia quando voltariam. Deixei meu cartão e dei meia-volta.

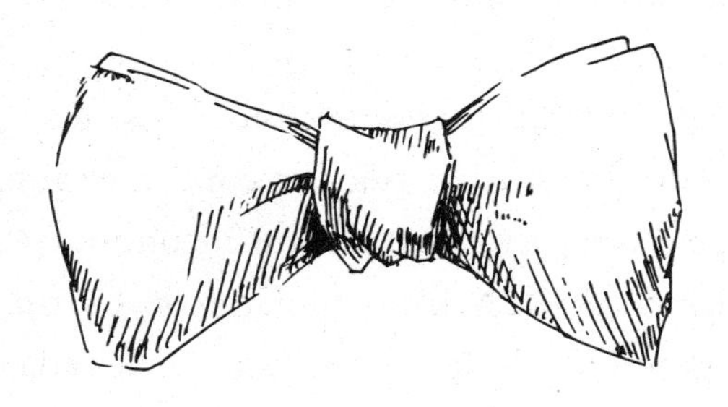

Capítulo 22

Uma semana se passou e *le jour des noces*[142] chegou. O casamento foi celebrado em Saint Jacques; *mademoiselle* Reuter se tornou madame Pelet, nascida Reuter; e, cerca de uma hora depois dessa transformação, "o feliz casal", como dizem os jornais, estava a caminho de Paris, onde, segundo as notícias, passariam a lua de mel. No dia seguinte deixei o internato. Eu e meus pertences (alguns livros e roupas) logo nos mudamos para um modesto alojamento que havia alugado em uma rua não muito longe. Em meia hora já tinha arrumado as roupas em uma cômoda e meus livros em uma estante; uma mudança rápida. Não teria ficado infeliz naquele dia se não fosse por uma pontada que me torturava: o desejo de ir à Rua Notre Dame aux Neiges reprimido, mas também compelido pela resolução de evitar aquela rua até que a neblina da incerteza se dissipasse do meu futuro.

Era uma noite agradável de setembro, muito amena e calma; eu não tinha nada para fazer; sabia que, àquela hora, Frances também estaria livre de suas ocupações, e pensei que talvez desejasse ver seu professor da mesma

[142] O dia do casamento. (N.T.)

forma que eu desejava ver minha aluna. A imaginação começou a falar em sussurros, infundindo em minha alma uma doce história de prazeres do que poderia acontecer.

"Você a encontrará lendo ou escrevendo", disse ela. "Poderá se sentar ao seu lado; não deve perturbar sua paz com uma animação excessiva, nem a constranger com gestos ou palavras incomuns. Aja como sempre, examine o que ela escreveu, escute-a enquanto lê, corrija-a ou mostre sua aprovação com tranquilidade; já conhece o efeito de cada método; conhece o seu sorriso de satisfação, o jogo de seus olhares quando se inflama; sabe o segredo para provocar a expressão que quiser, e depois escolher entre sua prazerosa variedade. Ao seu lado, ela preservará o silêncio até que você julgue conveniente começar a falar; pode controlá-la com um poderoso feitiço: apesar de sua inteligência, de quão eloquente ela possa ser, você pode selar seus lábios e velar com acanhamento seu animado semblante; contudo sabe que ela não é de uma docilidade monótona; pode ver, com uma espécie de estranho prazer, a rebeldia, o desprezo, a austeridade e a amargura reivindicarem com vigor um lugar em seus sentimentos e em sua fisionomia; sabe que poucas pessoas poderiam conduzi-la como você; que ela poderia desmoronar, mas nunca se submeter ao jugo da tirania e da injustiça; que a razão e o afeto podem guiá-la de acordo com sua indicação. Experimente sua influência agora. Vá; não são paixões, você pode lidar com eles perfeitamente."

"Não vou", respondi a doce tentação. "Um homem é senhor de si mesmo até certo ponto, mas não além. Poderia visitar Frances esta noite, sentar-me a sós com ela em uma sala silenciosa e dirigir-me a ela apenas na linguagem da razão e do afeto?"

"Não", foi a réplica breve e veemente daquele amor que havia me vencido e agora me dominava.

Parecia que o tempo tinha parado; o sol não terminava de se pôr; meu relógio fazia barulho, mas seus ponteiros pareciam paralisados.

– Que noite quente! – exclamei, abrindo a janela, pois eram raras as ocasiões em que havia me sentido tão febril. Ouvi os passos que subiam pela escada comum e me perguntei se o *locataire*[143] que subia para seu apartamento sentia igual perturbação no corpo e na alma ou se vivia com a tranquilidade de certos recursos e a liberdade de sentimentos desimpedidos. Para minha surpresa, quem subia parecia vir pessoalmente para resolver esse dilema proposto por meus pensamentos inaudíveis; ele de fato bateu na porta, na minha porta, com golpes rápidos e secos, e quase antes que pudesse convidá-lo a entrar, já havia entrado e fechado a porta atrás de si.

– E como você está? – perguntou meu visitante em inglês, com uma voz baixa e indiferente, enquanto deixava seu chapéu sobre a mesa e as luvas no chapéu, sem alvoroço nem preâmbulo; e, puxando a única poltrona do aposento, acomodou-se tranquilamente. – Não consegue falar? – perguntou após alguns instantes, em um tom cuja despreocupação parecia indicar que daria na mesma se respondesse que sim ou não.

O fato é que achei oportuno recorrer aos meus bons e velhos amigos *les besicles*[144], não exatamente para averiguar a identidade de meu visitante, pois já o havia reconhecido com sua maldita insolência, mas para ver seu aspecto e ter uma ideia clara de sua expressão e de seu semblante. Limpei os óculos bem lentamente e os coloquei com a mesma vagareza, ajustando-os para que não machucassem a ponta do meu nariz e para evitar que se emaranhassem nos meus curtos cabelos escuros. Eu havia me sentado no assento da janela, de costas para a luz, e podia ver seu rosto – situação que ele haveria invertido de bom grado, pois sempre preferia examinar a ser examinado. Sim, sem dúvida era ele, sentado com seu um metro e oitenta de altura, com seu *surtout*[145] escuro de viagem com gola de veludo, suas calças cinza, seu lenço preto ao redor do pescoço como um dândi e seu rosto, o mais original que a natureza havia modelado, embora também fosse o mais discreto: não havia nenhuma característica que pudesse ser considerada marcada ou ímpar, ainda que o efeito do conjunto fosse único.

[143] Inquilino. (N.T.)
[144] Os óculos. (N.T.)
[145] Sobretudo. (N.T.)

De nada adianta tentar descrever o indescritível. Sem pressa em me dirigir a ele, segui contemplando-o a meu bel-prazer.

– Ah, o seu jogo é esse, então? – disse ele finalmente. – Bem, veremos quem se cansa primeiro – e lentamente tirou uma elegante charuteira, selecionou um charuto, acendeu-o, pegou um livro da estante mais próxima, recostou-se e começou a fumar e a ler com tamanha calma como se estivesse em seu gabinete, na Rua Grove em X, Inglaterra. Eu sabia que ele poderia continuar daquela maneira até meia-noite se quisesse, então me levantei, peguei o livro de suas mãos e disse:

– Não pediu permissão, então não poderá lê-lo.

– É besta e chato – observou –, então não é uma grande perda. – Quebrado o gelo, continuou: – Achei que morasse na casa de Pelet. Fui lá esta tarde, esperando morrer de fome sentado na sala de um internato, mas disseram que você foi embora nesta manhã. Contudo deixara seu novo endereço, o que achei estranho. Foi uma precaução mais prática e sensata do que esperava de você. Por que partiu?

– Porque *monsieur* Pelet acabou de se casar com a senhora que você e o senhor Brown me haviam designado como esposa.

– Ah! – exclamou Hunsden, dando uma breve risada. – De modo que perdeu a esposa e o emprego ao mesmo tempo?

– Exatamente.

Percebi que ele deu uma olhada rápida e furtiva pelo quarto; observou seus estreitos limites e sua mobília escassa; rapidamente compreendeu a situação e me absolveu do crime da prosperidade. Tal descoberta produziu um efeito curioso em sua mente estranha; estou moralmente convencido de que, se tivesse me encontrado instalado em um belo gabinete, recostado em um sofá confortável ao lado de minha bela e rica esposa, teria me odiado; nesse caso, uma visita breve, fria e desdenhosa teria sido o limite extremo de sua civilidade, e não voltaria a se aproximar de mim enquanto a maré da fortuna me levasse calmamente em sua superfície; contudo os móveis pintados, as paredes nuas e a triste solidão de meu quarto amenizaram seu orgulho rígido, suavizando de alguma maneira inexplicável sua voz e expressão antes que voltasse a falar.

– Não tem outro emprego?

– Não.

– Está prestes a conseguir um?

– Não.

– Isso não é bom. Recorreu a Brown?

– Certamente não.

– Pois deveria. Ele costuma ter informações úteis sobre esse assunto.

– Já me ajudou muito em uma ocasião. Não tenho direito de lhe pedir nada nem tenho vontade de incomodá-lo novamente.

– Ah, se você é tímido e teme ser impertinente, basta que o peça a mim. Eu o verei esta noite; posso intervir a seu favor.

– Eu imploro que não o faça, senhor Hunsden. Já tenho uma dívida com o senhor; fez-me um favor imenso quando estava em X, tirou-me do antro em que estava morrendo. Ainda não lhe paguei o favor e, no momento, recuso-me terminantemente a adicionar mais um item a essa conta.

– Se o vento sopra dessa forma, dou-me por satisfeito. Sabia que minha imensa generosidade em fazer com que o expulsassem daquela maldita oficina de contabilidade ainda seria reconhecida. "Distribua com generosidade o teu pão como se o atirasse sobre as águas, e depois de algum tempo o receberás de volta"[146], já dizem as Escrituras. Sim, isso mesmo, rapaz, me valorize como mereço! Não há ninguém igual. Nesse ínterim, deixando de lado toda essa baboseira, falemos por um momento com sensatez: sua situação melhoraria muito e, além disso, é um tolo se recusar o que lhe oferecem.

– Muito bem, senhor Hunsden. Agora que já deixou claro esse ponto, falemos de outra coisa. Quais são as notícias de X?

– Ainda não encerrei esse assunto; ao menos, temos que falar de outro antes de conversarmos sobre X. Essa senhora Zenobie – Zoraide, corrigi –, bem, Zoraide, realmente se casou com Pelet?

[146] Eclesiastes 11:1 (Bíblia do Rei James). (N.T.)

– Já disse que sim. E se não acredita em mim, vá até Saint Jacques e converse com o pároco.

– E seu coração está partido?

– Não que eu saiba. Está ótimo, bate como de costume.

– Então seus sentimentos são menos refinados do que imaginei. Deve ser um homem rude e insensível para suportar tamanho golpe sem cambalear.

– Cambalear, eu? Que diabos poderia me fazer cambalear a respeito do casamento de uma professora belga com um professor francês? Sua prole será um híbrido estranho, sem dúvida, mas esse problema é deles, e não meu.

– Faz piadas grosseiras, e isso porque a noiva era sua prometida!

– Quem disse isso?

– Brown.

– Vou lhe dizer uma coisa, Hunsden: Brown é um velho mexeriqueiro.

– Ele é; mas, se o mexerico não se baseava em fatos, se você não tinha nenhum interesse especial pela senhorita Zoraide, por que, meu jovem pedagogo, por que deixou seu trabalho quando ela se tornou madame Pelet?

– Porque... (senti meu rosto ficar ligeiramente quente) porque, em resumo, senhor Hunsden, me recuso a responder a mais perguntas – disse, enfiando as mãos nos bolsos da calça.

Hunsden triunfara; seus olhos e sua risada anunciavam sua vitória.

– De que diabos está rindo, senhor Hunsden?

– Do seu recato exemplar. Bem, rapaz, não vou mais incomodá-lo. Já entendi o que aconteceu. Zoraide o abandonou para se casar com alguém mais rico, como qualquer mulher com um pouco de juízo teria feito.

Não repliquei; ele que pensasse o que quisesse. Não me sentia inclinado a lhe explicar a verdade e muito menos a inventar uma mentira, mas não era fácil enganar Hunsden; meu silêncio, em vez de convencê-lo de seu acerto, parecia deixá-lo em dúvida. Ele continuou:

– Suponho que o assunto tenha se dado como sempre ocorre entre pessoas racionais: você ofereceu a ela a sua juventude e seus talentos, sejam quais forem, em troca de sua posição e dinheiro. Não creio que tenha levado em conta o físico, ou o que chamam de amor, porque entendi que é mais velha do que você e, segundo Brown, mais sensata do que bonita. Por isso, não tendo uma oferta melhor, a princípio se sentiu inclinada a aceitar sua proposta, mas aí apareceu Pelet, diretor de uma escola em ascensão, com uma oferta mais alta. Ela aceitou e ele levou o prêmio em uma transação absolutamente correta, comercial e legítima. E agora falemos de outra coisa.

– Sim – repliquei, feliz por mudar de assunto e principalmente por ter despistado meu sagaz interrogador (isso se de fato o tivesse feito, porque, embora suas palavras se afastassem daquele assunto complicado, seus olhos penetrantes e atentos pareciam ainda preocupados com aquela ideia).

– Você quer saber notícias de X? Que interesse poderia ter em X? Não deixou nenhum amigo lá, pois não fez nenhum. Ninguém nunca pergunta por você, nem homem nem mulher; e se menciono seu nome para os outros, os homens me olham como se estivesse falando de Preste João[147], e as mulheres parecem zombar de você secretamente. Nossas beldades de X não parecem gostar de você. O que fez para ganhar a antipatia delas?

– Não sei. Raramente falava com elas; não significavam nada para mim. Considerava-as apenas como algo a ser contemplado a distância; muitas vezes seus vestidos e rostos eram agradáveis aos olhos, mas não entendia sua conversa nem conseguia ler seu semblante. Quando escutava fragmentos do que diziam, não conseguia entender muita coisa; e o movimento de seus lábios e olhos não me ajudava em nada.

– Isso foi culpa sua, não delas. Existem muitas mulheres bonitas e sensatas em X, com as quais vale a pena conversar, o que faço com prazer. Mas você não tinha nem tem uma conversa agradável, não há nada em você que induza uma mulher a ser afável. Já o observei perto da porta em um salão cheio de pessoas, disposto a escutar, mas não a falar; a observar, mas não a entreter; parecendo friamente inibido no começo de uma festa, desconcertantemente vigilante no meio e insultantemente cansado no final. Você

[147] Legendário soberano cristão do Oriente, Preste João detinha funções de patriarca e de rei. Tornou-se muito popular em crônicas medievais, pois instigava a imaginação de aventureiros como Marco Polo. Era conhecido como um homem virtuoso e um governante generoso. (N.T.)

acha que essa é a maneira de parecer simpático ou de despertar interesse? Não, se você é impopular, é porque merece.

– Concordo! – vibrei.

– Não, você não está de acordo. Vê a beleza lhe dando as costas, se sente humilhado e depois a olha com desdém. Estou convencido de que tudo que é desejável nesta vida, riqueza, reputação, amor, sempre será para você como as uvas maduras no topo da treliça: vai olhá-las do chão, e elas provocarão a luxúria dos seus olhos, mas estarão sempre fora do seu alcance; você não terá a iniciativa de pegar uma escada, e irá embora dizendo que estão azedas.

Por mais mordazes que tais palavras pudessem ter sido em outras circunstâncias, não chegaram a me ferir. Minha vida tinha mudado; tive diversas experiências desde que deixei X, mas Hunsden não poderia saber disso; ele havia me visto apenas no papel de escrivão do senhor Crimsworth, um subordinado entre desconhecidos abonados, que recebia o desdém com uma fachada dura, consciente de sua aparência antissocial e pouco atraente, que se recusava a reclamar por atenção pois sabia que duraria pouco, que não queria demonstrar uma admiração que certamente seria desprezada por seu pouco valor. Ele não poderia saber que, desde então, a juventude e a beleza haviam sido meus objetos do meu dia a dia, que as havia estudado à vontade e de perto, nem que havia visto a textura feia da verdade sob o bordado das aparências; tampouco poderia, apesar de sua perspicácia, penetrar em meu coração e examinar meu cérebro em busca de minhas simpatias e de minhas aversões peculiares; não me conhecia há tempo suficiente ou suficientemente bem para perceber como meus sentimentos haviam diminuído sob certas influências, poderosas sobre a maioria das pessoas, nem até que ponto se exaltariam ou com quanta rapidez o fariam sob outras que talvez exercessem uma força maior sobre mim, precisamente porque agiam apenas sobre mim. Ele também não poderia suspeitar nem por um instante que minha história com *mademoiselle* Reuter, secreta para ele e para todos, era a história de sua estranha paixão; apenas eu havia escutado suas lisonjas e testemunhado suas artimanhas, e só eu as conhecia, mas elas me mudaram, pois me mostraram que eu era capaz de impressionar alguém. Havia um segredo ainda mais doce, terno e forte aninhado no fundo do meu coração, que atenuou o veneno do sarcasmo de Hunsden e impediu que me curvasse de vergonha ou que cedesse à ira. Mas não podia dizer nada disso; nada decisivo, ao menos; a incerteza selou meus lábios e, durante o silencioso intervalo em que me limitei a responder a ele, decidi permitir por um momento que me julgasse mal, como de fato o fez. Hunsden pensou ter sido muito duro comigo e achou que havia me esmagado com o peso de suas censuras; assim, para me tranquilizar, disse que sem dúvida algum dia eu me remendaria; que ainda estava na flor da idade; que, como felizmente não me faltava bom senso, cada passo em falso que eu desse seria uma boa lição.

Só então virei meu rosto ligeiramente em direção à luz. A aproximação do crepúsculo e minha posição no assento da janela haviam impedido que Hunsden estudasse meu semblante nos últimos dez minutos. Contudo, quando me mexi, ele captou uma expressão que interpretou assim:

– Ora, ora! E essa arrogância aprovadora do rapaz? Achei que estaria prestes a morrer de vergonha, e lá está ele, com um imenso sorriso estampado na cara, como se dissesse "Deixe o mundo girar quanto quiser; tenho minha pedra filosofal no bolso e o elixir da vida no meu armário. Não dependo do destino nem da fortuna!".

– Hunsden, você falou de uvas... Eu estava pensando em uma fruta de que gosto muito mais do que suas uvas de estufa de X. Trata-se de uma fruta única, silvestre, que já marquei como minha e que espero um dia poder colher e provar. De nada adianta que me ofereça um copo de fel, ou que ameace me matar de sede; já sinto a doçura dessa fruta em minha boca e o frescor da esperança nos lábios, de modo que consigo rejeitar o desagradável e suportar o esgotamento.

– Por quanto tempo?

– Até que tenha uma nova oportunidade para o esforço, e quando o prêmio da vitória for um tesouro que me interesse. Aí sim, lutarei com a força de um touro.

– A má sorte recai sobre os touros e sobre as ameixas silvestres, e creio que a fúria o persegue; nasceu com uma colher de pau na boca, pode acreditar.

– Eu acredito, e pretendo usar minha colher de pau para fazer o trabalho feito por colheres de prata. Se a segurar com firmeza e a manejar com agilidade, até mesmo ela será capaz de extrair o caldo.

– Entendo – disse ele, levantando-se. – Suponho que você seja uma dessas pessoas que amadurecem mais e agem melhor quando estão sozinhos. Faça como quiser. Agora devo ir – e, sem dizer mais nada, movimentou-se para sair. Quando estava perto da porta, ele acrescentou: – Crimsworth Hall foi vendido.

– Vendido! – repeti.

– Sim. Você sabe, é claro, que seu irmão foi à falência há três meses.

– Quê? Edward Crimsworth?

– Ele mesmo. E sua esposa voltou para a casa dos pais. Quando seus negócios começaram a dar errado, seu temperamento foi pelo mesmo caminho e começou a maltratá-la. Eu disse que um dia ele também exerceria sua tirania sobre ela. E quanto a ele…

– Sim, e o que aconteceu com ele?

– Nada demais, não precisa se alarmar. Esteve sob a custódia do tribunal; chegou a um acordo com seus credores e passou dez dias preso. Depois de seis semanas, estabeleceu-se novamente, persuadiu sua mulher para que voltasse e agora floresce como um pé de louro.

– Ele chegou a vender a mobília de Crimsworth Hall?

– Absolutamente tudo, do piano de cauda ao rolo de pão.

– E os objetos da sala de jantar, também foram vendidos?

– Claro! Por que os sofás e as cadeiras daquela sala seriam mais intocáveis do que de qualquer outro?

– E as imagens?

– Que imagens? Até onde sei, Crimsworth não possuía nenhuma coleção especial, e tampouco se declarou um amante da arte.

– Havia dois retratos, um em cada lado da lareira. Não é possível que os tenha esquecido, senhor Hunsden. Em uma ocasião, conversamos sobre o da mulher.

– Ah, sim! A dama de rosto fino vestida com um xale. Naturalmente o venderiam com as outras coisas. Se fosse rico, poderia tê-lo comprado, pois, agora que recordo, lembro-me de que você havia dito que aquele era o retrato de sua mãe. Vê como é ruim não ter nenhum *sou*[148]?

De fato, eu via. "Mas não serei pobre para sempre", pensei. "Talvez algum dia possa recuperá-lo."

– Quem o comprou? O senhor sabe? – perguntei.

– Como eu saberia? Nunca perguntei nada a respeito das compras. Aí está o homem pouco prático, que imagina que o mundo inteiro se interessa pelo que lhe interessa! Agora, boa noite. Amanhã de manhã irei para a Alemanha, mas voltarei em seis semanas e é possível que torne a visitá-lo. Eu me pergunto se até lá você ainda estará desempregado! – e riu, tão cruel e zombeteiro quanto Mefistófeles; e assim, rindo, desapareceu.

Algumas pessoas, por mais indiferentes que possam se tornar após uma ausência prolongada, gostam sempre de causar uma impressão agradável ao se despedir; esse não era o caso de Hunsden: uma conversa com ele tinha o mesmo efeito que uma poção de quinina; parecia um concentrado dos sabores mais fortes, adstringentes e amargos – se era revigorante como a casca da qual era extraída, eu não sabia.

Uma mente agitada acaba repousando em um travesseiro inquieto. Dormi pouco naquela noite; comecei a cochilar pela manhã, e mal tinha começado a dormir quando um barulho na saleta adjacente ao quarto me acordou; o som era de passos e móveis sendo arrastados, e durou apenas dois minutos, cessando quando fecharam a porta. Escutei, nem um rato se mexia; talvez tivesse sonhado, talvez algum inquilino tivesse entrado no meu apartamento por engano. Não eram nem cinco horas, e eu estava tão pouco acordado como o dia, então virei para o lado e dormi profundamente.

---

[148] Nenhuma moeda; não ter dinheiro. (N.T.)

Quando por fim me levantei, duas horas depois, já havia me esquecido do incidente; entretanto a primeira coisa que vi ao deixar o quarto fez com que me lembrasse: junto à porta da saleta havia uma caixa de madeira áspera, grande e rasa, certamente deixada ali por um carregador que a empurrou para dentro da sala e, ao não ver ninguém, partiu.

"Isso não é meu", pensei ao me aproximar. "Deve ser de outra pessoa." Abaixei para ler o endereço:

"Senhor William Crimsworth, R..., N.º..., Bruxelas."

Fiquei intrigado, mas decidi que a melhor maneira de obter informação era cortando os cordões e abrindo a caixa. Um pano verde, com os lados cuidadosamente costurados, envolvia seu conteúdo; cortei a costura com meu canivete e, quando ela cedeu, vislumbrei algo dourado pelas frestas cada vez maiores. Depois de remover a madeira e o pano, tirei da caixa um grande quadro com uma moldura magnífica, apoiei-o em uma cadeira, para que a luz da janela incidisse sobre ele de uma forma favorável, e então recuei, com os óculos já colocados. O céu de um pintor de retratos (o mais sombrio e ameaçador possível) e umas árvores distantes em um tom convencional realçavam o rosto pálido e pensativo de uma mulher, emoldurado por suaves cabelos escuros que quase se mesclavam com as nuvens; olhos grandes e solenes me fitavam pensativos; uma fina bochecha descansava sobre uma mão pequena e delicada; um xale, artisticamente drapeado, deixava entrever uma figura esbelta. Após dez minutos de contemplação silenciosa, um ouvinte (caso houvesse) teria me ouvido pronunciar a palavra: "Mãe!". Eu poderia ter dito mais, contudo, em minha opinião, a primeira palavra dita em voz alta quando se está sozinho é sinal de alerta, lembrando que apenas os loucos falam consigo mesmos; então, penso meu monólogo em vez de dizê-lo. Havia pensado muito e contemplado por um longo tempo a inteligência, a doçura e, ai de mim, também a tristeza daqueles belos olhos cinzentos, a capacidade intelectual daquela fronte e a rara sensibilidade daquela boca séria quando, ao baixar os olhos, me deparei com uma nota estreita, presa no canto do quadro, entre a moldura e a tela. Pela primeira vez perguntei-me: "Quem mandou este quadro? Quem pensou em mim, salvou-o das ruínas de Crimsworth Hall e agora o entrega aos cuidados de seu guardião natural?". Peguei a nota, que dizia:

Há uma espécie de prazer estúpido em dar doces a uma criança, guizos a um tolo e ossos a um cachorro. A recompensa consiste em ver a criança lambuzar a cara com açúcar, testemunhar como o louco comete ainda mais loucuras e contemplar a natureza do cão aflorar com seus ossos. Ao dar a William Crimsworth a foto de sua mãe, dou-lhe doces, guizos e ossos, todos de uma vez; mas sinto não poder ver o resultado. Teria pagado cinco xelins a mais se o leiloeiro pudesse ter-me prometido tal prazer.

H.Y.H.

Obs.: ontem à noite você disse que se recusava terminantemente a adicionar outro item à sua dívida comigo. Não acha que o poupei de fazê-lo?.

Cobri o retrato com o pano verde, devolvi-o ao estojo e, após levar a caixa de preocupação para o quarto, escondi-a debaixo da cama. Meu prazer fora envenenado por uma dor pungente, de forma que decidi não voltar a olhar para o quadro enquanto não me acalmasse. Se Hunsden aparecesse naquele momento, teria dito a ele: "Não lhe devo nada, Hunsden! Nem uma fração de centavo! Você já se pagou com insultos".

Deveras angustiado para ficar parado por mais tempo, saí logo depois do café da manhã e me dirigi uma vez mais a *monsieur* Vandenhuten, com pouca esperança de encontrá-lo em casa, já que havia passado apenas uma semana da minha primeira visita, mas imaginei que pudesse me inteirar sobre a data prevista para o seu retorno. Deparei-me com um resultado melhor do que esperava, pois, embora sua família ainda estivesse em Ostende, ele havia voltado para Bruxelas naquele dia por questões de negócios. Recebeu-me com a serena amabilidade de um homem sincero, mas não animado. Não havia passado nem cinco minutos sozinho com ele em seu gabinete e já me dei conta de que me sentia confortável em sua presença, coisa que dificilmente acontecia em ocasiões como aquela. Fiquei surpreso com minha desenvoltura, porque, afinal de contas, o assunto que me levara lá era extremamente doloroso, pois se tratava de pedir um favor. Perguntei-me em que se basearia aquela calma, temendo que fosse enganosa, e não tardou muito para que vislumbrasse seus fundamentos e me convencesse de sua solidez, conhecia o terreno em que estava pisando.

Monsieur Vandenhuten era um homem rico, respeitado e influente; eu era pobre, desprezado pelos outros e impotente. Essa era nossa posição social para o mundo, como membros de sua sociedade; mas no que tangia a nós dois, como seres humanos, os papéis eram invertidos. O holandês (não era flamengo, e sim natural da Holanda) era lento, frio e de uma inteligência bastante obtusa, mas possuía um julgamento sólido e preciso; o inglês era muito mais nervoso, ativo e rápido tanto para projetar e levar seus projetos a cabo como para conceber e concretizar. O holandês era benevolente; o inglês, suscetível; em suma, nosso caráter se complementava, mas meu intelecto, mais afiado e ativo que o dele, instintivamente assumiu e manteve sua predominância.

Resolvido esse ponto e delimitada a minha posição, expus a ele o motivo de minha visita com uma franqueza genuína que apenas a confiança plena pode inspirar. Para ele, foi um prazer receber meu pedido; agradeceu-me por ter-lhe dado a oportunidade de fazer um pequeno esforço a meu favor. Acrescentei que meu desejo não era tanto de ser ajudado, mas de receber os meios para ajudar a mim mesmo; não demandaria nenhum esforço dele – essa parte era minha –, precisava apenas que me desse alguma informação e me recomendasse. Em seguida, levantei-me para partir. Ele me estendeu sua mão ao se despedir, um gesto mais significativo para os estrangeiros do que para os ingleses. Ao trocar um sorriso com ele, pensei que a benevolência de seu rosto sincero era melhor do que a inteligência do meu; almas como a minha experimentam um consolo balsâmico quando encontram almas como a que morava no peito honrado de Victor Vandenhuten.

As duas semanas seguintes foram um período de muitas alternâncias; nesse intervalo minha existência foi similar à do firmamento naquelas noites outonais especialmente abundantes em meteoros e estrelas cadentes. Esperanças e medos, expectativas e decepções desciam em chuvas rápidas do zênite até o horizonte, mas eram todas fugazes, e a escuridão seguiu rapidamente cada uma delas. *Monsieur* Vandenhuten me auxiliou como prometido; informou-me sobre diversos empregos e fez todo o possível para que eu os conseguisse; contudo, durante muito tempo meus pedidos e suas recomendações foram em vão – ora a porta se fechava em minha cara quando estava prestes a entrar, ora o candidato que entrava antes de mim tornava meus esforços inúteis. Febril e inflamado, nenhuma decepção conseguia me deter; a sequência de derrotas servia apenas para estimular minha vontade. Esqueci a meticulosidade, venci minhas reservas, despojei-me do orgulho: pedi, perseverei, protestei, cobrei. É dessa forma que se consegue entrar à força no protegido círculo em que a fortuna outorga seus favores. Minha perseverança me tornou conhecido, minha insistência fez com que se lembrassem de mim. Fizeram averiguações; pais de meus antigos alunos reuniram os relatos de seus filhos, que falavam de meu talento, e fizeram ecoar tal informação; espalhada aos quatro ventos, ela por fim chegou a ouvidos que talvez jamais alcançassem caso isso não tivesse acontecido. E no auge da crise, quando já não sabia mais o que fazer, a fortuna me sorriu uma manhã em que, sentado na cama, eu me afundava em angustiantes e quase desesperadas deliberações; cumprimentou-me com a familiaridade de uma velha conhecida (mas Deus sabe que era a primeira vez que nos víamos) e jogou um prêmio em meu colo.

Na segunda semana de outubro de 18..., consegui o posto de professor de inglês de todas as turmas do ... College, em Bruxelas, com uma renda de três mil francos ao ano e a certeza da possibilidade, graças a minha reputação e à publicidade que acompanhava o cargo, de ganhar outro tanto dando aulas particulares. A nota oficial em que me comunicaram tal informação mencionava também que fora a enfática recomendação de *monsieur* Vandenhuten, *négociant*, que pesou na escolha a meu favor.

Assim que li o anúncio, corri para o seu escritório, empurrei-lhe a nota e, depois de a ter lido, tomei-lhe as mãos e agradeci efusivamente. Minhas palavras fervorosas e meus gestos enfáticos alteraram sua placidez holandesa, gerando sensações inusitadas; disse que se sentia feliz, contente por ter-me ajudado, mas que não havia feito nada para merecer tamanho agradecimento; não tinha gastado nenhum centavo, apenas tinha escrito algumas linhas em um pedaço de papel. E uma vez mais eu disse:

– O senhor me deixou extremamente feliz, e do modo que mais me convém. Não sinto uma dívida irritante pelo favor outorgado por sua mão gentil; não tenho a intenção de evitá-lo por ter-me feito um favor. A partir de hoje, deve permitir que eu me torne um de seus amigos íntimos, pois pretendo voltar outras vezes para desfrutar do prazer de sua companhia.

– *Ainsi soit-il*[149] – foi sua resposta, acompanhada de um sincero sorriso de contentamento. Fui embora com seu calor em meu coração.

---

[149] Que assim seja. (N.T.)

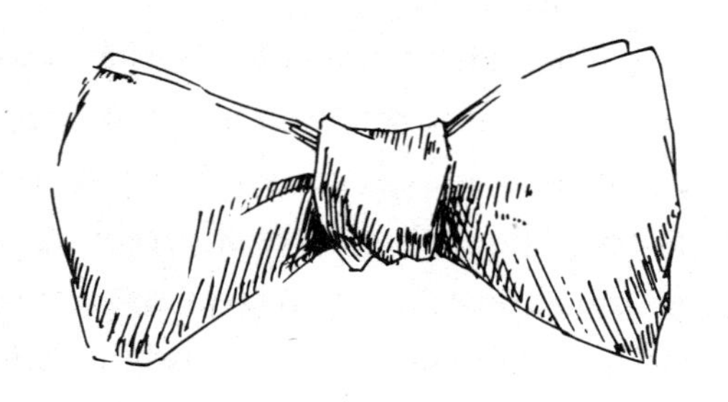

Capítulo 23

Eram duas horas quando voltei para o alojamento e a refeição, recém-trazida de um hotel da vizinhança, fumegava sobre a mesa. Sentei-me para comer, mas não teria fracassado mais miseravelmente nem se tivessem me servido cacos de cerâmica e vidro em vez de bife cozido e feijão: tinha perdido o apetite. Irritado com a visão de uma comida que não poderia saborear, coloquei-a no armário e me perguntei: "O que devo fazer até a noite?", pois seria inútil ir à *Rue Notre-Dame-aux-Neiges* antes das seis, já que sua moradora (para mim existia apenas ela) estaria trabalhando em outro lugar. Passeei pelas ruas de Bruxelas e pelo meu apartamento das duas às seis, sem me sentar nem uma vez durante esse período. Estava no quarto quando por fim deu o horário; tinha acabado de lavar o rosto e as mãos febris e de me sentar perto da janela; minha bochecha estava quente e meus olhos ardiam em chamas, mas ainda assim minhas feições pareciam serenas e calmas. Desci as escadas com rapidez e, ao sair, fiquei feliz ao ver o crepúsculo emoldurado pelas nuvens; aquelas sombras eram para mim como uma grande tela, e o vento frio que vinha do noroeste, característico do fim do outono, era revigorante. Contudo notei que as outras pessoas pareciam discordar de mim, pois passei por mulheres embrulhadas em seus xales e homens de casacos abotoados.

Quando ficamos completamente felizes? Eu estava assim, então? Não; um pavor urgente e crescente atormentava e preocupava meus nervos desde que recebi a boa nova. Como estava Frances? Fazia dez semanas que não a via e seis que não tinha qualquer notícia dela, ou sobre ela. Havia respondido a sua carta com uma breve nota, amigável mas tranquila, na qual não fiz qualquer menção à possibilidade de uma correspondência contínua nem de novas visitas. Naquele momento minha balsa estava suspensa na crista da onda mais alta do destino, e não sabia a qual banco de areia a ressaca poderia me lançar, por isso não quis vincular o seu destino ao meu nem por um fio sequer; se estivesse condenado a me estatelar contra as rochas ou a encalhar no banco de areia, estava decidido a não compartilhar meu desastre com nenhuma outra embarcação. Mas seis semanas eram muito tempo. Será que ela ainda estava bem e se saindo bem? Os sábios não estavam de acordo quando declararam que a felicidade não encontra seu ponto culminante na terra? Atrever-me-ia a pensar que agora apenas meia rua me separava da taça repleta de contentamento, da poção preparada com águas que correm apenas no Paraíso?

Cheguei à sua porta, entrei na casa silenciosa e subi as escadas; o saguão estava deserto e quieto, e todas as portas estavam fechadas. Procurei o tapete verde limpo: estava devidamente colocado em seu lugar.

"Sinal de esperança!", pensei. "Mas é melhor que me acalme. Não vou adentrar sua casa e criar uma cena." Então contive meus passos ansiosos e parei no tapete.

"Que silêncio sepulcral! Será que ela está? Será que tem alguém em casa?", perguntei para mim mesmo. Fui respondido por um pequeno tilintar, como se fossem cinzas caindo da lareira; um movimento de fogo sendo atiçado; o leve murmurar da vida; passos serenos que se moviam de um lado para outro do apartamento. Fascinado, permaneci imóvel, mas com crescente interesse quando uma voz retribuiu a atenção dedicada por meus ouvidos; uma voz tão baixa e contida, para si mesma, que nem cogitei que ela não estivesse sozinha. Assim falava alguém na solidão do deserto, ou no vestíbulo de uma casa abandonada:

> *"And never but once, my son", he said,*
> *Was yon dark cavern trod;*
> *In persecution's iron days,*
> *When the land was left by God.*
> *From Bewley's bog, with slaughter red,*
> *A wanderer hither drew;*
> *And oft the stopped and turned his head,*
> *As by fits the night-winds blew.*
> *For trampling round by Cheviot-edge,*
> *Were heard the troopers keen;*
> *And frequent from the Whitelaw ridge*
> *The death-shot flashed between*[150], etc., etc.

A velha balada escocesa foi apenas parcialmente recitada; então fez-se uma pausa, seguida de uma melodia em francês cujo significado, traduzido, era o seguinte:

> *Primeiro prestei atenção,*
> *Seguida de um cálido interesse,*
> *Do interesse, com melhoria,*
> *Surgiu a gratidão.*

[150] E só mais uma vez, meu filho – ele disse –,
Entrou-se naquela escura caverna
Nos terríveis dias da perseguição,
Quando Deus abandonou esta terra.
Do pântano de Bewley, tingido de vermelho pela chacina,
Um andarilho chegou até aqui;
E muitas vezes parou e olhou para trás,
Entre as rajadas do vento noturno.
Pois perto das colinas Cheviot
Ouviam-se os cascos da cavalaria;
E com frequência, das colinas de Whitelaw,
Viam-se as centelhas dos disparos mortais. (N.T.)

Logo chegou à obediência, sem esforço,
E o trabalho duro não infligiu dor;
Se estava cansada, bastava um olhar, uma palavra,
Para que recobrasse o vigor.

Dentre as outras alunas,
Ele logo me escolheu;
Mas impôs mais exigências e rapidez,
Daquele jeito austero apenas seu.

De outras aceitava tarefas
Que vindas de mim recusava,
Não admitia qualquer imprecisão,
Nem tolerava sinais de desatenção.

Se minhas companheiras se desviavam,
Apenas repreendia suas andanças;
Mas se eu sequer hesitasse no caminho,
Sua ira ardia em chamas.

Algo se moveu em um apartamento adjacente; não teria sido nada agradável ser pego escutando atrás da porta, então me apressei em bater e entrei com a mesma atitude. Frances estava à minha frente, caminhando devagar pelo quarto, o que interrompi com a minha chegada: faziam-lhe companhia apenas a penumbra e a luz tranquila e avermelhada do fogo da lareira; era para estas irmãs, o Resplendor e a Sombra, que recitava seus versos antes que eu entrasse. A voz de Sir Walter Scott, para ela um som estranho e distante como um eco das montanhas, fez-se ouvir nas primeiras estrofes; pelo estilo e conteúdo, acho que as seguintes eram a linguagem de seu próprio coração. Seu semblante estava sério, sua expressão, concentrada; olhou-me com olhos que não sorriam, que acabavam de voltar de um devaneio, despertando de um sonho; seus trajes eram simples, mas limpos, seus cabelos escuros eram bem penteados e seu apartamento, tranquilo e organizado. Mas o que aquele olhar pensativo, aquela calma confiança em si mesma, com tal inclinação para a meditação e, talvez, para a inspiração tinham a ver com o amor? "Nada", respondeu seu semblante triste, embora gentil, que parecia dizer: "Devo cultivar a fortaleza e me apegar à poesia; a primeira há de ser meu apoio e a segunda, meu consolo nesta vida. Os sentimentos humanos não florescem, e tampouco me assolam as paixões." Outras mulheres também pensam dessa forma, e se Frances estivesse tão só como imaginava, não estaria em pior situação do que milhares de seu sexo. Observe a raça rígida e formal das solteironas, uma raça que todos desprezam: alimentam-se desde a juventude com máximas que as levam à resignação e ao sacrifício; muitas definham com tamanha restrição em sua dieta; a disciplina está sempre tão presente em seus pensamentos que é seu único objetivo, e acaba absorvendo as qualidades mais indulgentes e agradáveis de sua natureza; e, por fim, morrem como meros exemplos de austeridade envoltos em um pouco de pele enrugada e muitos ossos. Os anatomistas dirão que há um coração naquela carcaça seca e velha, o mesmo de qualquer esposa querida ou mãe orgulhosa. Isso é possível? Eu realmente não sei, mas me sinto inclinado a duvidar.

Dei alguns passos, desejei boa noite a Frances e me sentei. A cadeira que escolhi provavelmente era a que ela tinha acabado de deixar; ficava ao lado de uma mesinha onde havia papel e outros materiais. Não sei se me reconheceu totalmente a princípio, mas agora o fez, respondendo à minha saudação com uma voz suave, mas baixa. Eu não havia revelado a minha ansiedade; ela seguiu meu exemplo e não demonstrou surpresa. Encontramo-nos como sempre: professor e aluna, nada mais. Comecei a mexer nos papéis; Frances, observadora e prestativa, foi à outra saleta e voltou com uma vela, que acendeu e colocou perto de mim; então, fechou a cortina e, depois de ter acrescentado um pouco mais de combustível ao fogo já forte, puxou uma segunda cadeira para a mesa e se sentou à minha direita, um pouco afastada. A folha no topo era uma tradução de um solene tradutor francês, mas sob ela havia uma folha com estrofes, a qual tomei nas mãos. Frances fez menção de se levantar para recuperar seu espólio, dizendo que não passavam de versos copiados. Resisti com uma decisão que sabia que a ela nunca se opunha por muito tempo; porém desta vez seus dedos agarravam os papéis com força, e tive de soltá-los sem perder a calma. Sua resistência se dissolveu ao meu toque e ela afastou a mão – a minha a teria seguido de bom grado, mas reprimi o impulso por ora. A primeira página estava preenchida com os versos que havia escutado; a sequência não era exatamente uma experiência vivida pela autora, mas uma redação inspirada em partes dela. Dessa forma, evitava o egoísmo enquanto exercitava a fantasia e aprazia o coração. Minha tradução será praticamente literal, como antes; continuava assim:

Quando a doença me acompanhava,
Ele ainda parecia impacientar-se
Porque a sua aluna faltavam forças
Para obedecer às suas vontades.

Um dia, chamado ao leito
Em que comigo a dor batalhava
Eu o ouvi dizer, ao curvar a cabeça,
"Deus, faça que com reaja!"

Senti a pressão de sua mão
Por um momento sobre a minha,
E desejei mostrar que a sentia
Respondendo com algum sinal.

Mas sem conseguir falar ou me mover,
Sentia apenas dentro de mim
A emoção da esperança e a força do amor
Darem início à minha salvação.

E quando se retirou,
Meu coração seguiu seus passos,
Desejando demonstrar com novo esforço
Minha muda gratidão.

Quando uma vez mais ocupei meu lugar
Há muito vago na escola
Vi seus lábios um
Raro sorriso formar.

Concluídas as aulas e ouvido o sinal
Da alegre liberação e intervalo,
Deteve-se um instante ao passar
Para uma palavra gentil falar.

"Jane, até amanhã estará livre
Das tediosas tarefas e normas;
Esta tarde não quero ver
Seu pálido rosto na escola.

"Procure nas sombras do jardim um assento
Longe dos campos de jogos;
O sol está quente e o ar, inebriante,
Fique lá até que lhe chame."

Longa e agradável tarde
Passei nos verdes caramanchões;
Silenciosa, tranquila e sozinha
Com pássaros, abelhas e flores.

Mas, quando a voz do meu mestre
Chamou da janela: "Jane!",
Entrei extasiada ao ouvi-la
Na ruidosa casa.

Andava de um lado para outro no corredor;
Deteve-se para que eu passasse,
Sua fronte tensa relaxou
E levantou os olhos fundos.

"Não tão pálida", murmurou.
"Agora, Jane, descanse um pouco."
E quando eu sorri, sua fronte suave
Devolveu-me um sorriso feliz.

Recobrada a saúde,
Seu rosto austero voltou;
E como antes, nenhuma falha
De Jane tolerou.

A tarefa mais longa, o tema mais árduo
Recaiu primeiro sobre mim,
E ainda assim me esforçava para colocar meu nome
Em cada exercício primeiro.

Ele ainda se continha e poucos elogios fazia,
Mas tinha aprendido a ler
O significado secreto de seu rosto,
E essa era minha melhor recompensa.

Até quando seu temperamento vivo falava
Em tons que tristeza me causava,
Minha dor era logo aplacada
Por alguma expressão abrandada.

E quando me emprestava um livro valioso
Ou uma perfumada flor me dava,
O poder do prazer me sustentava
E o olhar da inveja não me preocupava.

Por fim, o dia da formatura chegou
E o duro campo de batalha conquistei;
O prêmio, uma coroa de louros, colocada
Sobre a testa que pulsava.

Curvei-me para o meu mestre
Para receber minha coroa;
O toque das folhas verdes causava
Uma emoção selvagem e boa.

A ambição começou a pulsar
Em cada uma de minhas veias;
E o sangue conseguiu abrir
Uma secreta ferida interna.

A hora do triunfo foi para mim
Um momento de amargo pesar;
Um dia mais e cruzarei o mar
E não tornarei a voltar.

Uma hora depois, na sala do meu mestre,
Senti-me sozinha com ele,
E falei da terrível melancolia
Que, com a separação iminente, sentia.

Ele disse pouco; tempo já não tinha,
O navio logo zarparia;
E enquanto eu soluçava com amargura,
Meu mestre, pálido, emudecia.

Chamaram impacientes; ele me mandou ir
Então me puxou novamente
E, segurando com força, murmurou:
'Por que nos separam, Jane?

"Não era feliz sob meus cuidados?
Não provei minha lealdade?
Será que outros sentirão por minha amada
Amor tão profundo e sincero?

"Ó, Deus, cuide de minha pupila!
Ó, guarde sua cabeça gentil!
E quando soprar o vento e trouxer a tormenta,
Estenda seu manto protetor sobre ela!

"Voltam a chamar; deixe, então, o meu peito,
Abandone seu verdadeiro abrigo, Jane;
Mas quando for enganada, rejeitada ou oprimida,
Volte comigo para casa!

Eu li e, como em um sonho, fiz anotações a lápis nas margens, pensando todo o tempo em outras coisas; pensando que "Jane" estava ao meu lado naquele momento e que não era uma criança, e sim uma jovem de 19 anos; e que poderia ser minha – assim meu coração dizia. A maldição da pobreza fora tirada de mim, a inveja e o ciúme estavam distantes e nada sabiam desse encontro silencioso. O gelo das maneiras frias do professor poderia se derreter, e senti que esse degelo chegava rápido, quisesse eu ou não; não era mais necessário que meus olhos praticassem seu olhar duro, nem que meu cenho se contraísse em uma linha severa; agora era permitido experimentar a revelação da chama interior, podia buscar, exigir, arrancar uma paixão semelhante como resposta. Durante tal reflexão, pensei que a grama de Hermon[151] jamais havia absorvido o frescor do orvalho do crepúsculo com mais gratidão do que a do êxtase que me alimentava naquele momento.

Frances se demonstrou inquieta e se levantou; passou por mim para atiçar o fogo, que não precisava ser atiçado, e mexeu a esmo nos pequenos enfeites sobre a lareira; seu vestido balançava a um metro de distância, delicada, altiva e elegante na frente da lareira.

Há impulsos que podemos controlar, mas há outros que nos controlam, porque nos alcançam com um salto de tigre e se tornam nossos amos antes que nos demos conta. Contudo, talvez nem sempre esses impulsos sejam de todo ruins; talvez a razão, em um processo breve e silencioso, um processo que termina antes de ser notado, tenha decidido que o ato sobre o qual o instinto reflete é válido, justificando sua passividade durante a execução dele. Sei que não raciocinei, não planejei nem pretendia nada; entretanto, em um momento estava sentado sozinho na cadeira junto à mesa e, no outro, havia puxado Frances para o meu colo com precisão e decisão, e a detive ali com excessiva tenacidade.

– *Monsieur!* – ela exclamou, ficando imóvel. Nenhuma outra palavra escapou de seus lábios, parecendo muito confusa a princípio, mas, passado o espanto, nem o terror nem a ira surgiram. Afinal, estava apenas um

[151] Monte Hermon, hoje na Síria. É citado em Salmos 133:1,3. (N.R.)

pouco mais perto do que havia estado até então de alguém que costumava respeitar e em quem confiava. O embaraço poderia tê-la compelido a lutar, mas a dignidade continha a resistência quando esta era inútil.

– Frances, quanta consideração sente por mim? – perguntei. Ela não respondeu; a situação ainda era muito repentina e surpreendente para permitir que falasse. Levando isso em conta, obriguei-me a tolerar seu silêncio durante alguns segundos, apesar de minha impaciência; mas logo repeti a pergunta, seguramente em um tom não muito calmo. Ela olhou para mim; meu rosto, sem dúvida, não era um modelo de compostura, nem meus olhos, poços de serenidade.

– Fale – insisti; e, em uma voz muito baixa e apressada, mas ainda astuta, ela respondeu:

– *Monsieur, vous me faites mal; de grace lachez un peu ma main droite.*[152]

De fato, dei-me conta de que estava segurando a dita *main droite* com força; obedeci ao seu pedido e, pela terceira vez, perguntei com mais gentileza:

– Frances, quanta consideração você tem por mim?

– *Mon maître, j'en ai beaucoup*[153] – foi sua resposta sincera.

– Frances, é o suficiente para se entregar a mim como esposa? Para me aceitar como marido?

Percebi como seu coração se agitava, vi "a luz púrpura do amor" lançar seu brilho em suas bochechas, têmporas e pescoço; também desejei consultar seus olhos, mas fui impedido por suas pestanas e pálpebras.

– *Monsieur* – disse por fim, com uma voz afetuosa –, *monsieur désire savoir si je consens... si... enfin, si je veux me marier avec lui?*

– *Justement.*

– *Monsieur sera-t-il aussi bon mari qu'il a été bom maître?*

– Farei o possível, Frances.

---

[152] – *Monsieur*, está me machucando. Por favor, solte um pouco minha mão direita. (N.T.)

[153] – Meu mestre, tenho muita. (N.T.)

Uma pausa. Logo, com uma nova, porém ainda melancólica, inflexão de voz – uma inflexão que tanto me provocava como agradava –, acompanhada também de *un sourire à la fois fin et timide* em perfeita harmonia com o tom:

– *C'est à dire, monsieur sera toujour um peu entete, exigeant, volontaire...?*

– Tenho me comportado assim, Frances?

– *Mais oui; vous le savez bien.*

– E nada mais?

–*Mais, oui; vous avez été mon milleur ami.*

– E você, Frances, o que é para mim?

– *Voutre dévouée élève, qui vous aime de tout son coeur.*[154]

– E minha aluna concordará em passar sua vida ao meu lado? Fale em inglês agora, Frances.

Passaram-se alguns instantes de reflexão até que a resposta, pronunciada lentamente, foi:

– Sempre me fez feliz; gosto de ouvi-lo falar, de vê-lo, de estar perto de você. Acredito que seja uma boa pessoa e um ser superior; sei que é severo com os desleixados e preguiçosos, mas também é gentil, muito gentil com aqueles que são atentos e dedicados, mesmo que não sejam espertos. Professor, me faria muito feliz viver com você para sempre.

Ela fez, então, uma espécie de movimento, como se fosse me abraçar, mas se conteve e apenas acrescentou, com gravidade:

– Professor, aceito passar minha vida ao seu lado.

– Muito bem, Frances.

---

[154] – O senhor deseja saber se aceito... se... enfim, se desejo me casar com ele?
– Exatamente.
– Monsieur será tão bom como marido como foi um professor?
[...] um sorriso ao mesmo tempo tímido e astuto [...]
– Ou seja, o senhor será sempre um pouco obstinado, voluntarioso e exigente?
[...]
– Mas claro; o senhor sabe bem disso.
[...]
– Mas claro; o senhor é meu melhor amigo.
[...]
– Sua aluna dedicada, que o ama de todo coração. (N.T.)

Aproximei-a de meu coração e dei um primeiro beijo em seus lábios, selando o pacto agora acordado entre nós. Depois ficamos em silêncio, e não por pouco tempo. Não sei no que ela pensou nesse intervalo nem tentei adivinhar; não quis estudar seu semblante nem perturbar sua compostura. Queria que ela sentisse a mesma paz que eu sentia; meus braços, é verdade, ainda a detinham, mas com suavidade, desde que não enfrentassem resistência. Meu olhar estava fixo nas chamas vermelhas; meu coração ponderava o próprio conteúdo; soava e soava, até encontrar profundidades insondáveis.

– *Monsieur* – disse por fim minha silenciosa companheira, tão imóvel em sua felicidade como um rato apavorado; mesmo agora, ao falar, mal levantou a cabeça.

– Sim, Frances? – não gosto de cortejos exagerados; sou tão incapaz de subjugar com epítetos amorosos como de inquietar com carícias egoístas e inoportunas.

– *Monsieur est raisonnable, n'est-ce pas?*

– Sim, especialmente quando me pedem algo em inglês, mas por que a pergunta? Não verá nada de veemente ou intrusivo em minhas maneiras. Não pareço suficientemente tranquilo?

– *C'est n'est pas cela...* – começou ela.

– Em inglês! – lembrei-a.

– Bem, *monsieur,* queria apenas dizer que gostaria, é claro, de manter meu emprego como professora. Suponho que *monsieur* continuará ensinando, não?

– Sim, claro! É tudo que tenho para me manter.

– *Bon!* Quer dizer, bom. Assim, teremos a mesma profissão. Gosto disso, e meus esforços para progredir serão tão livres quanto os seus, não serão, *monsieur?*

– Está fazendo planos para não depender de mim – respondi.

– Sim, *monsieur*, não devo ser um estorvo para você, nem um fardo.

– Mas, Frances, ainda não contei quais são minhas perspectivas. Saí da escola de *monsieur* Pelet e, depois de quase um mês procurando, consegui outro emprego com um salário de três mil francos ao ano, que posso facilmente dobrar com um pequeno esforço adicional. Por isso, note que não é necessário que se esgote dando aulas; com seis mil francos você e eu podemos viver e viver bem.

Frances pareceu considerar. Há algo lisonjeiro para a fortaleza de um homem, algo que está em consonância com o honrado orgulho que sente em relação à ideia de se tornar a providência da pessoa amada, alimentando-a e vestindo-a como faz Deus com os lírios do campo. Então, para que se decidisse, continuei:

– Até agora, a vida foi dura e dolorosa com você, Frances. Você precisa de descanso absoluto. Seus mil e duzentos francos não representariam um acréscimo muito importante à nossa renda, e até que ponto teria de se sacrificar para ganhá-los? Abandone o seu trabalho; você deve estar cansada; e me dê a alegria de poder lhe dar o merecido descanso.

Não tenho certeza de que Frances prestara a devida atenção ao meu discurso, porque, em vez de me responder com sua habitual rapidez respeitosa, limitou-se a suspirar e a dizer:

– Como você é rico, *monsieur!* – e então se agitou inquieta em meus braços. – Três mil francos! – murmurou –, enquanto eu recebo apenas mil e duzentos! – E acrescentou rapidamente: – Contudo, deve ser assim por enquanto. *Monsieur*, dizia algo sobre abandonar meu emprego? Ah, não! Eu o manterei com todas as minhas forças! – e seus pequenos dedos apertaram os meus, enfatizando suas palavras. – Imagine se me caso com o senhor para que me mantenha, *monsieur!* Não poderia fazê-lo! E como meus dias seriam enfadonhos! O senhor estaria sempre fora, ensinando em salas de aula fechadas e barulhentas, de manhã até a noite, e eu ficaria em casa, desempregada e solitária. Acabaria deprimida e mal-humorada, e o senhor logo se cansaria de mim.

– Frances, você poderia ler e estudar, duas coisas de que gosta tanto.

– *Monsieur*, não poderia. Gosto da vida contemplativa, mas gosto mais ainda da atividade. Devo me ocupar com algo e fazê-lo com você. Percebi, *monsieur*, que as pessoas que estão juntas apenas para se divertir não chegam a se gostar da mesma forma ou se estimar tanto como aquelas que trabalham, e talvez sofram, juntas.

– Você está certa – respondi por fim –, e fará como quiser, pois é o mais sensato. Agora, como recompensa por um consentimento tão imediato, dê-me um beijo.

Depois de alguma hesitação, natural para uma principiante na arte de beijar, pousou suavemente seus lábios tímidos e gentis sobre minha testa. Aceitei o pequeno presente como um empréstimo, que devolvi prontamente com juros generosos.

Não sei dizer quanto Frances havia mudado desde a primeira vez que a vi, mas, ao olhar para ela naquele momento, achei que tinha mudado consideravelmente; os primeiros atributos de que me lembrava outrora – seus olhos tristes, suas bochechas pálidas, seu semblante abatido e infeliz – tinham desaparecido, dando lugar a um rosto cheio de graça: o sorriso, o tom rosado e as covinhas suavizavam seu rosto e iluminavam seus matizes. Havia me acostumado a nutrir a lisonjeira ideia de que meu forte apego a ela se devia a certa perspicácia de minha natureza, já que não era nem bela, nem rica e tampouco possuía algum talento especial, mas ainda assim era o meu tesouro; eu deveria ser, portanto, um homem de grande discernimento. Naquela noite, meus olhos se abriram para o equívoco cometido. Comecei a suspeitar que apenas meus gostos eram únicos, não minha capacidade de descobrir e apreciar a superioridade moral sobre os encantos físicos. Para mim, Frances tinha encantos naturais, e não havia qualquer deformidade a superar, nenhum daqueles proeminentes defeitos nos olhos, dentes, cútis ou figura que refreiam a admiração dos mais intrépidos defensores masculinos do intelecto (pois as mulheres podem amar um homem realmente feio se ele for talentoso). Se Frances fosse *édentée, myope, rugueuse ou bossue*[155], meus sentimentos por ela ainda poderiam ter sido amáveis, mas jamais apaixonados; sentia afeto pela pobre e disforme Sylvie, mas nunca chegaria a amá-la. É verdade que as qualidades

[155] Desdentada, míope, enrugada ou corcunda. (N.T.)

intelectuais de Frances foram as primeiras a chamar minha atenção, e ainda as preferia, mas também gostava de seus atributos físicos: era puramente material o prazer que sentia ao contemplar seus claros olhos castanhos, a beleza de sua pele fina e de seus dentes alinhados, a proporção de suas formas delicadas; e não poderia abdicar desses prazer. Parecia, então, que eu também era um sensualista, do meu jeito comedido e meticuloso.

Bem, leitor, nas últimas páginas não fiz mais do que lhe dar mel de flores, mas você não deve viver unicamente de alimento tão saboroso; experimente, então, um pouco de fel, apenas uma gota, para variar um pouco.

Já era tarde quando voltei ao meu alojamento e tinha me esquecido de que os seres humanos têm necessidades vulgares, como comer e beber, e fui para a cama em jejum. Tinha passado o dia nervoso e inquieto, e não havia comido nada desde as oito da manhã; além disso, já fazia duas semanas que nem meu corpo nem minha mente sabiam o que era repouso. As últimas horas tinham sido um doce delírio, que não quis se aplacar e me deixou acordado até bem depois da meia-noite, interrompendo o tão necessário descanso com seu êxtase turbulento. Por fim, cochilei, mas não por muito tempo; ainda estava bastante escuro quando acordei; meu despertar foi como o de Jó quando um espírito passou ante seu rosto e, como ele, "senti todos os pelos do meu corpo arrepiarem-se imediatamente[156]". Poderia prosseguir com o paralelismo, pois, na verdade, embora não tenha visto nada, "disseram-me uma palavra em segredo, da qual os meus ouvidos perceberam o sussurro [...] em meio ao silêncio, e escutei uma voz suave[157]" dizendo: "No meio da vida, na morte estamos"[158].

Aquele som e a sensação gélida da angústia seriam considerados sobrenaturais por muitos, mas o reconheci imediatamente como efeito de uma reação. O homem está sempre limitado por sua mortalidade, e era minha

[156] Jó 4:15 (trad. Bíblia do Rei James). (N.T.)

[157] Jó 4:12, 16 (trad. Bíblia do Rei James). (N.T.)

[158] Em tradução livre, a frase pertence ao rito fúnebre protestante, conforme o *Book of Common Prayers* (1662). Trata-se de uma tradução para o inglês da expressão latina *Media vita in morte sumus*, primeiro verso de um canto gregoriano possivelmente datado do século XIV. (N.T.)

natureza mortal que agora vacilava e protestava; também meus nervos, que estremeciam e desafinavam, porque a alma, que havia mergulhado de cabeça em seu objetivo, havia sobrecarregado a relativa fraqueza do corpo. Fui tomado pelo horror, pela escuridão sem-fim; senti que um velho conhecido, que acreditei ter partido para sempre, invadira meu quarto: fui a presa temporária da hipocondria.

Era uma velha amiga, não, uma convidada da minha adolescência, a quem tinha dado abrigo por um ano; naquele período, acompanhava-me em segredo; dormia comigo, comia comigo, passeava comigo, mostrava-me as clareiras do bosque e os vales das colinas onde poderíamos nos sentar juntos, e onde ela poderia me cobrir com seu véu sombrio, ocultando o céu e o sol, a grama verde e as árvores, envolvendo-me completamente em seu seio frio como a morte e me abraçando com seus braços esqueléticos. Que histórias costumava contar naqueles momentos! Que canções recitava em meu ouvido! Que discursos fazia sobre o próprio país – a sepultura –, e com que frequência prometia me conduzir para lá sem demora! E, depois de me levar até a margem de um rio escuro e sombrio, mostrava-me o outro lado, repleto de túmulos, mausoléus e lápides banhados por uma luz bruxuleante mais antiga que a do luar. "Necrópole!" – ela sussurrava, apontando para aquelas pilhas pálidas, e acrescentava: "Há ali uma mansão preparada para você!"

Minha infância foi solitária, sem pais e sem a alegria de um irmão ou uma irmã; não era de se admirar que, assim que entrei na adolescência, uma feiticeira, encontrando-me perdido em vagas divagações mentais, com muitos afetos e poucos objetos, com grandes aspirações e sombrias perspectivas, com fortes desejos e tênues esperanças, levantasse a distância sua enganosa lâmpada e me atraísse para sua cripta dos horrores. Não é de admirar que seus feitiços tivessem poder *naquela época;* mas *agora*, que meu caminho se alargava, que minhas perspectivas se iluminavam e que meus afetos haviam encontrado repouso; agora, que meus desejos dobravam suas asas, cansados do longo voo, e finalmente pousavam no seio da fruição, aninhando-se ali, quentes e satisfeitos sob as carícia de uma mão suave... por que agora me visitava a hipocondria?

Rejeitei-a da mesma forma que uma jovem esposa rejeitaria uma temida e medonha concubina que quisesse envenenar o coração de seu marido. Foi em vão; ela lançou seu véu sobre mim naquela noite e no dia seguinte, assim como nos oito dias que se sucederam. Depois meu espírito começou lentamente a se recuperar; meu apetite voltou e em quinze dias tornei a me sentir bem. Durante todo esse tempo, agi como se nada estivesse acontecendo, e nada disse sobre o que sentia, mas fiquei contente quando o espírito maligno se afastou de mim e pude rever Frances e me sentar ao seu lado, livre do terrível jugo do meu demônio.

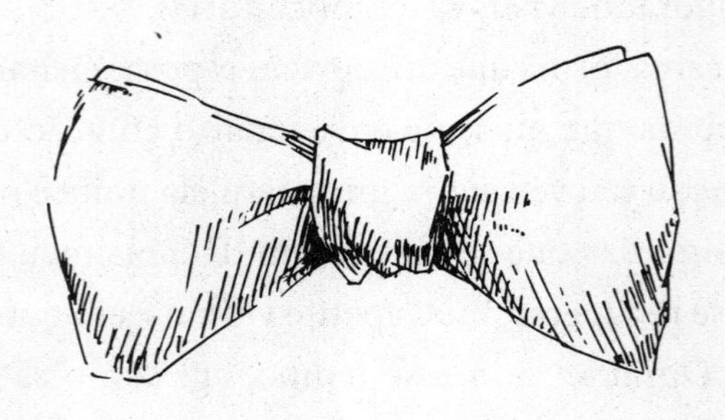

Capítulo 24

Em um belo e gelado domingo de novembro, Frances e eu fizemos um longo passeio; andamos pelos boulevards da cidade e depois, como ela se cansou um pouco, sentamo-nos em um daqueles bancos que ladeiam, em intervalos, os caminhos circundados por árvores para acomodar os que se cansam. Frances me contava da Suíça, animada com o tema, e eu pensava que seus olhos eram tão eloquentes quanto seus lábios, quando fez uma pausa e disse:

– *Monsieur,* ali há um cavalheiro que o conhece.

Levantei a cabeça; três homens trajados com elegância passavam por nós naquele instante; por sua aparência, modos e feições, soube que eram ingleses. Reconheci o mais alto dos três – senhor Hunsden –, que levantou seu chapéu para cumprimentar Frances; depois, fez uma careta para mim e seguiu caminhando.

– Quem é?

– Alguém que conheci na Inglaterra.

– E por que me cumprimentou? Ele não me conhece.

– Ele a conhece, à sua maneira.

– Como, *monsieur?* – perguntou (ela ainda se dirigia a mim dessa forma; não tinha conseguido convencê-la a me chamar de uma maneira mais familiar).

– Não leu a expressão nos olhos dele?

– Em seus olhos? Não. O que diziam?

– Para você, diziam "Como está, Wilhelmina Crimsworth?", e para mim, "Por fim encontrou sua metade. Aí está, uma mulher como você".

– *Monsieur,* não é possível que tenha lido tudo isso em seu olhar. Ele logo foi embora.

– Li isso e mais, Frances. Li que ele provavelmente me visitará nesta noite, ou em breve, e não tenho a menor dúvida de que insistirá para que o apresente a você. Posso levá-lo a sua casa?

– Como quiser, *monsieur;* não tenho nenhuma objeção. De fato, acho que gostaria de vê-lo mais de perto; parece ser muito original.

Como havia previsto, o senhor Hunsden foi me ver naquela noite. A primeira coisa que disse foi:

– Não precisa começar a se gabar, *monsieur le professeur;* já sei sobre seu trabalho em ... College e tudo mais; Brown me contou tudo.

Em seguida, acrescentou que havia voltado da Alemanha um ou dois dias antes e perguntou, bruscamente, se era madame Pelet-Reuter a mulher com quem havia me visto no boulevard. Estava prestes a lhe responder com uma enfática negativa, mas, pensando melhor, contive-me e, parecendo assentir, perguntei o que achava dela.

– Já falarei sobre isso, mas primeiro preciso dizer uma coisa. É um canalha, não tem direito de passear com a esposa de outro homem. Achei que fosse sensato o suficiente para não se envolver em uma bagunça como essa no estrangeiro.

– E sobre a dama?

– É boa demais para você, evidentemente; é como você, porém melhor. Não é bela; porém, quando se levantou (pois virei para trás para vê-los se afastar) pareceu-me ter boa figura e postura. Essas estrangeiras sabem ser graciosas. O que diabos ela faz com Pelet? Não está casada com ele nem há três meses... Ele deve ser um perfeito idiota.

Não permiti que seguisse incorrendo no mesmo equívoco, não havia me agradado.

– Pelet? Que obsessão a sua com *monsieur* e madame Pelet! Sempre fala deles! Era você quem deveria ter se casado com *mademoiselle* Zoraide!

– Aquela jovem dama não era *mademoiselle* Zoraide?

– Não, e tampouco madame Zoraide.

– E por que mentiu?

– Não menti; você que fez deduções apressadas. É uma aluna minha, uma jovem suíça.

– E obviamente se casará com ela. Não negue.

– Casar-me? Acho que sim, se o destino nos conceder dez semanas mais. Ela é meu pequeno morango silvestre, Hunsden, cuja doçura me torna indiferente às suas uvas de estufa.

– Basta! Não suporto melodramas. E o que é? A que *casta* pertence?

Sorri. Inconscientemente, Hunsden enfatizara a palavra "casta"; na verdade, apesar de ser republicano e de odiar a aristocracia, Hunsden estava tão orgulhoso se sua antiga linhagem de ...shire, de seus antecedentes e da posição de sua família, respeitável e respeitada há várias gerações, como qualquer um no reino se orgulharia de sua raça normanda e de seu título da época da Conquista. Hunsden dificilmente consideraria a hipótese de se casar com alguém de uma casta inferior à sua, como um Stanley jamais cogitaria se unir a um Cobden.[159] Desfrutei da surpresa que lhe daria, com o triunfo de minha prática sobre sua teoria; e, inclinando-me sobre a mesa e pronunciando as palavras devagar e com uma alegria contida, disse de maneira concisa:

– É costureira.

---

[159] Edward Stanley, ou Lorde Stanley, conde de Derby, foi um dos líderes do Partido Conservador do Reino Unido, opondo-se a Richard Cobden, membro do Partido Liberal, no Parlamento britânico. (N.T.)

Hunsden me observou. Não disse estar surpreso, mas, estava; tinha ideias próprias sobre um bom berço. Adivinhei que suspeitava que agiria precipitadamente, mas reprimiu qualquer declaração ou protesto e se limitou a responder:

– Bem, você sabe o que é melhor para si. Uma costureira pode ser tão boa esposa como uma dama, mas é claro que, como não tem educação, fortuna ou posição, deve se certificar de que esteja bem dotada com as qualidades naturais que considera mais apropriadas para lhe fazer feliz. Tem muitos parentes?

– Nenhum em Bruxelas.

– Melhor assim; eles costumam ser o pior perigo nesses casos. Na minha opinião, uma série de parentes de classe inferior seria um aborrecimento até o fim da sua vida.

Depois de ficar em silêncio por um momento, Hunsden se levantou e me desejou boa noite em silêncio; a maneira educada e atenciosa com que me ofereceu sua mão (coisa que nunca tinha feito) me convenceu de que acreditava que eu havia cometido uma terrível estupidez e que, tendo arruinado e jogado a minha vida fora como fizera, não era o momento para comentários sarcásticos ou cínicos, nem para qualquer outra coisa senão indulgência e tolerância.

– Boa noite, William – disse em uma voz realmente baixa, com uma expressão de benevolente piedade. – Boa noite, rapaz. Desejo a você e a sua futura esposa muita prosperidade, e espero que ela consiga satisfazer sua alma exigente.

Foi difícil conter o riso ao ver a magnânima compaixão em seu semblante; contudo, sem perder meu ar grave, disse:

– Achei que gostaria de conhecer *mademoiselle* Henri.

– Ah, assim que se chama! Sim, se fosse conveniente, gostaria de vê-la, mas… – hesitou.

– Mas…?

– Não desejo me intrometer de maneira alguma.

– Vamos, então – eu disse, e saímos.

Sem dúvida, Hunsden me considerava precipitado e imprudente por expor de tal maneira minha pobre *grisette* em seu humilde e pequeno *grenier*[160], mas se preparou para agir como um verdadeiro cavalheiro, pois, na verdade, a dura máscara que gostava de usar tinha tal faceta. Conversou comigo em um tom afável e até cordial enquanto caminhávamos; nunca havia sido tão cortês comigo. Chegamos a casa, subimos as escadas; ao chegar ao saguão, Hunsden se virou para continuar subindo por uma escada mais estreita que levava a um andar mais alto, e compreendi que sua mente estava direcionada para o sótão.

– Aqui, senhor Hunsden – disse em voz baixa, batendo na porta de Frances. Ele se virou, sua sincera cortesia um tanto desconcertada pelo erro cometido. Seus olhos pousaram sobre o tapete verde, mas não disse nada.

Nós entramos, e Frances se levantou de sua cadeira junto à mesa para nos receber. Seu vestido matinal lhe dava uma aparência de reclusão quase monástica, mas também muito distinta; sua grave simplicidade não acrescentava nada à beleza, mas muito a sua dignidade; a brancura da gola e dos punhos bastava para aliviar a solenidade do negro vestido de lã; havia optado por não usar nenhum adorno. Frances fez uma mesura com uma graça serena, como sempre fazia quando alguém se aproximava dela pela primeira vez, parecendo mais uma mulher a se respeitar do que amar. Apresentei-a ao senhor Hunsden, e ela expressou em francês sua felicidade por conhecê-lo; o sotaque puro e refinado, a voz baixa, mas doce e vibrante, produziram um efeito imediato. Ele respondeu em francês; era a primeira vez que o escutei falando naquele idioma, e ele o fez muito bem. Retirei-me para o assento da janela; o visitante, a convite da anfitriã, ocupou a cadeira perto da lareira. De onde estava, era possível ver os dois e o quarto, tão limpo e resplandecente que parecia um pequeno armário polido; um vaso com flores no centro da mesa e uma rosa em cada peça de porcelana, sobre a prateleira da lareira, davam à casa um ar festivo. Frances estava séria, e Hunsden, pouco animado, mas ambos

---

[160] Sótão. (N.T.)

conversavam educadamente; compreendiam-se bem em francês, debatendo temas comuns com demasiada formalidade e decoro; nunca havia visto tamanho modelo de compostura, pois ele (graças às limitações da língua estrangeira) se viu obrigado a moldar suas frases e medir suas sentenças, com um cuidado que proibia qualquer excentricidade. Por fim, a Inglaterra foi mencionada, e Frances começou a fazer perguntas. Animando-se aos poucos, começou a mudar, como um ameaçador céu noturno muda com a chegada da aurora; primeiro, sua fronte pareceu iluminar-se, logo seus olhos brilharam e suas feições relaxaram, tornando-se mais expressivas; sua tez pálida se tornou quente e transparente. Aos meus olhos, estava bonita naquele momento; antes, parecia apenas muito distinta.

Tinha muitas coisas a dizer ao inglês recém-chegado das ilhas, e o instigou com tamanho entusiasmo e curiosidade que logo derreteu a reserva de Hunsden, como o fogo degela uma víbora que hiberna. Utilizo tal comparação não muito lisonjeira, porque ele me lembrava uma serpente acordando de seu torpor quando erguia sua forma alta, empinava sua cabeça (antes um pouco baixa) e tirava o cabelo de sua ampla testa saxônica, mostrando sem qualquer véu o brilho quase selvagem de um sátiro, aceso em sua alma e em seus olhos pelo tom veemente e pela expressão de fervor de seu interlocutor. Assim era ele, e assim era Frances, e já não podia se dirigir a ela em outra língua que não a sua.

– A senhorita entende inglês? – foi a pergunta inicial.

– Um pouco.

– Bem, então falemos em inglês. Em primeiro lugar, vejo que não tem mais bom senso do que uns e outros que conheço – disse ele, apontando para mim –, caso contrário nunca teria se tornado fanática por aquele país pequeno e sujo chamado Inglaterra. Fanática posso ver que é, pois posso ler anglofilia em sua expressão e ouvi-la em suas palavras. Como é possível, *mademoiselle,* que alguém com o mínimo de raciocínio se sinta entusiasmada por um mero nome, e que esse nome seja Inglaterra? Há cinco minutos acreditava que era uma abadessa e a respeitava por isso, e agora vejo que é uma espécie de Sybil[161] suíça com princípios conservadores e elevados da Igreja!

– A Inglaterra é o seu país? – perguntou Frances.

– Sim.

– E o senhor não gosta de lá?

– Lamentaria se gostasse. Uma pequena nação corrupta, venal, amaldiçoada por seus reis e nobres, repleta de vil orgulho (como dizem em … shire) e irremediável pobreza, podre por seus abusos, carcomida pelos preconceitos!

– Pode-se dizer o mesmo de quase todas as nações. Existem abusos e preconceitos em todos os lugares, mas achava que menos na Inglaterra.

– Venha à Inglaterra e verá. Venha a Birmingham e a Manchester; a Saint Giles[162], em Londres, e terá uma ideia prática de como nosso sistema funciona. Examine as pegadas de nossa augusta aristocracia; veja como caminham sobre o sangue dos corações que esmagam. Basta espiar pelas portas dos chalés ingleses para vislumbrar a fome, entorpecida e encurvada sobre as negras lareiras, a enfermidade nua sobre camas por fazer, e a infâmia se atracando viciosa e lascivamente com a ignorância, embora o luxo seja seu amante favorito e prefira os salões principescos a casebres com teto de palha…

– Não estava pensando nas misérias e nos vícios da Inglaterra, e sim no lado bom, no que há de elevado em seu caráter nacional.

– Não há lado bom; não que a senhorita possa compreender, pelo menos. Não pode apreciar os esforços da indústria, as realizações das empresas ou as descobertas da ciência, já que sua educação limitada e sua classe social a incapacitam por completo de entender tais questões. E quanto às associações históricas e poéticas, não a insultarei, *mademoiselle,* com a suposição de que tenha aludido a tal farsa.

---

[161] Sibila: profetisa, bruxa ou feiticeira. (N.R.)

[162] À época, a região de Saint Giles tinha má reputação por causa da pobreza de seus moradores, das favelas, dos bordéis e dos bares. Os escritores Henry Fielding e Charles Dickens estão entre os muitos ingleses que escreveram sobre a região. (N.T.)

– Mas é a isso que me referia, em partes.

Hunsden riu sua risada do mais absoluto desprezo.

– Sim, senhor Hunsden. Faz parte das pessoas que não encontram prazer em tais associações?

– *Mademoiselle*, o que é uma associação? Nunca vi uma. Qual seu comprimento, largura, peso, valor? Sim, valor. Que preço teria no mercado?

– O valor do seu retrato, para qualquer pessoa que o amasse, graças a essa associação, seria incalculável.

O inescrutável Hunsden ouviu aquele comentário e se sentiu afetado de alguma maneira, pois ficou vermelho – o que não era incomum para ele quando o pegavam desprevenido e tocavam em algum ponto delicado. Uma espécie de preocupação nublou seus olhos por alguns instantes, e acredito que preencheu a pausa que seguiu ao ataque certeiro a seu adversário com o desejo de que alguém o amasse como gostaria de ser amado, alguém cujo amor pudesse retribuir sem reservas.

A dama aproveitou essa vantagem temporária.

– Se não existem associações em seu mundo, senhor Hunsden, não me surpreende que odeie tanto a Inglaterra. Não sei exatamente o que é o Paraíso nem quem são seus anjos; contudo, supondo que seja o reino mais glorioso que se possa imaginar e que os anjos representem o grau mais elevado da existência, se um deles, se o fiel Abdiel em pessoa – disse, referindo-se a Milton – fosse de repente despojado da capacidade de associação, creio que logo sairia correndo pelos "portões da eternidade", abandonando o céu e buscando o que perdera no inferno. Sim, no mesmo inferno do qual se afastara "com desprezo audaz."[163]

O tom de Frances ao dizer isso foi tão extraordinário quanto sua linguagem, e quando a palavra "inferno" saiu de seus lábios foi com tamanha ênfase que Hunsden se dignou a lançar um sutil olhar de admiração. Ele gostava de força, fosse em um homem ou em uma mulher; gostava de todos

---

[163] Conforme tradução do Livro V do *Paraíso Perdido*, de Milton, para o português, feita por António José de Lima Leitão. (N.T.)

que se atrevessem a ultrapassar os limites do convencional. Jamais tinha ouvido uma dama dizer "inferno" de modo tão intransigente, o que o agradou demasiado, especialmente por ouvi-la dos lábios de uma mulher. Ele certamente ficaria satisfeito se ela voltasse a usar aquele tom, mas ela não gostava daquele tipo de coisa; a exibição de uma vitalidade excêntrica não lhe dava qualquer prazer, e apenas se deixava ouvir em sua voz ou se ver fugazmente em seu semblante quando circunstâncias extraordinárias, e geralmente dolorosas, a obrigavam a sair das profundezas onde ardia seu fogo latente. Uma ou duas vezes, ao conversar intimamente comigo, ela expressara pensamentos atrevidos com uma linguagem exaltada, mas, passado o momento de tais manifestações, eu as esquecia; apareciam por si sós, e por si sós desapareciam. Com rapidez, aplacou o entusiasmo de Hunsden com um sorriso e, retomando o tema da discussão, disse:

– Já que a Inglaterra não é nada, por que as nações continentais a respeitam tanto?

– Acredito que nem uma criança faria esta pergunta – respondeu Hunsden, que nunca, jamais, dava uma informação sem repreender a estupidez de quem a solicitasse. – Se tivesse sido minha aluna, como suponho que teve o desprazer de ser aluna da deplorável criatura presente neste recinto, eu a teria colocado de castigo em um canto por confessar tamanha ignorância. Mas, *mademoiselle,* não vê que é nosso ouro que compra a cortesia francesa, a boa vontade alemã e o servilismo suíço? – e deu um sorriso desdenhoso.

– Servilismo suíço!? – exclamou Frances ao ouvir a crítica. – Chama meus conterrâneos de servis? – perguntou ao se levantar, e eu não pude conter uma risada baixa; havia ira em seus olhos e desafio em sua atitude. – O senhor insulta a Suíça na minha frente? Pensa que eu não tenho associações? Acredita que estou disposta a falar apenas do vício e da degradação que assolam as aldeias dos Alpes, e afastar do meu coração a grandeza social dos meus compatriotas, a liberdade conquistada com o sangue e o esplendor natural de nossas montanhas? Pois está enganado, muito enganado!

– Grandeza social? Chame como quiser. Seus compatriotas são indivíduos sensatos que convertem em objeto comercial o que para a senhorita é uma ideia abstrata; e, antes disso, venderam sua grandeza social e também a liberdade conquistada com sangue para se tornar servos de reis estrangeiros.

– Nunca esteve na Suíça?

– Sim, duas vezes.

– Não sabe nada do meu país.

– Ao contrário.

– Diz que os suíços são mercenários como um papagaio diz "louro, louro", ou como os belgas aqui dizem que os ingleses não são corajosos, ou como os franceses os acusam de serem pérfidos. Não há justiça em suas máximas.

– Há verdade.

– Eu lhe digo, senhor Hunsden, que é um homem menos prático do que eu, uma mulher não prática, pois não reconhece a realidade. Quer aniquilar o patriotismo individual e a grandeza nacional como um ateu aniquilaria Deus e a própria alma negando sua existência.

– Aonde quer chegar? Está saindo pela tangente. Achei que estávamos falando sobre a natureza mercenária dos suíços.

– Estávamos, e mesmo se o senhor me provasse amanhã que os suíços são mercenários (o que não pode fazer), eu ainda amaria a Suíça.

– Pois então estaria louca, louca de pedra, apaixonando-se dessa forma por toneladas de terra, madeira, neve e gelo.

– Não tão louca como o senhor, que não ama nada.

– Há um método em minha loucura, coisa que não existe na sua.

– Seu método consiste em extrair a seiva da criação e fazer esterco com as sobras para transformar no que chama de útil.

– Não se pode raciocinar com você – disse Hunsden. – Não tem lógica no que diz.

– Melhor não ter lógica do que não ter sentimento – retrucou Frances, que agora andava de um lado para outro, do armário para a mesa, concentrada, se não em pensamentos hospitaleiros, ao menos em atos hospitaleiros, pois estava colocando a toalha na mesa e, sobre ela, pratos, facas e garfos.

– Isso é uma indireta, *mademoiselle?* Supõe que eu não tenho nenhum sentimento?

– O que suponho é que esteja sempre interferindo nos próprios sentimentos e no dos outros, dogmatizando sobre a irracionalidade de um e de outro, e do sentimento de um terceiro, ordenando-lhes que sejam reprimidos, pois imagina que sejam ilógicos.

– E estou certo.

Frances sumiu de vista, entrando em uma espécie de pequena despensa, e logo reapareceu.

– Como, está certo? Claro que não. Está muito enganado se pensa assim. Faça-me a gentileza de me deixar chegar perto da lareira, senhor Hunsden, pois tenho que cozinhar – e fez uma pausa para colocar uma caçarola no fogo; então, enquanto mexia seu conteúdo, prosseguiu: – Certo! Como se fosse certo esmagar os bons sentimentos que Deus deu ao homem, sobretudo um sentimento como o patriotismo, que expande o egoísmo a círculos mais amplos – disse, atiçando o fogo e colocando um prato em sua frente.

– Você nasceu na Suíça?

– Imagino que sim. Se não, por que diria que é meu país?

– E de onde saíram suas feições e figura tão inglesas?

– Também sou inglesa. Metade do sangue das minhas veias é inglês; portanto, tenho direito a um patriotismo duplo, dado que me interesso por dois países nobres, livres e afortunados.

– Sua mãe era inglesa?

– Sim, sim, e suponho que a sua era da lua ou de Utopia, já que nenhuma nação europeia pode reclamar seu interesse.

– Ao contrário, sou um patriota universal. Se pudesse me compreender, diria que minha pátria é o mundo.

– Simpatias tão amplamente difundidas devem ser demasiado superficiais. Fará a gentileza de se sentar à mesa? *Monsieur* – disse, dirigindo-se a mim, que parecia estar absorto lendo a luz do luar –, *monsieur*, o jantar está servido.

Esse convite foi feito em uma voz totalmente diferente daquela em que ela vinha discutindo com o senhor Hunsden, não tão seca, mas grave e suave.

– Frances, por que se preocupou em preparar o jantar? Não tínhamos intenção de ficar.

– Ah, *monsieur*, mas ficaram, e o jantar está pronto. Não têm alternativa senão comê-lo.

A refeição, obviamente, foi feita à estrangeira. Consistia em dois pequenos pratos de carne modestos, mas saborosos, preparados com destreza e servidos com requinte, uma salada e *fromage français.*[164] O jantar impôs uma breve trégua entre os beligerantes, mas tão logo terminado, eles voltaram a discutir. O novo tema da disputa girava em torno do espírito da intolerância religiosa que, segundo Hunsden, estava muito arraigada na Suíça, apesar do suposto amor de seu povo à liberdade. Aqui, Frances perdera a vantagem, não apenas por sua inexperiência para argumentar, mas também porque suas opiniões praticamente coincidiam com as dele, e ela apenas o contradizia, mas sem impor qualquer oposição. Por fim, rendeu-se, confessando que pensava como ele, mas que era bom que soubesse que não se considerava vencida.

– Assim como os franceses em Waterloo – respondeu ele.

– Não se pode comparar os dois casos – replicou ela. – Minha luta foi uma farsa.

– Farsa ou real, foi você quem perdeu.

– Não. Embora me falte lógica e riqueza de vocabulário, caso minha opinião realmente diferisse da sua, eu a manteria mesmo que não tivesse nada a dizer em sua defesa, e acabaria vencendo com minha muda determinação. O senhor fala de Waterloo. De acordo com Napoleão, Wellington deveria ter sido derrotado, mas perseverou apesar das leis da guerra e saiu vitorioso a despeito de todas as táticas militares. Eu faria o mesmo que ele.

---

[164] Queijo francês. (N.T.)

– Tenho certeza de que sim. Certamente é tão teimosa quanto.

– Sim, e lamentaria se não fosse. Ele e Tell eram irmãos, e eu desprezaria os suíços, homens e mulheres, que não tivessem a mesma inteireza de nosso heroico Guilherme[165].

– Se Tell era igual a Wellington, era um asno.

– Asno não significa *baudet?* – perguntou Frances, dirigindo-se a mim.

– Não, não – respondi. – Significa *esprit-fort*[166], e agora – acrescentei, vendo que se formava uma nova oportunidade para que discutissem – já é hora de partir.

– Adeus – disse Hunsden a Frances, levantando-se. – Amanhã eu parto para essa gloriosa Inglaterra, e pode levar um ano ou mais até que volte a Bruxelas. Mas quando vier vou visitá-la, e verá se encontrarei ou não um meio de deixá-la mais feroz do que um dragão. Você se saiu muito bem nesta noite, mas da próxima vez deverá me desafiar abertamente. Enquanto isso, suponho que está fadada a se tornar a senhora William Crimsworth. Pobre moça! De outro lado, você tem um espírito vivo; conserve-o e deixe que o professor se beneficie.

– É casado, senhor Hunsden? – perguntou Frances de repente.

– Não. Achei que, pela minha aparência, tinha adivinhado que sou um Benedicto.[167]

– Bem, se chegar a se casar, não tome uma suíça como esposa. Se começar a blasfemar contra Helvécia, a maldizer os cantões e, acima de tudo, se mencionar a palavra "asno" na mesma frase que "Tell" (pois sei que é *baudet,* apesar de o *monsieur* preferi-la traduzir como *esprit-fort),* sua donzela da montanha acabará estrangulando o seu bretão, assim como o Otelo de seu Shakespeare asfixiou Desdêmona.

---

[165] Herói lendário do começo do século XIV, diz-se que Guilherme Tell viveu em Uri, na Suíça, e seu nome está geralmente associado à guerra de libertação nacional frente ao império Habsburgo, da Áustria. (N.T.)

[166] Gênio forte, decidido. (N.T.)

[167] Personagem da comédia *Muito Barulho por Nada,* escrita por William Shakespeare entre 1598-99, conhecido por travar uma alegre e sagaz batalha com seu par romântico, Beatriz. (N.T.)

– Estou avisado – respondeu Hunsden. – E você também, rapaz – falou, acenando para mim. – Ainda espero ouvir uma paródia do Mouro e de sua gentil dama, em que os papéis sejam invertidos segundo o plano que acabamos de esboçar, mas com você no meu lugar. Adeus, *mademoiselle* – disse, tomando sua mão e se curvando sobre ela, exatamente como faria Sir Charles Grandison[168] com a de Harriet Byron, e acrescentou: – A morte por essas mãos seria encantadora.

– *Mon Dieu!* – murmurou Frances, arregalando os olhos e erguendo as sobrancelhas distintamente curvadas. – *C'est qu'il fait des compliments! Je ne m'y suis pas attendu.*[169]

Ela, então, esboçou um sorriso entre a raiva e a alegria e fez uma mesura com uma graça estrangeira característica. Dessa forma, eles se despediram.

Assim que chegamos à rua, Hunsden me agarrou pelo colarinho.

– Era essa a costureira? – perguntou. – Por acaso acha que está fazendo um favor se oferecendo para se casar com ela? Você, um descendente dos Seacombes, provou seu desprezo pelas distinções sociais escolhendo uma *ouvrière!*[170] E eu, que me compadeci de você, pensando que tinha se deixado levar pelos seus sentimentos a ponto de se prejudicar com um casamento rebaixado.

– Solte meu colarinho, Hunsden.

Em vez de me obedecer, ele me sacudiu; então eu o agarrei pela cintura. Era noite; a rua estava vazia e sem luz. Fizemos uma pequena demonstração de força; e, depois de cairmos e rolarmos pela calçada, levantamo-nos com alguma dificuldade e concordamos em seguir com mais seriedade.

– Sim, essa é minha costureira – disse –, e será minha por toda eternidade, se Deus quiser.

– Deus não quer nada, já deveria saber. Como se atreve a encontrar uma companheira tão adequada? E que também o trata com respeito e o

[168] Personagem do romance epistolar homônimo, escrito por Samuel Richardson em 1753. (N.T.)

[169] – Meu Deus! [...] Ele está me elogiando! Não esperava por isso. (N.T.)

[170] Mulher trabalhadora, operária. (N.T.)

chama de *monsieur*, modulando o tom ao se dirigir a você, como se fosse alguém realmente superior a ela! Não poderia demonstrar maior deferência a alguém como eu se a fortuna a tivesse abençoado a ponto de ser minha escolhida em vez de sua.

– Como é convencido! E viu apenas a primeira página da minha felicidade; não conhece a história que vem a seguir; não é capaz de imaginar o interesse, a doce variedade e a apaixonada excitação da narrativa.

Com uma voz baixa e grave, pois havíamos chegado a uma rua mais movimentada, Hunsden exigiu silêncio, ameaçando fazer algo terrível se eu continuasse atiçando sua raiva ao me vangloriar. Dei risada a ponto de sentir dor na barriga. Logo chegamos ao seu hotel e, antes de entrar, ele disse:

– Não se vanglorie. Sua costureira é boa demais para você, mas não o bastante para mim; não atende a meu ideal de mulher nem física nem moralmente. Não; eu sonho com algo muito superior àquela pequena helvética de rosto pálido e de caráter irritável (a propósito, ela tem muito mais da típica parisiense nervosa e expressiva do que da *Jungfrau*[171] robusta). Sua *mademoiselle* Henri tem um físico *chétive*[172] e um intelecto *sans caractère*[173] em comparação à rainha das minhas visões. Sem dúvida, você pode se conformar com aquele *minois chiffonné*[174], mas quando eu me casar quero feições mais retas e harmoniosas, para não falar de uma forma mais nobre e mais desenvolvida do que a daquela criança perversa e mal-humorada da qual se orgulha.

– Suborne um serafim para que lhe traga uma brasa viva do paraíso, se você for, e a use para soprar a vida em uma mulher mais alta, gorda, rosada e sem ossos protuberantes do que aquelas pintadas por Rubens[175].

---

[171] Donzela. (N.T.)

[172] Frágil. (N.T.)

[173] Sem personalidade. (N.T.)

[174] Rostinho enrugado. (N.T.)

[175] Peter Paul Rubens (1577-1640) foi um pintor barroco que prezava a sensualidade, a cor e o movimento em suas obras. (N.T.)

Quanto a mim, deixe-me com minha *peri*[176] dos Alpes, e não sentirei nenhuma inveja de você.

Com um movimento simultâneo, ambos viramos de costas um para o outro. Nenhum dos dois disse: "Deus te abençoe"; no entanto, no dia seguinte, o mar nos separaria.

---

[176] Na mitologia persa, tratava-se de um ser sobrenatural ou uma espécie de anjo que, tendo sido considerado maligno no passado, se transformava em um símbolo de beleza e benevolência. (N.T.)

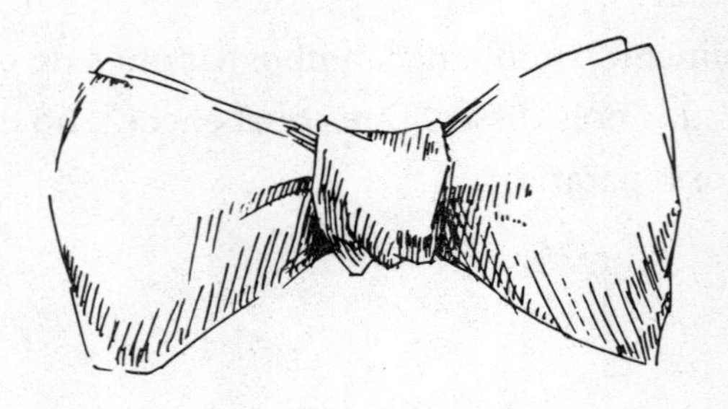

Capítulo 25

Após dois meses, Frances concluiu o período de luto por sua tia. Em uma manhã de janeiro, a primeira do feriado de Ano-Novo, fui à Rua Notre Dame aux Neiges em um carro alugado, acompanhado apenas por *monsieur* Vandenhuten, e após apear e subir as escadas encontrei-a esperando por mim com um traje dificilmente apropriado para aquele dia frio, límpido e enregelante. Até aquele momento, não a tinha visto vestida com qualquer outra cor além do preto ou algum outro tom triste, e lá estava, de pé junto à janela, toda vestida de branco, envolta em um tecido da mais diáfana textura; seu traje era simples, sem dúvida, mas parecia imponente e festivo, por ser tão claro, cheio e vaporoso; o véu que cobria sua cabeça pendia abaixo do joelho, e uma pequena coroa de flores cor-de-rosa o prendia à sua grossa trança grega e caía suavemente de ambos os lados de seu rosto. Por mais estranho que pareça, ela estava ou estivera chorando; quando perguntei se estava pronta, seu "Sim, *monsieur*" saiu como um soluço contido, e quando peguei o xale que estava sobre a mesa e o coloquei sobre seus ombros, reagiu aos meus cuidados com algumas lágrimas, que escorreram espontaneamente sobre sua face e foram acompanhadas de um tremor. Eu disse que lamentava vê-la tão deprimida e pedi que me permitisse saber o que a afligia. Ela se limitou a dizer que fora impossível evitar; então, voluntária, porém apressadamente, colocou sua mão sobre a minha, acompanhou-me para fora do apartamento e correu escada abaixo, com um passo rápido e incerto, como se estivesse impaciente para concluir um assunto desafiador. Ajudei-a a subir no carro, e *monsieur* Vandenhuten a recebeu e a sentou a seu lado. Uma vez na Capela Protestante, oficiaram o serviço religioso do Livro de Oração Comum, e então saímos casados. *Monsieur* Vandenhuten entregou a noiva.

Não fizemos nenhuma vigem de núpcias; nossa modéstia, salvaguardada pela obscuridade pacífica de nossa condição social, e o agradável isolamento de nossas bodas não exigiam o cumprimento de tal precaução. Dirigimo-nos imediatamente a uma pequena casa que havia alugado no *faubourg*[177] mais próximo da região da cidade em que desempenhávamos nossas vocações.

Três ou quatro horas depois da cerimônia, Frances havia substituído seu alvo vestido de noiva por outro belo vestido lilás, de tecido mais quente, um avental provocativo de seda negra e uma gola de renda decorada com uma fita violeta, e estava ajoelhada sobre o tapete de nossa saleta de estar perfeitamente mobiliada, colocando nas prateleiras de uma *chiffonnière* alguns livros que estavam sobre a mesa e que eu ia lhe passando. Nevava forte do lado de fora; a tarde fora fria e tempestuosa; o céu cinza parecia carregado de nuvens de gelo e vento, e a rua já estava coberta de neve até a altura dos tornozelos. Ardia um bom fogo na lareira e nossa casa nova resplandecia limpeza; todos os móveis já estavam no lugar e faltava organizar apenas alguns objetos de vidro e porcelana, livros, etc., dos quais Frances se ocupou até a hora do chá. Então, após tê-la orientado de maneira clara sobre como fazer uma xícara de chá razoável no estilo inglês e após ela ter superado a consternação produzida pela quantidade extravagante de chá colocada na chaleira, preparou-me uma autêntica refeição britânica, para

[177] Subúrbio. (N.T.)

a qual não faltaram velas, nem algo que mantivesse o chá quente, nem a luz da lareira, nem o conforto.

Nossa semana de férias passou e retomamos o trabalho. Tanto minha esposa quanto eu trabalhávamos duro, conscientes de que éramos trabalhadores destinados a ganhar nosso pão com nosso suor, e da forma mais árdua. Os dias eram sempre atarefados; costumávamos nos despedir às oito da manhã e voltávamos a nos ver apenas às cinco horas da tarde; mas que doce descanso nos aguardava ao término da agitação diária! Olhando para trás, vejo as noites que passamos naquela saleta como uma longa fileira de rubis circundando a fronte escura do passado. Elas eram tão imutáveis como cada uma das gemas lapidadas, e como elas ardiam e brilhavam.

Um ano e meio se passou. Certa manhã (era um *fête*[178] e tínhamos o dia todo para nós), com uma rapidez que lhe era particular quando pensava muito sobre alguma coisa e, finalmente, ao chegar a uma conclusão, queria validá-la com o meu julgamento, Frances disse:

– Eu não trabalho o suficiente.

– Por que diz isso? – perguntei, levantando os olhos do café que mexia devagar enquanto desfrutava antecipadamente imaginando o passeio que havia proposto a ela naquele dia bonito de verão (era junho) até uma casa de fazenda no interior, onde iríamos comer. – Por que diz isso? – repeti, vendo na veemência séria de seu rosto um projeto de vital importância.

– Não estou satisfeita – respondeu. – Você está ganhando oito mil francos ao ano – (era verdade; meu esforço, pontualidade, a fama do progresso dos meus alunos e a publicidade do meu posto haviam me ajudado) – enquanto eu ainda sigo com os miseráveis mil e duzentos francos. *Posso* e *vou* ganhar mais.

– Você trabalha tanto e com tanta diligência como eu, Frances.

– Sim, *monsieur*, mas não estou trabalhando da maneira certa, estou convencida.

[178] Feriado, dia festivo. (N.T.)

– Deseja mudar e tem um plano para melhorar. Vá colocar seu *bonnet* e me conte mais a respeito enquanto caminhamos.

– Sim, *monsieur.*

Ela foi, tão dócil e bem-educada como uma criança; era uma curiosa mescla de docilidade e firmeza. Permaneci sentado, pensando sobre ela e imaginando qual seria seu plano, até que ela retornou.

– *Monsieur*, dei permissão a Mimie (nossa *bonne)* para que saia também, pois o dia está muito bonito. Poderia fazer a gentileza de trancar a porta e levar a chave?

– Beije-me, senhora Crimsworth – foi minha resposta, não muito apropriada. Estava tão sedutora com seu vestido leve de verão e seu pequeno *bonnet,* e sua maneira de falar comigo era, como sempre, tão natural e elegantemente respeitadora que meu coração se expandia ao vê-la, e me pareceu necessário um beijo para satisfazer sua insistência.

– Pronto, *monsieur.*

– Por que sempre me chama de *monsieur?* Diga "William".

– Não consigo pronunciar o W. Além disso, *monsieur* combina com você. Eu prefiro.

Mimie saiu com um chapéu limpo e um xale elegante, e nós também partimos, deixando a casa solitária e silenciosa – ou ao menos se ouvia apenas o tique-taque do relógio. Logo já estávamos fora de Bruxelas; primeiro os campos nos receberam, e depois os caminhos distantes das *chaussées*[179] onde retumbavam as rodas dos carros. Em pouco tempo deparamo-nos com um recanto tão rural, tão verde e resguardado que parecia ter saído de alguma província pastoral inglesa; debaixo de um espinheiro, um relevo coberto por uma grama curta nos ofereceu um assento tentador demais para ser recusado; sentamo-nos e, depois de admirar e examinar algumas flores silvestres de aparência inglesa que cresciam aos nossos pés, recordei Frances do assunto que havia surgido no desjejum.

---

179 Estradas de terra. (N.T.)

Qual era seu plano? O mais natural: o passo seguinte que devemos dar ou, ao menos, que ela devia dar se quisesse subir em sua carreira. Propôs que abríssemos uma escola. Já tínhamos meios para começar uma pequena escola, posto que gastávamos menos do que recebíamos. Também possuíamos uma ampla e escolhida seleção de relações que poderiam ser proveitosas para o nosso negócio, pois, embora nosso círculo de amizades continuasse reduzido como sempre, éramos amplamente conhecidos como professores nas escolas e por muitas famílias. Quando ela me explicou seu plano, expressou ao final suas esperanças para o futuro. Se continuássemos tendo boa saúde e um sucesso razoável, Frances tinha certeza de que, com o tempo, poderíamos ter um futuro estável e independente, e talvez antes de que ficássemos velhos demais para desfrutar; então nós dois descansaríamos, e o que nos impediria de mudar para a Inglaterra? A Inglaterra ainda era a sua Terra Prometida.

Não fiz nenhuma objeção nem coloquei qualquer obstáculo em seu caminho; sabia que Frances não poderia viver calada e inativa, nem mesmo um pouco. Precisava cumprir deveres, e deveres importantes; precisava de trabalho para fazer, e trabalhos que fossem estimulantes, absorventes, lucrativos; grandes faculdades se agitavam em seu interior, exigindo alimento e exercício. Não seriam as minhas mãos que as matariam de fome nem as que cortariam as suas asas; não, deleitava-me oferecendo a elas sustento e abrindo caminho para que agissem.

– Você traçou um plano, Frances – disse eu, – e é um bom plano. Coloque-o em prática; tem meu consentimento e, quando precisar de minha ajuda, basta pedir.

Seus olhos me agradeceram quase com lágrimas; apenas um brilho fugaz, que logo desapareceu. Ela também se apoderou da minha mão e a apertou entre as suas, mas não disse nada além de: "Obrigada, *monsieur*".

Passamos um dia divino e voltamos tarde para casa, iluminados por uma lua cheia de verão.

Dez anos se passaram voando por mim com suas asas empoeiradas, vibrantes e inquietas; anos de alvoroço, de ação, de empenho infatigável;

anos em que minha esposa e eu mergulhamos de cabeça rumo ao progresso da mesma forma que ele avançava pelas capitais europeias, de maneira que mal conhecíamos o descanso, éramos estranhos à diversão e nunca pensávamos em caprichos. Contudo, à medida que nossa vida como casal se desenrolava, caminhávamos lado a lado, sem reclamar, sem nos arrepender e sem vacilar. A esperança realmente nos animava, a saúde nos sustentava, a harmonia entre pensamento e ação amenizava as dificuldades e, finalmente, o êxito de vez em quando conferia uma recompensa encorajadora a nossa diligência. Nossa escola se tornou uma das mais populares de Bruxelas e, à medida que melhoramos nossas condições e nosso sistema educacional, a admissão de alunos se tornou mais seleta e, por fim, incluiu os filhos das famílias mais proeminentes da Bélgica. Também tínhamos uma conexão excelente na Inglaterra, graças às recomendações feitas por iniciativa do senhor Hunsden, que, após ter-me insultado duramente por minha prosperidade durante uma visita, regressou ao seu país e, pouco depois, nos enviou uma série de jovens herdeiras de ...shire, suas primas, para que, em suas palavras, "fossem lapidadas pela senhora Crimsworth".

Quanto à senhora Crimsworth, em parte ela se tornou outra mulher, ainda que uma parcela tenha permanecido inalterada. Era tão diferente segundo as circunstâncias que eu tinha a impressão de ter duas esposas. Seus talentos naturais, já revelados antes de nos casarmos, continuaram frescos e puros, mas outros atributos surgiram com força, ramificaram-se e alteraram por completo o caráter externo da planta. Firmeza, atividade e iniciativa cobriram com sua densa folhagem o sentimento e o ardor poéticos, mas essas flores ainda estavam lá, sempre puras e frescas, à sombra dos novos ramos e de uma natureza mais resistente. Talvez eu fosse a única pessoa no mundo que conhecia o segredo da existência delas, mas para mim estavam sempre dispostas a produzir uma fragrância primorosa e me brindar com uma beleza casta e radiante.

Durante o dia, minha casa e a escola eram administradas por madame, a diretora, uma mulher majestosa e elegante cuja fronte mostrava suas muitas preocupações e cujo rosto sério era a imagem de uma dignidade calculada. Logo após o desjejum, costumava me despedir dessa dama, eu ia para o colégio e ela, para a sala de aula; ao longo do dia, retornava para casa por uma hora, e sempre a encontrava na sala de aula, diligentemente ocupada, trabalhando em silêncio, com presteza e disciplina. Quando não estava ensinando, supervisionava e guiava com olhares e gestos; então parecia vigilante e solícita. Quando instruía, seu aspecto era mais animado; parecia realmente gostar de seu trabalho. Embora simples e despretensiosa, a linguagem com que se dirigia às alunas nunca era banal ou seca; não usava fórmulas prontas, ao contrário, optava por improvisar as próprias frases, que muitas vezes eram enérgicas e impressionantes. Frequentemente, ao elucidar alguns de seus pontos favoritos sobre História ou Geografia, tornava-se genuinamente mais eloquente em sua dedicação; suas alunas, ao menos as mais velhas e mais inteligentes, sabiam reconhecer a linguagem de um intelecto superior e perceber seus sentimentos elevados, os quais deixaram suas marcas em algumas delas. Havia poucas palavras afetuosas entre a professora e suas alunas, mas com o tempo algumas delas aprenderam a gostar sinceramente de Frances, e todas a respeitavam bastante; em geral, mostrava-se séria; às vezes bondosa quando a agradavam com seu progresso e atenção, e sempre escrupulosamente cortês e atenciosa. Quando era necessário censurar ou castigar, costumava ser muito tolerante, mas se alguém se aproveitava de sua indulgência (o que às vezes acontecia) uma severidade aguda, súbita e repentina como um raio ensinava à culpada a extensão do erro cometido. Algumas vezes um brilho de ternura suavizava seus olhos e suas maneiras, mas isso era raro; apenas quando alguma aluna estava doente, ou quando sentia saudade de casa, ou no caso de uma criança órfã de mãe, ou tão mais pobre do que suas colegas que seu parco guarda-roupa e suas nomeações ruins suscitavam o desprezo das jovens e adornadas condessas e das senhoritas vestidas com sedas. Sobre essas frágeis calouras, a diretora estendia sua asa de bondosa proteção; procurava por elas no inverno, para se certificar de que sempre tinham um assento cômodo junto à estufa; chamava por elas no salão, para distribuir pedaços de bolo ou frutas, para que se sentassem em um banquinho perto da lareira, para que desfrutassem dos confortos de um lar, e também quase de suas liberdades, passando a noite com elas; nessas ocasiões, dirigia-se a elas com serenidade e em voz baixa, confortando-as, encorajando-as e mimando--as; e, quando chegava a hora de ir se deitar, desejava-lhes boa noite com um beijo afetuoso. Quanto a Julia e Georgiana G., filhas de um baronete inglês, quanto à *mademoiselle* Mathilde de..., herdeira de um conde belga, e muitas outras filhas de sangue aristocrata, a diretora se preocupava com elas como o fazia com todas as outras, desejava o progresso delas, como o das outras, mas nunca passou por sua cabeça fazer qualquer distinção mostrando alguma preferência. Chegou a sentir um afeto sincero apenas por uma aluna de sangue nobre – Lady Catherine..., uma jovem baronesa irlandesa –, mas foi por seu coração entusiasmado e por sua inteligência, por sua generosidade e por seu gênio, pois seu título e sua posição lhes eram indiferentes.

Minhas tardes também eram passadas no colégio, com exceção de uma hora que, por exigência de minha esposa, passava em sua escola, e da qual não me dispensava. Dizia que eu precisava passar aquele tempo com suas alunas para conhecê-las melhor, para estar *au courant*[180] de tudo o que acontecia na escola, para me interessar pelo que ela se interessava e para poder emitir minha opinião sobre assuntos delicados quando solicitado, o que acontecia com frequência; jamais permitia que meu interesse pelas alunas diminuísse, nem fazia grandes mudanças sem meu conhecimento e minha anuência. Adorava se sentar ao meu lado enquanto eu dava aula (de literatura), com as mãos entrelaçadas sobre os joelhos, prestando mais atenção do que qualquer outra pessoa. Pouco se dirigia a mim durante a aula; quando o fazia, era com um distinto ar de deferência; sentia prazer e alegria em ter-me como professor em tudo.

Minhas tarefas terminavam às seis da tarde e então voltava para casa, pois meu lar era meu paraíso; sempre àquela hora, quando entrava em nossa sala de estar privada, a diretora sumia diante dos meus olhos e Frances

[180] Ciente. (N.T.)

Henri, minha pequena costureira, era magicamente devolvida aos meus braços; e ela certamente teria ficado muito desapontada se seu professor não tivesse sido tão fiel ao encontro como ela, que respondia ao seu beijo sincero com seu suave: "*Bon soir, monsieur*".

Não deixou de falar comigo em francês, e recebeu alguns castigos por sua teimosia; temo, porém, não ter escolhido punições apropriadas, pois, em vez de corrigir a falha, pareciam encorajá-la. As noites eram nossas, um descanso necessário para espairecer, repor as forças e cumprir devidamente com o nosso dever; às vezes ficávamos conversando, e minha jovem genebrina, agora que estava totalmente acostumada a seu professor inglês, agora que o amava demais para temê-lo, depositava nele uma confiança tão ilimitada que não havia nenhum assunto que não fosse motivo de comunhão entre os dois corações. Naqueles momentos, feliz como um pássaro com seu par, mostrava-me a vivacidade, a alegria e a originalidade em sua natureza prendada. Mostrava, também, certa dose de sarcasmo, de *malice*, e às vezes me irritava, provocava e atormentava sobre o que chamava de minhas *bizarreries anglaises*[181] e meus *caprices insulaires*[182] com uma maldade indômita e engenhosa que a transformavam em um perfeito demônio branco até que terminasse. Essas situações, no entanto, eram raras, e sua insólita demonstração élfica era breve; às vezes, quando recebia um golpe mais duro na guerra verbal, pois sua língua fazia plena justiça ao fundamento, ao sentido e à delicadeza de seu francês nativo – idioma que sempre usava para me atacar –, eu costumava me virar contra ela com minha antiga resolução e prender o espírito que me provocava. Doce ilusão! Assim que a segurava pela mão ou pelo braço, o elfo desaparecia, o sorriso provocador se apagava em seus olhos expressivos e um raio de deferência brilhava sob as pálpebras. Agarrava um elfo irritante para encontrar em meus braços uma mulher mortal, submissa e suplicante. Então, obrigava-a a pegar um livro em inglês e, como penitência, fazia que o lesse

[181] Extravagâncias inglesas. (N.T.)
[182] Caprichos insulares. (N.T.)

por uma hora. Frequentemente, administrava uma dose de Wordsworth, e ele logo surtia efeito, pois ela tinha dificuldade em compreender a mente profunda, serena e sóbria do poeta; sua linguagem tampouco era fácil para ela, precisava fazer perguntas, pedir explicações, voltar a ser uma criança e me reconhecer como seu professor e diretor. Seu instinto prontamente interpretava e compreendia o significado de escritores mais ardentes e criativos – emocionava-se com Byron e adorava Scott; apenas se confundia, se questionava e vacilava em exprimir sua opinião sobre Wordsworth.

Porém, independentemente do que estivesse fazendo, fosse lendo ou falando comigo, provocando-me em francês ou suplicando em inglês, brincando com humor ou questionando com deferência, narrando com interesse ou escutando com atenção, rindo de mim ou para mim, sempre me abandonava pontualmente às nove horas. Soltava-se dos meus braços, afastava-se, pegava sua lâmpada e ia embora. Sua missão estava no andar de cima. Eu a segui algumas vezes e a observei. Primeiro, abria a porta do *dortoir* (dormitório das alunas), entrava em silêncio no grande aposento e caminhava entre as duas fileiras de camas brancas para examinar as alunas adormecidas; se alguém estivesse acordada, especialmente se estivesse triste, falava com ela para acalmá-la; ficava alguns minutos para se certificar de que estava tudo bem e tranquilo; verificava a lâmpada que permanecia acesa por toda a noite no quarto e então saía, fechando a porta atrás de si sem emitir qualquer ruído. Depois dirigia-se para o nosso quarto; lá havia um pequeno gabinete, no qual ela entrava; lá também havia uma cama, bem pequena; seu rosto (na noite em que a segui para observá-la) mudou quando se aproximou daquele pequeno leito, substituindo a seriedade pela ternura; cobria então, com uma das mãos, a lâmpada que carregava, inclinava-se sobre o travesseiro para olhar para uma criança adormecida, cujo sono (naquela noite, ao menos, e creio que geralmente) era profundo e calmo; nenhuma lágrima molhava seus cílios escuros, nenhuma febre aquecia suas bochechas redondas, nenhum pesadelo alterava suas feições plácidas. Frances o contemplou; não sorria; contudo uma profunda felicidade iluminava todo o seu semblante, um sentimento intenso e prazeroso se apoderava de todo o seu ser, que ainda estava imóvel. Ainda assim, vi seu coração palpitar, seus lábios se entreabrirem e sua respiração ficar entrecortada; a criança sorriu, e por fim também a mãe sorriu e disse em voz baixa: "Deus o abençoe, meu filhinho!" Ela se inclinou para mais perto dele e depositou um beijo suave em sua testa, tomou suas pequenas mãos por alguns minutos e finalmente se levantou para sair. Eu voltei à sala de estar antes dela, que chegou dois minutos depois e me disse em voz baixa enquanto deixava a lâmpada já apagada:

– Victor dorme bem. Sorriu para mim enquanto sonhava; ele tem o seu sorriso, *monsieur*.

O menino, claro, era nosso filho, nascido durante o terceiro ano de nosso casamento. Seu nome foi escolhido em homenagem a *monsieur* Vandenhuten, que continuava sendo nosso fiel e querido amigo.

Frances era uma boa esposa para mim, porque eu era um marido bom, justo e fiel para ela. O que teria acontecido com ela se tivesse se casado com um homem rude, invejoso e negligente, com um devasso, um pródigo, um bêbado ou um tirano? Perguntei isso a ela um dia e, após alguma reflexão, respondeu-me:

– Tentaria suportar o mal ou curá-lo durante algum tempo, e quando se tornasse intolerável e incurável deixaria o meu torturador súbita e silenciosamente.

– E se fosse obrigada a voltar pela lei ou pela força?

– Como? Para um bêbado, um devasso, um perdulário egoísta, um estúpido injusto?

– Sim.

– Teria voltado. Uma vez mais me asseguraria de que seu vício e minha infelicidade tinham ou não remédio e, caso não tivessem, eu o deixaria novamente.

– E se fosse uma vez mais obrigada a voltar e forçada a ficar?

– Não sei – disse apressadamente. – Por que me pergunta, *monsieur*?

Vendo um espírito estranho em seus olhos, cuja voz eu estava decidido a despertar, insisti em conseguir uma resposta.

– *Monsieur,* se a mulher odeia a natureza do homem com que está casada, o casamento é uma escravidão, e todos os pensadores corretos se revoltam contra isso. Embora a tortura fosse o preço da resistência, ela deve ser desafiada; embora o único caminho para a liberdade cruze os portões da morte, ele deve ser trilhado, pois a liberdade é essencial. Então, *monsieur,* eu resistiria enquanto minhas forças me permitissem, e quando elas me faltassem recordaria que sempre há um último refúgio. Sem dúvida a morte me protegeria tanto das leis ruins como de suas consequências.

– Uma morte voluntária, Frances?

– Não, *monsieur.* Teria coragem de suportar todos os sofrimentos e princípios designados pelo destino para lutar por justiça e liberdade até o fim.

– Vejo que não seria uma paciente Griselda[183]. E, agora, supondo que o destino a tenha atribuído apenas o papel de uma solteirona, o que faria? O que acharia do celibato?

– Não faria muitas coisas, certamente. A vida de uma solteirona, sem dúvida, é inútil e enfadonha; seu coração está seco e vazio. Se eu fosse uma delas, sem dúvida teria dedicado minha existência a tentar preencher o vazio e aliviar o sofrimento, mas possivelmente fracassaria, e morreria cansada, decepcionada, desprezada e ignorada, como tantas outras em tal situação. Mas não sou uma solteirona – acrescentou rapidamente –, estava destinada a não ser de nenhum outro além do meu professor; jamais teria agradado a outro homem que não fosse o professor Crimsworth; nenhum outro cavalheiro, francês, inglês ou belga, teria me considerado amável ou bonita, e eu duvido que teria me importado com a aprovação deles, mesmo se a tivesse conquistado. Faz oito anos que sou a esposa do professor Crimsworth, e como o vejo? É um homem honrado, amado...? – Sua voz falhou e seus olhos ficaram marejados. Ela estava ao meu lado, então me abraçou e me apertou contra si apaixonadamente; ficara ruborizada e seus olhos dilatados brilhavam com toda a energia de seu ser; sua aparência e

[183] Personagem do folclore europeu conhecida por sua paciência e obediência. Foi descrita por Giovanni Boccaccio em *Decamerão* (1353) e por Geoffrey Chaucer em *Os contos da Cantuária* (c. 1380-1400). (N.T.)

movimento eram como uma inspiração, pois uma denotava brilho, e a outra, intensidade.

Meia hora depois, quando se acalmou, perguntei para onde havia ido todo aquele vigor selvagem que a tinha transformado, tornando seu olhar tão emotivo e ardente, e seu gesto, tão forte e expressivo. Ela baixou os olhos, sorrindo suavemente.

– Não sei dizer para onde foi, *monsieur* – respondeu passivamente –, mas sei que voltará sempre que pedir.

Leitor, contemple-nos agora, passados dez anos. Tornamo-nos independentes. A rapidez com que atingimos nosso objetivo se deve a três motivos. Em primeiro lugar, trabalhamos arduamente para isso; em segundo, não tínhamos dívidas que atrasassem nosso progresso; e, em terceiro, tão logo tivemos capital para investir, fomos orientados por dois hábeis conselheiros, um na Bélgica e um na Inglaterra – a saber, Vandenhuten e Hunsden – quanto ao tipo de investimento que deveríamos fazer. Suas sugestões foram criteriosas, e nós agimos prontamente; o resultado foi proveitoso, mas não preciso dizer quanto; os detalhes foram informados apenas aos dois conselheiros, e não interessam a mais ninguém.

Com as contas superadas e depois de termos nos retirado da profissão, já que não tínhamos Mamon como senhor nem queríamos passar nossa vida a seu serviço, e dado que nossos desejos eram moderados e nossos hábitos não eram ostentosos, concordamos que tínhamos o suficiente para viver em abundância e para deixá-la para nosso filho; além disso, concordamos também que devíamos sempre ter uma balança em mãos, que, administrada de maneira apropriada pela beneficência e pelo altruísmo, poderia ajudar atividades filantrópicas e oferecer recursos à caridade.

Decidimos então alçar voo para a Inglaterra, onde chegamos sãos e salvos, e Frances pôde realizar seu sonho. Dedicamos o verão e o outono a viajar pelas ilhas britânicas de ponta a ponta e depois passamos o inverno em Londres. Por fim, acordamos que havia chegado a hora de fixar nossa residência. Meu coração ansiava voltar ao seu condado natal de ...shire, que é onde vivemos agora; estou escrevendo na biblioteca da minha casa. Ela fica em uma região isolada e bastante montanhosa, a trinta milhas de X, em uma área cujo verde ainda não foi maculado pela fumaça das fábricas, cujas águas ainda correm puras, cujas ondulações pantanosas ainda preservam alguns vales frondosos na própria selvageria primitiva da natureza, repleta de musgo, de samambaias, de jacintos silvestres, do aroma de junco e de urze e de uma brisa fresca. Minha casa é uma residência pitoresca e não muito grande, com janelas baixas e compridas, uma varanda coberta por treliças sobre a porta de entrada que agora, nesta noite de verão, parecem um arco de rosas e heras. A maior parte do jardim é coberta de grama, nascida da terra das colinas, com uma folha curta e macia como musgo, repleta de flores peculiares, minúsculas e em forma de estrela, incrustadas no minucioso bordado de sua folhagem fina. No fundo do jardim em declive há uma cancela, que se abre para uma alameda tão verde como o restante, muito longa, sombreada e pouco frequentada; e em sua relva costumam aparecer as primeiras margaridas da primavera – daí seu nome, Daisy[184] Lane, que serve também para distinguir a casa. Ela (me refiro à alameda) termina em um vale arborizado; o bosque, formado principalmente por carvalho e faia, estende sua sombra sobre a vizinhança de uma antiquíssima mansão, uma estrutura elisabetana muito maior e mais velha que Daisy Lane, propriedade e residência de um indivíduo familiar para mim e para o leitor. Sim, chama-se Hunsden Wood essa propriedade e essa construção cinza com muitas paredes ornamentais e chaminés na qual mora Yorke Hunsden, ainda solteiro, suponho que por ainda não ter encontrado seu par ideal (embora eu conheça pelo menos vinte jovens damas em um raio de quarenta milhas que estariam dispostas a ajudá-lo em sua busca).

Ele herdou a propriedade após a morte de seu pai, há cinco anos; abandonou o comércio depois de ter feito dinheiro suficiente para pagar algumas dívidas que oneravam o patrimônio familiar. Digo que vive aqui, mas não creio que more nela por mais de cinco meses ao ano, pois vaga de país em país e passa parte do inverno em Londres. Costuma trazer

---

[184] Em inglês, *daisy* é margarida. (N.T.)

visitantes quando vem a ...shire, e eles geralmente são estrangeiros; ora um metafísico alemão, ora um sábio francês; uma vez recebeu um italiano insatisfeito e de aparência selvagem que não sabia cantar nem tocar qualquer instrumento, e que Frances afirmava ter *tout l'air d'un conspirateur.*[185] Todos os ingleses que Hunsden convida são de Birmingham ou de Manchester, homens duros e que, ao que parece, sabem falar apenas de livre-comércio. Os visitantes estrangeiros também são políticos, mas sua fala é mais abrangente, incluindo o progresso europeu e a expansão das ideias liberais pelo continente; em suas tábuas mentais, os nomes Rússia, Áustria e o do papa estão gravados com tinta vermelha. Já ouvi alguns deles falar com energia e bom senso; sim, estive presente em discussões poliglotas na velha sala de jantar revestida de carvalho de Hunsden Wood, em que se compartilhava uma visão singular dos sentimentos nutridos por mentes resolutas a respeito dos antigos despotismos do norte e das velhas superstições do sul; também ouvi muitas idiotices, ditas especialmente em francês e alemão, mas deixemos para lá. O próprio Hunsden se limita a tolerar os disparates dos teóricos; já com os homens práticos, parece travar uma união tanto em suas ações como em suas palavras.

Quando está sozinho em Wood, o que raramente acontece, Hunsden costuma vir a Daisy Lane duas ou três vezes por semana. Ele tem um motivo filantrópico para fumar seu charuto em nossa varanda nas noites de verão: alega que o faz para matar as tesourinhas das roseiras, insetos que, segundo afirma, certamente teriam nos invadido se não fossem suas benevolentes fumigações. Também podemos esperar sua visita nos dias de chuva; de acordo com ele, é uma questão de tempo até que consiga me levar à loucura, atacando meus pontos fracos, ou para forçar a senhora Crimsworth a revelar o dragão que leva dentro de si, insultando a memória de Hofer[186] e Tell.

---

[185] Todo o ar de um conspirador. (N.T.)

[186] Patriota austríaco que liderou a revolta de Tirol contra Napoleão, Andreas Hofer (1767-1810) se tornou um herói da resistência tirolesa e austríaca aos franceses. Contudo acabou sendo capturado e executado a pedido pessoal do imperador francês. (N.T.)

Nós também frequentamos Hunsden Wood, e tanto Frances como eu desfrutamos imensamente de nossas visitas. Se há outros convidados, é sempre interessante estudar seu caráter; sua conversa é estimulante e estranha; a ausência de provincianismo, tanto no anfitrião como em sua seleta companhia, dá à conversa uma liberdade e uma amplitude quase cosmopolita. O próprio Hunsden é um homem educado em sua casa e, quando deseja, tem uma capacidade inesgotável para entreter seus convidados; sua mansão também é interessante, os quartos parecem históricos, e as passagens, lendárias; os aposentos têm teto baixo, com longas fileiras de treliça em forma de diamante e um ar assombrado do Velho Mundo, por causa dos inúmeros objetos colecionados ao longo de suas viagens e distribuídos com bom gosto pelos aposentos revestidos de madeira ou tapeçaria. Cheguei a ver algumas pinturas e estátuas que causariam inveja a qualquer aficionado aristocrático.

Quando jantamos e ficamos até tarde com Hunsden, ele geralmente nos acompanha até nossa casa. O bosque é imenso, e algumas das árvores são centenárias; há caminhos sinuosos que atravessam brejos e clareiras, tornando o trajeto a Daisy Lane um tanto longo. Muitas vezes, favorecidos pela lua cheia e por uma noite amena e agradável, pelo canto de um rouxinol e pelo acompanhamento musical suave de um riacho escondido entre os amieiros, ouvimos o sino da igreja de uma aldeia a dez milhas soar meia-noite antes que o senhor do bosque nos deixe em nossa porta. Sua fala flui livremente nessas horas, e muito mais calma e gentil do que durante o dia e diante de outras pessoas. Ele se esquece da política e dos debates para falar sobre outras épocas, de sua casa, de sua história familiar, de si mesmo e de seus sentimentos, conferindo um zelo particular aos temas, pois cada um era único. Em uma esplêndida noite de junho, depois de zombar dele a respeito de sua noiva ideal e de perguntar quando ela viria para enxertar sua beleza estrangeira no velho carvalho de Hunsden, ele respondeu de repente:

– Diz que ela é um ideal, mas veja, aqui está sua sombra, e não pode haver sombra sem corpo.

Ele nos havia conduzido das profundezas de um caminho sinuoso até uma clareira, onde as faias foram retiradas para deixar o céu à vista; a luz da lua banhava a clareira, e Hunsden estendeu uma miniatura de marfim sob seu feixe.

Frances examinou-a primeiro, com avidez; depois, entregou-a a mim, mas ainda aproximando o seu rosto do meu para ver em meus olhos o que pensava do retrato. Achei que representava um rosto feminino muito bonito e peculiar, com "feições retas e harmoniosas", como ele tinha dito anteriormente. Era morena; o cabelo, negro como um corvo, penteados da testa e das têmporas, pareciam jogados para trás com descuido, como se sua beleza os dispensasse, ou melhor, desprezasse o penteado. Os olhos italianos olhavam diretamente para quem a contemplava, com um olhar independente e decidido; a boca era firme e fina, assim como o queixo. Na parte de trás da miniatura lia-se "Lucia" em dourado.

– É um busto autêntico – concluí. Hunsden sorriu.

– Creio que sim – respondeu. – Tudo em Lucia era autêntico.

– E era alguém com quem gostaria de se casar, mas não podia?

– Certamente gostaria de ter-me casado com ela, e o fato de *não o ter feito* prova que *não podia*.

Ele recuperou a miniatura, que estava novamente com Frances, e a guardou.

– O que acha dela? – perguntou à minha esposa, enquanto abotoava o casaco para proteger sua relíquia.

– Tenho certeza de que Lucia já usou correntes, e quebrou seus elos – foi sua estranha resposta. – Não me refiro aos elos matrimoniais – acrescentou, corrigindo-se, como se temesse ser mal interpretada –, mas a algum tipo de elo social. Seu rosto é o de alguém que fez um grande esforço, do qual saiu bem-sucedida e triunfante, para liberar um talento vigoroso e precioso de alguma restrição insuportável; e, quando seu talento se libertou, estou certa de que Lucia abriu suas grandes asas e voou mais alto do que...

– Continue – exigiu Hunsden.

– Mais alto do que *les convenances*[187] permitiriam que você a seguisse.

– Acho que você está sendo maldosa e impertinente.

– Lucia pisou no palco – continuou Frances. – Você nunca teve a real intenção de se casar com ela; admirava sua originalidade, sua coragem, a vitalidade de seu corpo e de sua mente; deliciava-se com o seu talento, fosse qual fosse: música, dança ou atuação dramática; idolatrava sua beleza, que correspondia aos seus desejos mais íntimos; mas tenho certeza de que ela pertencia a uma esfera social na qual nunca cogitaria procurar uma esposa.

– Criativo – comentou Hunsden. – Mas se é verdade ou não já é outra questão. Enquanto isso, não acha que sua pequena lamparina de álcool se empalidece diante de um *girandole*[188] como o de Lucia?

– Sim.

– Pelo menos é sincera. E o professor, logo ficará insatisfeito com sua luz fraca?

– Ficará, *monsieur?*

– Minha vista sempre foi muito fraca para suportar uma chama forte, Frances – respondi, e logo chegamos à cancela.

Há algumas páginas, eu disse que aquela era uma agradável noite de verão, e de fato era. Houve uma série de dias radiantes, e este é o mais radiante de todos. O feno foi recém-recolhido dos meus campos, e seu perfume ainda paira no ar. Há algumas horas Frances me propôs que tomássemos chá no jardim; vejo a mesa redonda com o serviço de porcelana colocada sob uma faia. Esperamos Hunsden... e já posso ouvi-lo chegar. Aí está a sua voz, ditando verdades sobre algo com autoridade; a voz de Frances responde, opondo-se a ele, é claro. Discutem sobre Victor; Hunsden afirma que sua mãe o cria para que seja um frouxo. A senhora Crimsworth rebate dizendo: "Prefiro mil vezes que seja frouxo do que seja o que ele, Hunsden, chama de 'bom moço'", e acrescenta que: "se Hunsden residisse na vizinhança em vez de ser um mero cometa, indo e vindo ninguém sabe

---

[187] As conveniências. (N.T.)

[188] Candelabro com suporte para várias luzes/velas, como um pequeno lustre. (N.T.)

como, quando, onde ou por quê, ela não ficaria tranquila enquanto não mandasse Victor para uma escola a pelo menos cem milhas de distância; porque, com suas máximas rebeldes e seus dogmas abstratos, ele arruinaria umas vinte crianças".

Tenho algo a dizer sobre Victor antes de fechar este manuscrito sobre a minha mesa, mas deve ser rápido, pois ouço o tilintar da prata na porcelana. Victor é uma criança tão bonita como eu sou um homem apessoado ou sua mãe, uma bela mulher; ele é pálido e magro, com olhos grandes, como os de Frances e profundos como os meus. Suas proporções são simétricas, mas é pequeno; e sua saúde é boa. Nunca vi uma criança sorrir menos do que ele, nem ninguém que mostre uma fronte tão formidável ao se sentar com um livro que o interessa ou quando escuta histórias de aventura, perigo ou fantasia narradas por sua mãe, Hunsden ou eu mesmo. Contudo, embora seja reservado, não é infeliz; embora sério, não é taciturno; é suscetível a sensações de prazer intensas semelhantes ao entusiasmo. Aprendeu a ler à moda antiga, com um caderno de caligrafia no colo de sua mãe, e como foi bem-sucedido com esse método, ela achou desnecessário comprar para ele letras de marfim ou tentar qualquer outro dos demais estímulos para aprender, que hoje são considerados indispensáveis. Quando aprendeu a ler, tornou-se um devorador de livros, e ainda o é. Tem poucos brinquedos, e não se interessou por outros; parece ter desenvolvido uma predileção equivalente ao afeto por seus brinquedos; esses sentimentos, quase apaixonados, também são dirigidos a alguns dos animais domésticos da casa.

O senhor Hunsden deu a ele um filhote de mastim, que ele chamou de Yorke, em sua homenagem. O filhote se tornou um cão esplêndido, cuja ferocidade, no entanto, foi bastante alterada pela companhia e pelos afagos de seu jovem mestre, que não ia a lugar algum nem fazia nada sem ele. Yorke deitava a seus pés enquanto estudava suas lições, brincava com ele no jardim, passeava com ele no caminho e no bosque, sentava-se junto de sua cadeira às refeições, era alimentado por suas mãos, era a primeira coisa que buscava pela manhã e a última que deixava pela noite. Um dia Yorke acompanhou o senhor Hunsden a X e foi mordido por um cachorro com raiva. Assim que Hunsden o trouxe para casa, informou-me do ocorrido; fui ao jardim e atirei nele ali mesmo, enquanto lambia sua ferida; ele morreu na hora e sequer me viu levantar a arma, pois estava atrás dele. Menos de dez minutos depois que voltei a entrar em casa, meus ouvidos foram atingidos pelo som da angústia, e retornei ao jardim, pois o ruído vinha dali. Victor estava ajoelhado ao lado de seu mastim morto, abraçando seu pescoço imenso e arrebatado pelo sentimento da mais terrível aflição. E então me viu.

– Eu nunca vou te perdoar, papai! Nunca! – desabafou. – Você atirou em Yorke. Eu vi pela janela. Nunca acreditei que pudesse ser tão cruel. Não consigo mais amar você.

Tive muito trabalho para explicar a ele, com uma voz firme, a imperiosa necessidade daquele ato; contudo, com seu tom inconsolável e amargo, impossível de descrever, mas que devastou meu coração, ele repetiu:

– Ele poderia ter sido curado. Você deveria ter tentado, deveria ter queimado a ferida com um ferro quente, ou coberto com soda cáustica. Você não esperou, e agora é tarde demais! Ele está morto!

Victor afundou sobre o cadáver do animal. Esperei pacientemente por um bom tempo até que ficou esgotado de tanto chorar, e então o tomei nos braços e o levei para sua mãe, convencido de que saberia confortá-lo melhor. Frances havia testemunhado toda a cena de uma janela; não quis sair por medo de que suas emoções aumentassem minha dificuldade, mas já estava esperando por ele, pronta para acudi-lo. Apertou-o contra seu coração bondoso e aconchegou-o em seu colo gentil; por um tempo, consolou-o apenas com os lábios, os olhos e seu carinhoso abraço; então, quando os soluços diminuíram, disse a ele que Yorke não havia sofrido e que, se tivéssemos deixado que morresse naturalmente, seu fim teria sido horrível. Acima de tudo, ela disse que eu não era cruel (pois esta ideia parecia causar uma dor imensa ao pobre Victor), que foi meu afeto por ele e pelo cachorro que me fizeram agir daquela forma, e que me partia o coração vê-lo chorar desconsoladamente.

Victor não teria feito jus a seu pai se essas considerações, se essas explicações sussurradas em tom doce e acompanhadas de carícias e olhares bondosos, ternos e cheios de compaixão não tivessem surtido algum efeito. Ele se acalmou, apoiou o rosto no ombro de Frances e ficou quieto em seus braços. Um pouco depois, levantou o olhar e pediu a sua mãe que contasse uma vez mais tudo o que tinha dito sobre Yorke não ter sofrido e sobre eu não ser cruel, e quando essas palavras balsâmicas foram repetidas, ele voltou a apoiar a bochecha em seu colo e a se tranquilizar.

Algumas horas depois, veio me ver na biblioteca, perguntou se eu o perdoava e se podíamos nos reconciliar. Puxei-o para mim e o abracei por um tempo, e depois tivemos uma longa conversa, na qual ele revelou muitos sentimentos e pensamentos que eu aprovava. Encontrei, é verdade, poucas das características de um "bom moço"; eram escassas as centelhas do espírito que quer se destacar depois de uma taça de vinho ou que desperta paixões com um fogo avassalador; mas vi na terra de seu coração as sementes saudáveis e vigorosas da compaixão, da afeição e da lealdade, e descobri no jardim de seu intelecto o rico crescimento de princípios saudáveis: razão, justiça e envergadura moral, que, se vingassem, prometiam um caráter fértil. Então dei um beijo orgulhoso e satisfeito em sua ampla fronte e em sua bochecha, ainda pálida pelas lágrimas, e me despedi dele já consolado. Ainda assim, no dia seguinte eu o vi deitado sobre o túmulo no qual Yorke fora enterrado, com as mãos cobrindo o rosto. Sua tristeza durou várias semanas, e mais de um ano se passou antes que ele sequer tolerasse a possibilidade de ter outro cachorro.

Victor aprende rápido. Em breve ele deve ir para Eton, onde suspeito que seus primeiros anos serão uma desgraça completa: deixar a mim, a sua mãe e a sua casa vai despedaçar seu coração; os trotes não o agradarão em nada, mas a competição, a sede de conhecimento, a glória do sucesso o incentivarão e o recompensarão com o tempo. Enquanto isso, sinto uma forte aversão a definir a hora em que terei de arrancar o meu único ramo de oliveira pela raiz e transplantá-lo para longe de mim, e quando falo com Frances sobre o assunto, ela me escuta com uma espécie resignada de dor, como se eu aludisse a uma operação terrível frente à qual sua natureza estremece, mas sua coragem não a permite recuar. Entretanto este passo deve ser dado, e será, pois, embora minha esposa não vá transformar seu filho em um frouxo, ela o acostumará a um tratamento, a uma indulgência, a um carinho que não receberá de mais ninguém. Ela compreende, como eu, que há algo no temperamento de Victor, uma espécie de ardor e de energia elétrica que, de vez enquanto, emite faíscas sinistras. Hunsden diz que são o espírito do menino, e que não devem ser reprimidas; já eu acho que é a centelha que tornou Adão um ofensor, e creio que deve ser apagada, talvez *não com violência,* mas com uma férrea disciplina, e que todo sofrimento físico ou mental que sirva para incutir nele a arte do autodomínio é justificado. Frances não dá nome a esse algo que há no caráter marcado de seu filho, mas quando ele vem à tona no ranger de seus dentes, no brilho de seus olhos, na sublimação de seus sentimentos contra a decepção, o infortúnio, a tristeza repentina ou a suposta injustiça, ela o aperta contra seu peito ou o leva para caminhar pelo bosque e discute com ele como qualquer filósofo, e a discussão com Victor é sempre acessível; então ela olha para ele com amor nos olhos, e, por amor, Victor infalivelmente deixa-se subjugar; mas a razão ou o amor serão as armas com as quais o mundo enfrentará a violência no futuro? Ah, não! Porque, em troca do brilho em seus olhos, da nuvem que nubla sua fronte ampla, da compressão de seus lábios desenhados, um dia o menino receberá golpes em vez de lisonjas e chutes em vez de beijos; depois virão os acessos mudos de fúria que adoecerão o seu corpo e enlouquecerão sua alma; por fim, virão as provações do sofrimento merecido e salutar, das quais ele sairá (espero) um homem mais sábio e melhor.

Eu o vejo neste momento; de pé ao lado de Hunsden, que está sentado no gramado sob a faia. Sua mão descansa sobre o ombro do menino, e ele está incutindo sabe-se Deus que ideias em sua cabeça. Victor parece bem agora, já que escuta com uma espécie de interesse sorridente; é impressionante como se parece com sua mãe quando sorri, e é uma pena que o faça tão raramente. Meu filho sente um grande apreço por seu padrinho, maior do que eu gostaria, dado que é bem mais intenso, decidido e indiscriminado do que qualquer um que eu já tenha nutrido por tal personagem. Frances também o encara com uma espécie de angústia calada; quando seu filho se apoia nos joelhos ou nos ombros de Hunsden, ela vagueia ao redor deles com movimentos inquietos, como uma pomba protegendo seus filhotes de um falcão à espreita; diz que gostaria que ele tivesse seus próprios filhos, pois assim compreenderia melhor o perigo de incitar o orgulho e tolerar seus pontos fracos.

Ela se aproxima da janela da biblioteca, afasta a madressilva que cobre parte dela e me diz que o chá está servido. Vendo que continuo ocupado, entra na sala, aproxima-se em silêncio e coloca a mão em meu ombro.

– *Monsieur est trop appliqué.*[189]

– Estou prestes a terminar.

Minha esposa puxa uma cadeira e se senta para esperar que eu termine. Sua presença é tão agradável para mim como o perfume fresco do feno e pungente das flores, como o brilho do sol se pondo, como o sossego de uma tarde de verão o é para os meus sentidos.

Mas Hunsden aparece. Mal ouço seus passos e lá está ele, com a cabeça enfiada pela janela depois de afastar implacavelmente a madressilva, perturbando duas abelhas e uma borboleta.

– Crimsworth! Crimsworth! Tire essa caneta da mão dele, senhora, e faça-o levantar a cabeça.

– O quê, Hunsden? Estou escutando.

– Estive em X ontem. Seu irmão Ned está ficando mais rico do que Creso[190] com a especulação ferroviária; em Piece Hall[191] eles o chamam de o especulador. E tive notícias de Brown; disse que *monsieur* e madame Vandenhuten pensam em visitá-los no mês que vem com Jean Baptiste. Também falou dos Pelet; disse que sua harmonia familiar não é das melhores,

[189] – *Monsieur* é muito aplicado. (N.T.)

[190] Último rei da Lídia, Creso (596-547 a.C.) era conhecido por sua imensa fortuna. (N.T.)

[191] Construção em Halifax, West Yorkshire, semelhante a um mercado ou galeria, construída a fim de possibilitar que os tecelões vendessem os tecidos produzidos. (N.T.)

mas que os negócios *on ne peut mieux*[192], circunstância que, segundo ele, bastará para consolar os dois de quaisquer desentendimentos amorosos. Por que não convida os Pelet para ...shire, Crimsworth? Gostaria de ver o seu primeiro amor, Zoraide. Senhora, não tenha ciúme, mas devo dizer que ele estava loucamente apaixonado por essa dama; estou certo disso. Brown diz que agora ela pesa quase oitenta quilos. Veja o que perdeu, *monsieur* professor. Bem, *monsieur* e madame, se não vierem tomar chá, Victor e eu começaremos sem vocês.

– Vem, papai!

[192] Não poderiam ir melhor. (N.T.)